それを小説と呼ぶ

佐々木敦

講談社

それを小説と呼ぶ

佐々木 敦

一人称の物語はここで終る

「物語」松浦寿輝

ひとつの島が無人島でなくなるためには、なるほど、単に人が住むだけでは足りない。島にむかう人間、そして島の上の人間の運動は、人間以前の島の運動をやり直す。もしそれが本当だとしたら、ある人々は島に居着くことができるが、そこはなお無人であり、なおいっそう無人になる。ただ彼らが、充分に、つまり絶対的に分離され、充分に、つまり絶対的に創造的であるとするならば。

「無人島の原因と理由」ジル・ドゥルーズ／前田英樹訳

何事かを知りたいと思い、それが瞑想を通じてはみつからないときには、友よ、親愛にして機略ゆたかなきみなればこそお薦めするのだが、とりあえずたまたま出会いがしらに鉢合わせをした最初の知人をつかまえて、そのことを話題にしてみるがよろしい。

「話をしながらだんだんに考えを仕上げてゆくこと」ハインリヒ・フォン・クライスト／種村季弘訳

目次

初出
「群像」2018年11月号〜2019年12月号、2020年2月号

写真／ダン・フレイヴィン
Dan Flavin "The Diagonal of May 25, 1963"

装丁／宮口　瑚

第一章 方法序説

いま始まったばかりなのだから、これから何がどうしてどうなるのかなんてわからない、というのは大間違いで、いや間違いではないのかもしれないが、それでも時として、まだ始まったばかりだというのに、これから何がどうなっていくのかを、自分は知っている、確かによく知っている、全部わかっている、と思えることがあり、しかもそれは心地良い迷子の感覚や新鮮な驚きと共存している、そんなことがある。

デジャヴュとかではなく、記憶の作用ではなく、むろん事実として知っているということでもなく、ただ始まりが始まりでありながら、つまりそれは端緒であり入口であって、だからまだほんのごく僅かで微かな部分でしかないのだが、しかしそこにはすでに全体が、何もかもが、在る、潜在している、潜在どころかあからさまに姿を晒している、とりあえずのお終いまで、とりあえずではなく最後の最後の最後まで、もうとっくに全部ここに在り、それを自分はよくわかっているという、これは思い込みや錯覚ではなく、ほんとうにそうで、誰にとってもそうである筈だという確信が俄に立ち上がる、そんなことがある。

スペースノットブランクは小野彩加と中澤陽の二人組のユニットで、彼女と彼は舞台作品を作って発表している。『舞台らしき舞台されど舞台』は、雑居ビルの屋上に設えられた小さいけど洒落たカフェで上演された。女優が二人、男優が二人。小野と中澤も「舞台」にいる。カフェは屋上の半分くらいを占めていて、残り半分はいかにも屋上らしいぽっかりした空間で、観客は下の階から外階段を上ってきてぽっかりスペースの先にあるカフェに入る。店のドアの横は大きな窓になっていて、客席はそちらに向かって並んでいる。満席でも三十人くらいしか入れない。窓越しに屋上空間が見えている。一時間の上演時間のあいだに役者たちはドアを何度も出入りする。つまり窓の向こうも「舞台」の一部になっている。小野と中澤も出入りする。彼女と彼は台詞は言わないが、音響装置を操作したり役者のためにドアを開けてあげたり遅れてきた観客を案内してきたりする（遅れてきた人は他の観客に思い切り見られた後で、その一員となる）。

演じられるのはスペースノットブランクの他の舞台作品と同様に、いわゆる「劇」とはだいぶ違う。俳優たちは訥々と滔々と朗々と怒濤のごとく喋り、それは観客に向けられることもあれば会話のように見えることもある。いきなり片方がもう片方に飛びかかって絡み合いながら回転したりもする。ダンスのようにも見える。だがそれはすぐ中断され、唐突にドアから外に出ていってしまい、窓から見える様子は休んでいるようにも、そういう演技であるようにも見える。どちらなのか判別出来ないし、判別する必要がある気もしない。

それはどうやって始まるのかといえば、こうやって始まる。以下は戯曲の冒頭。

カフェにいます。好きな飲み物は最近アイスコーヒー。味がない、甘味がない、バージョン。アイスコーヒーを飲みます。カフェにはたくさんの飲み物があって、自分で選びます。選んだ飲み物を飲む、ということが自分の選択。という作品をやります。出演者は4人いて、今回はここのカンパニーには2回目の出演で、多分もう100回くらい出てる感じで、3回目。はじめて。この4人で一緒の舞台に立つのは、はじめて。でもなんか懐かしい、気持ちになる。舞台。今会うのはこれが、はじめて。次はもう来ない。でも舞台という態で、話を進めるとすれば、舞台を見つめ直すことはできるかもしれない。今舞台というフィルターを通して、会っている状態なわけだからこれが、最後。どういうことかっていうことを、今頭に浮かべましたね。きっとそうだと思います。

（『舞台らしき舞台されど舞台』）

なんだか前口上みたいだが、舞台はもう始まっている。スペースノットブランクの戯曲にはト書きも役名も台詞の割り振りもない。ただ舞台で役者たちが言うことになる言葉が幾つかのブロックのようにずらずらと記されているだけ。ここまでをひとりの女優が言ったのか二人で言ったのか忘れてしまったが、こんないかにもまわりくどく理屈っぽい台詞が、やたらに活き活きと、リズミカルに、極めてチャーミングに口にされる。でもこの続きがもっと重要。

ちょっとした例え話をしましょう。線が一本通っていて、人が線の上を歩いています。人が落ちたら大変なことになると思います。人はきっと落ちない。人はずっと歩いていきます。舞台はいつ完成するかって話で、技術という点で見るならば線の上を歩く、歩いている、時点で完成していると思います。技術としてではなくて、ひとつの物語的視点で見るならば、人が線の端から端まで、歩き終わった時点で、舞台は完成します。もし舞台の途中

> で、今舞台というのは、こっちの舞台です。線の人の線の上を歩く人のことは少しだけ脇に置いておいてください。こっちの舞台です。舞台がもしなにかしらの理由で途中で終えてしまった場合、舞台としては完成していないといえるのでしょうか。技術的な面で話すのであれば、一分でも経過していれば、舞台を見たということに関しては、変わりないはずです。
> （同）

これを書いた誰かは『マン・オン・ワイヤー』か『ザ・ウォーク』を観たのだろうか。観たかもしれない。だが本物のフィリップ・プティもジョセフ・ゴードン＝レヴィットが演じたフィリップ・プティも、「線の上」をひとたび歩き始めたら端から端までとにかく渡り切らないとすぐに落ちてしまうし落ちたら大変なことになる。高所恐怖症だから想像しただけでぞっとする。もし途中で「線の上」から落ちてしまったら「舞台」は完成しなかったことになるのだろうか、それとも完成はする／したのか。「完成」とは何か。「技術」と「物語」の違いが問題にされている。

> でもきっとどこかその辺で、お金を返してもらえると思います。舞台を見るということに関しては、対価を払わないと見れないことが多いです。今舞台には対価が発生しています。サービス業でいうならば、サービスの途中です。今サービスを行っています。サービスをどこで終えることがくるのか。線の上を歩く人の話に戻ります。線の上を歩く人が落ちてしまった場合、どうなるのでしょうか。怪我では済みません。見た人はきっと風景を忘れませ

ん。警察が来ます。救急車が来ます。きっと、今ここに立っている、ではなくて、線の上を歩く人の話の中での、作り話です。線の上を歩く人っていうのはもちろん、きっと、その辺で見ている人だと思うんです。見ています。落ちます。警察。救急。色んなパパラッチ。来ます。見ている。見ている。お家に帰って、ご飯とかを作っている時、寝る前とかに、歯磨きしている時に、思い出すと思います。

（同）

かなり早口なので意味を取る間もなく高速で流れてゆく。「今」「今」「今」というのは、他でもない今のことであり、そうでしかなく、それ以外でもある。これは台詞なのか。喋っているのは俳優で、観客がそれを聞いていて、というか俳優は観客に話している、という体の演技をしている、という体で舞台がそこにあって、舞台がそこで生まれていて、そのことには対価が発生している、発生の結果がその舞台である。線なんかどこにもない。だから線の上から落ちることもない。でもこれは只の「例え話」でもない。

本題に戻ります。今会っています。寝る前に顔を思い出してくれますか。きっと、思い出さないはずです、そういう、そういう、悲しいです仕方ないですよね。話をされたらどうですか、時間の無駄ですか、時間の無駄だと思います。どうやってここに来ましたか、電車で来ています。今思い出せますか、してます。なにがいいたいのか、舞台はこれからここにいる世界から出ていくための舞台だからです。終わったらなにを食べるでしょうか。ありがた

いことにお金を払ってそれぞれのための時間を確保している。実はもうすでに知っていま
す。この舞台が終わる。それぞれの生活に帰って行く。見てます。同じように見てます。役
割が違うだけ。出るための話。でも本当は知ってると思う痕があるということを。出るため
の時間。

（同）

ここで終演後に買った戯曲の「1」は終わりで、番号は「12」まである。上演時間は一時間だったから、単純計算でまだ五分くらいしか経っていない。舞台はまだ始まったばかりだ。だが「ひとつの物語的視点」への執着（だか何だか）を捨てられれば、もうこの時点で完成している。完成しているからといって、続きが、残りが要らないわけではない。重要なのは、そこが「これからここにいる世界から出ていくための舞台」だということ、これは「出るための話」なのだということだ。世界の中に舞台が区切られるのではなく、世界がそのまま舞台であるのでもなく、世界と舞台が完全に同等の権利で、ここだかそこだかあそこだかを分かち合い重なり合っているので、世界から出ていくために舞台から出ていくのだということ。あるいはその反対。

部分には全体が含まれている／孕まれている／表現されている、などといったことを言いたいのではない。問題は「舞台がもしなにかしらの理由で途中で終えてしまった場合、舞台としては完成していない」のか、それとも「一分でも経過していれば、舞台を見たということに関しては、変わりない」のか、ということで、あらかじめ準備された劇が随時遂行されていく、そのどのタイミングであっても、そこには常にその劇が丸ごと在るのであり、それは次の台詞や次のア

クションをまったく知らない観客にとっても、いやそういう観客にとってこそ、そうなのだし、もっと言えば、あらかじめ準備されていなかったとしても、それはそうなのだ。

もちろん、どんなものでもそうであるというわけではない。だが、こういう言い方をさしあたり許してもらうなら、或る種の「芸術」は、そういうことをするのだ。たとえばスペースノットブランクのような人たちが作る「舞台＝芸術」は。部分と全体の関係性の話ではなく、部分と全体の区別がつかないということを言いたい。部分と全体は同じなのだ。というか、部分は全体を分割した一部ではない。部分を全部足しても全体にはならず、部分ひとつだけで全体と同じか、それ以上の大きさがある。つまり部分と呼ばれている部分は実は存在しない。在るのは全体と呼ばれている全体だけで、その全体もまた何かの部分なのだということではなく、全体はただ全体なのだ。

『舞台らしき舞台されど舞台』を観始めて五分で、この事実をあらためて実感した。あらためて、というのは前から知っていたからだ。断わっておくが、今は物語のことは言ってない。ここでの言葉遣いに従うならば、技術の話をしている。因果律の話ではない。戯曲が最後まで書かれていたから、こう言えるのでもない。舞台は何度か行なわれることがあり（その方が多い）、それは同じ芝居が違う仕方で繰り返されるということだから、二度目以降はおおまかに反復でもあるわけで、だから、ということでもない。たとえ一度しか演じられない舞台だったとしても、戯曲が最初から最後まで書かれてはいなかったり、あるいは戯曲通りに演じられなかったとしても、事と次第によっては、そういう事態は生起する。では、この「事と次第」とは何か。「舞台」という特殊性の問題は確かにあるのだが、今書いているのはそれとは別のことである。

「舞台らしき舞台されど舞台」が「映画らしき映画されど映画」であっても「音楽らしき音楽されど音楽」であっても、もちろん「小説らしき小説されど小説」であっても、ここでの話にかんしては、全然構わない。『舞台らしき舞台されど舞台』の英語タイトルは Theatre like Theatre but Theatre で、むしろそっちが先にあったのではないかと思われるのだが、この「A like A but A」には他にもさまざまなものが代入出来るだろう。これを更に「A≒A＝A」とでもすれば、より汎用性は高くなる。しかし、この話も「事と次第」とはとりあえず関係がない（おそらく）。たまたまスペースノットブランクの「舞台」のことから始めたが（だが言うまでもなく「たまたま」なんてことは本当はない）、これからしようとしているのはジャンルや様式に限定されない話なのだ。いや、もちろんそれはもうすでに始まっている。

ところで、今までしていたのは「部分」というより「途中」という話だったのではないか。途中も部分の一種だから間違いではないし、途中を含む部分の話なのだが、部分と言わずに途中と言うことの利点は、そこに持続とか経過とか、つまり「時間」という要素が入ってくることだ。部分と全体は、途中と道程とでも言い換えられる。或る長さの時間の出来事があるとして、その中間地点（時点）のどこかが途中であり、その出発点から終着点までが道程だ。ならば終着点が設定されているから道程と呼ばれるものが生じ、道程が在ることになったから途中と呼ばれるものが在り得るということか。では終着点がなければ道程もなく、だから途中もないのか。同じように出発点が設定されないなら道程は開始されず、従って途中も見出され得ないということか。これはさっきまでしていた話を別の言い方でしているに過ぎないのだろうか。いつの間にか始まっていて、いつ終わるのかもわからない、というのでは駄目なのか。

ホルヘ・ルイス・ボルヘスに「永遠の歴史」という題名のエッセイがあり、これは歴史が永遠だということではなく「永遠」という概念の歴史についての文章なのだが、その中でボルヘスはこう問うている。「永遠はどのようにして開始されたのか」。これも永遠の始まりはいつかというパラドキシカルな問いではなく、「永遠」という考え方＝思考の誕生を問うているのだが、ボルヘスはこう続けている。

（……）聖アウグスティヌスはその問題の答えはわからないが、一つの解答となりそうな事実を指し示す。過去と未来のさまざまな要素はそのままそっくり現在にあるという事実を。彼はある明確な事例として、一篇の詩を思い出して吟誦する場合を引合いに出す。「吟誦を始める前は、その詩は私の期待の中にあり、終ればたちまち私の記憶の中にあります。しかるに、それを吟誦している間は、すでに吟誦した部分は記憶の中に、まだ吟誦していない部分は期待の中に広がっているわけです。詩篇の全体と併行して起こるこのようなことは、各行においても、各音綴においても起こるはずです。同じことは、その詩を一部分として含むもっと大きな行為についても、またそうした行為の連続からなる個人の運命についても、また個人の運命の連続からなる人類〔の世紀〕についても言えます」（『告白』第十一巻第二十八章）。時間のさまざまな時の緊密な連関をそのように確認することは、しかしながら連続を含みとするもので、一瞬のうちに全である永遠という典型とはなじまないことである。

（「永遠の歴史」土岐恒二訳）

「そのような典型はノスタルジアが生みだしたものだと私は思う」とボルヘスは言う。「幸福の可能性を思い出す追放された涙ぐましい人間は、それらの可能性の一つを成就したことが他の可能性を排除もしくは後まわしにしたことを完全に忘れて、それらの可能性を永遠の相の下《スブ・スペキエ・アエテルニターティス》に見る」。記憶と期待。過去と未来。現在に宿るノスタルジア。永遠。

強い感情に襲われて、思い出は無時間的な方向へと傾斜する。われわれは過去の多くの幸運をただ一つのイメージに集約する。毎夕私が見るさまざまな赤味を帯びた日没は、思い出の中ではただ一つの日没であるだろう。同じことは予見についても言える。どれほど互いに相容れない期待でも、邪魔ものなしに共存できる。換言すれば、永遠とは願望の様式なのだ(もしかしたら永遠なるものを——無限の事物の直接の明澄な享受を——漠然と予感することにこそ、列挙によって得られる特別な喜びの原因があるのかもしれない)。

(同)

永遠とは願望の様式なのだ……最後の括弧内の文章も非常に重要だ。何かを列挙するということは数え上げることでもあるわけだが、その作業がいつまでもいつまでもいつまでも終わらないかもしれない、という漠たる予感、不可能な期待にこそ「特別な喜び」があるのだと、ボルヘスは言っている。

このやや長めのエッセイの最後にボルヘスは「永遠についての筆者の私説」を述べている。「それは、もはや神の在《いま》さぬ貧相な永遠であり、私以外にその所有者もいなければ、原型たちもそこにはいない」。しかしそれはいかにもボルヘスらしくというべきか、彼が以前に書いた文章の引用から成っている。詳しく言うと、標題論文に「永遠の歴史」を掲げたボルヘスの評論集は一九三六年に初版が刊行されたが、それは一九二八年に出版された『アルゼンチン人の言語』（ホセ・エドムンド・クレメンテとの共著）に収められた文章で、題名は「死を味わうこと」だったという。その中で、ボルヘスはこう語り始める。「ここに私が幾夜か前に経験したことを書き記しておきたい。それは事件と呼ぶにはあまりにも儚い、脱我的な出来事であり、思想というにはあまりにも理不尽でセンチメンタルなものであった。ことはある場景と、そこで口にされた言葉とに関わる。その言葉を口にしたのはなるほどこの私だが、そのときまではその言葉に私が全身全霊を捧げてそれを生きた言葉としたことはなかった。以下に、時と所の偶然が重なってその言葉を口にするに至った経緯を物語るとしよう」。

その日の夕方、ボルヘスはブエノスアイレス南東郊外に位置するバラカスにいた。「日ごろ行ったことのない場所であり、そのあと歩き回ったどの場所よりも遠かったことが、その一日になにやら不思議な趣を添えてくれた」。やがて夜になって、彼は行き先も決めずに歩き出した。「私はその散歩に、方角すら定めたくはなかった。たった一つの方角を定めてしまうことから生ずる必然的予想によって、せっかくの期待を退屈なものにしないために、さまざまな可能性の余地を最大限に残そうとしたのである。いわゆる犬も歩けば棒に当る式の徒行を、あまり可能性のないやり方で実行して、並木街路や大通りは避けるということ以外には先入観をもたずに、因果律のどんなに曖昧な誘いをも受け入れた」。ボルヘスは実に巧妙に、このなにげなさげな回想譚を少しずつ謎めいた雰囲気へと変容させていく。

しかしながら、一種の親和力に引っぱられて、その名をいつでも喜んで思い出すいくつかの地区、私の心に畏敬の念をよび起こす地域へと私は遠出した。こう言ったからとて、私の地区、まさしく私の幼年時代を過ごした界隈を意味しようというのではなく、いまなお神秘にみちたそのあたり、私が言葉においては完全に所有しているが現実にはほとんど何も所有していない、近くてしかも神話的な界隈のことだ。私にとってそれらの最後から二番目の街路は、有名の裏返し、その背面みたいなものであって、わが家の地中に埋まった基礎部分、あるいは外目には見えないわれわれの骨格とほとんど同じくらい、見事に誰にも知られていないところである。（同）

こう書きながらボルヘスは、けっしてその場所の名を記そうとはしない（読者が名前を挙げたなら、彼はそのどれも違うと答えるだろう）。そこはいわば、まったくそうとは見えない迷宮の果てにある、何ひとつ隠されてなどいない秘所である。「そうして歩いているうちに私はとある角へやってきた。ひたすら黙想に沈むこの上なく穏やかな安らぎのうちに、私は夜を存分吸い込んだ。目に入る光景は、確かにいささかも複雑ではなかったが、疲労のせいか、単純化されているように思われた。その光景を非現実のものに見せていたのはまさにその単純化という特色なのであった。通りには低い家並が連なり、そのことは第一に貧困を意味していたけれども、第二義的にはまぎれもなく幸福を意味していた。それはこの上なく貧しく、この上なく幸福であった」。

件の「出来事」が起こるのは、この後である。

　私はその純一さにただ惘然と見とれていた。そして考えた、確かに声を出して。これは三十年前とまったくそのまま同じではないか……。私はその日付けを推定してみた。三十年前といえば、よその国だったらつい最近の時代だが、ここ、世界でも変化の目まぐるしい土地ではすでに遠い昔のことなのだ。おそらく一羽の鳥が鳴いていて、私はその声による、雀の涙ほどの愛撫を感じていたことだろう。しかし、もっと確かなことは、その目くるめく沈黙の中に、蟋蟀たちの同じく無時間的な鳴声しかしていなかったということだ。私はいま千八百何年かにいるのだというふとした考えが、おおよその数字を含んだ単なる言葉であることをやめて現実に深い意味を帯びてきた。私は自分がすでに死んだ人間のような感じがし、自分が世界の抽象的感受者であるような感じがした。形而上学でいちばん明白とされる知識を吹き込まれた名状しがたい恐怖。いや、私はなにも〈時〉の推測された潮が満ちたなどと信じたわけではない。むしろ自分が、永遠という思量を絶した言葉の、物言わぬ、あるいは不在の感受力の所有者ではないのかと疑ったのだ。

（同）

　こうしてひとりのアルゼンチン人のもとに「永遠」が顕現する。「今」が、三十年前に、そして百年前に、何の先触れもなくずれ込んでいる。いや、ずれ込むという言葉は精確ではない。ボルヘスに訪れたのは、自分が過去へと瞬時に移動した、時間旅行を行なったという認識ではない。彼がとつぜんに理解したのは、もっとおそるべきことである。「その想像をいま私は次のように書く」と彼は続ける。

静穏な夜、澄みきった声で鳴く小鳥、すいかずらの鄙びた匂い、本来の泥んこ道——そういったさまざまな同質的なものが一体になったあの純粋な示現は、ただ単に千八百何年かのあの角における示現とそっくりであるだけではない。それは、相似でも反復でもなく、まさに同じ当のものなのである。時間とは、もしわれわれにその実体を直観することができるとすれば、一つの幻想である。見かけ上のきのうという日の一瞬と、見かけ上のきょうという日の一瞬との間には何の相違もなく、両者は不可分のものであるという一事だけで、時間を解体するには十分であろう。

(同)

百年前も、三十年前も、昨日も、今日、すなわち現在も、その前後に位置するありとあらゆる時が「相似でも反復でもなく、まさに同じ当のもの」なのだということ。それは確かに神秘的な、幻想的な経験であるかもしれないが、それと同時に極めて現実的な、生々しい実感に満ちたものでもある。

いやむしろ、時間と呼ばれている何ごとかの抽象性それ自体が、いわば人間的なものなのだ。「そのような人間的瞬間瞬間の総数が無限のものでないことは明らかである。基本的な瞬間——肉体的苦痛と肉体的快楽の瞬間、眠りの接近する瞬間、音楽を聴く瞬間、ひどい緊張またはひどい食欲不振の瞬間――でさえ非個人的なものだ。私は前もって次のような結論を導き出しておく。人生はあまりにも貧しいものであり、また不滅でもない。しかし、だからと言って、われわれが貧しく哀れであるという確証すらもないのだ。なぜなら時というものは感覚的には容易に論破し得るものなのに、知的にはそうはいかず、時の本質と、連続の概念とは不可分に思われるから」。時間は、永遠は、無限は、人間の観念が何らかの理由で産み出した虚構の装置なのだと言ってみたら話はそれで終わってしまうが、むろん考えるべき問題は「何らかの理由」が何何であるのかということなのだし、それは「事と次第」の話でもある。

　高山羽根子は「世界の秘密」を描く作家である。とりわけ「オブジェクタム」は、昭和的と呼んでもいいようなノスタルジックで牧歌的で少し不思議な物語の衣を纏いつつ、その下に極めて奇妙な、極めて美しい絡繰りを潜ませた傑作だ。小説は「中野サト」の一人称で語られる（だが「ぼく」という主語＝代名詞は数えるほどしか出てこない。これは意識的な選択だと思われる）。サトがひとりでレンタカーを運転して子供の頃に暮らしていた町に向かっているところから小説は始まる。彼が小学生の時に体験した一連の出来事が、おそらくかなり久々のことであるらしい郷里への再訪の顚末の間に挟み込まれていくのだが、時代も場所も最後まではっきりとは示されることがなく、よくわからない。

「ぼく」はあるとき偶然に、同居する祖父の静吉の隠し事を知ってしまう。月に一度ほどのペースで町内の広場など十数箇所に忽然と貼り出される謎のカベ新聞の編集発行人の正体は、なんとじいちゃんだったのだ。静吉は俳句を習いに行くフリをして、自然公園の中のススキ野原の奥、人目につかない空間に設えたテントで、たったひとりで新聞を作っていたのだ。孫にそのことがバレても静吉は特に動じることなく、サトに新聞作りを手伝わせるようになる。それは祖父と孫、二人だけの秘密になった。カベ新聞は町のさまざまな事象を扱っているのだが、手間暇掛けて調べられている割には「スーパー山室と八百永青果店、ナスと柿に於ける傷み率の比較」などといった、役に立つような立たないような記事ばかりで、町の人々は最初は誰の仕業か気にしていたが、すぐに慣れてしまって、今ではごく普通に受け入れている。だがどうやら意外なほど多くの町民が読んでいるようだ。しかし、やがて二人の新聞社には終わりがやってくる。

ある日、静吉がなかなか帰ってこず、サトは母親からじいちゃんが少し惚けてきている可能性があると聞かされるが、新聞のことを知っているので信じられない。やっと帰宅した静吉は土手で足を滑らせて転倒し、しばらく動けなかったのだと言った。それから祖父は新聞を出すのを忘れてしまったかのように、サトがテントに行ってみてもいつも誰も居ない。その後、サトは父親から虐待を受けている上級生の山本ハナと一緒にいた時にじいちゃんが石を拾い集めている姿を目撃する。ハナの話だと静吉は最近、町のあちこちで石を拾っているといい、サトの祖父であることを知らない彼女に「絶対ボケちゃってるねあのじいさん」と言われてしまったサトは、どうにもやりきれない気持ちになる。

そんな折、とつぜん久しぶりに新しいカベ新聞が貼り出される。だが、そこにはただ「最終回」と書かれてあるだけで、「いつもの細かくてていねいな文字はなかった。かわりに、ばらばらの水玉模様みたいな薄い色の丸印がいくつもついている」だけだった。そして同じその日、じいちゃんは倒れて入院したのだった。

静吉が通うフリをしていた俳句教室の先生をサトは「渋柿」と呼んでいる。渋柿はいきなり手品を披露してみせたりする年齢不詳の変わった男だが、サトが友だちのカズと広場でカベ新聞を見ていると、いつのまにかそこにいる。

「最終回なんですね」

渋柿はメガネをおでこのあたりまで持ち上げて、紙の表面に顔を近づけた。紙の端から端まで鼻先を滑らせて、太い人差し指を紙の上をなぞって動かす。そうしながらもごもごと声に出さずになにか唱えている。しばらく見ているうちにそれが、紙にあるでこぼこの数を数えているんだと気がついた。

「タテが十二と、八十、八十マス」

渋柿は笑顔のままで、カベ新聞の正面から顔を離して、額に上げていたメガネをもういちど引き下げて言った。

「ホレリスコード」

続けて言う。

「昔はデータを記録して、保存するために穴の開いた紙を使っていたんです。このカベ新聞の紙には、そのときに使っていた紙が漉《す》きこんである。ずいぶん手間のかかることをしています」

（「オブジェクタム」）

ホレリスコードとは、初期の電算機の記録媒体だったパンチカード（穿孔カード）に使われていたコードの名称で、発明者のハーマン・ホレリスに由来する。往年のSF映画の科学者のラボなんかによく映っている、あれである。だが、何故ここで唐突にホレリスコードなどというものが出てくるのか。静吉は何故そんな技術を持っているのか。静吉は何故そんなこと（というのは一見何も書かれていないカベ新聞に大昔のコンピュータのコードを隠すこと）をわざわざやってのけたのか。そして何よりも、そこには何が書かれているのか。いきなり幾つもの謎が押し寄せる。すると渋柿が「うちの倉庫にまだカードを使ってデータを読むマシンがあったと思います」と言う。サトとカズは渋柿についていくことにする。そこは印刷工場だったが、今では三階に渋柿が住んでいるだけで、他は使っていないという。着くと渋柿は開け放しのままの一階の電気を点ける。

倉庫の内がわのカベのうちの一面が、モニター画面でいっぱいになっていて、それぞれの隙間はいろんな色のコードでつながれている。画面は、テレビにしては四角い箱みたいで、映る面が平らじゃなくて少しだけ丸く出っぱっている。ホコリっぽいけれども、ときどきは手入れされているみたいにも見えた。家や学校で見るものと似ていて、でもいまひとつなにに使うのかわからないような機械がぎっしり、はまっているみたいにして置いてあった。今までどこでも見たことがないほどひとつひとつ大きなボタンが並んでいるキーボードとか、薄い茶色に色づけされた透明プラスチックカバーのついた横長の機械、なにかのプレーヤーか、プリンターかもしれないもの。積みあげて置かれたたくさんのプラスチックでできた薄い箱が、カセットテープというものだということは知っているけれど、家にはなく、学校で

見せてもらったことがあるだけだった。（同）

とても印刷工場の設備とは思えない。まさにSF映画のようだ。そして確かにカードにパンチを穿つ装置やカードの束などが、そこにはあった。だが結局、機械が壊れていて、カベ新聞に隠されたコードを解読することは出来ない。渋柿は言う。「この場所は、印刷所をやめてからもずっとカギを閉めることなく、友だちやそのまた仲間とも、いろんなことに使っていましたから。あの新聞を作っていた人もかつて、ここの機械を利用したことがあるのかもしれません」。カズが「いつか、こうやってなにかを隠しておくためにですか」と尋ねると、渋柿は少し考えてから、こう答える。「どっちも考えられます。壊れているのをわかった上で、読むことができないものを作ったのかも」。

静吉がカベ新聞に忍ばせたコードに何が書かれていたのかは、物語の最後まで謎のままとなる。だが、そこがかつて印刷工場だったという事実が、実は意外な伏線のひとつであったということに、読者は小説の結末近くで気づかされることになる。しかし、ここではその点にはこれ以上触れない。考えたいのは「物語」ではなく「技術」の方であるからだ。重要なのは、「オブジェクタム」という小説においては、表面的に語られている／表れているのとはまったく異なるレイヤーが走っているということが、渋柿がふと口にする「ホレリスコード」という特殊な単語によって、ほとんどあからさまに示されているのだということである。それは、静吉が何故沢山の石を拾い集めていたのかという（ハナに惚けだと思われても仕方のない）謎とも繋がっていき、小説のクライマックスを構成することになる。
　サトはハナに「すごいところに連れてってあげる」と誘われて、カズとハナの姉のユメと、ユメの彼氏（？）だというタクヤが運転する幼稚園の送迎バスで、本来の乗客である園児たちと、途中で渋柿も拾って、ぎゅうぎゅう詰めになって「すごいところ」に向かう。そこは小高い丘の下の寂れた駐車場で、隅に小さな鳥居があり、その後ろの切り立った急な断面を湧き水が細い滝のように流れ落ちていて、その下が池になっている。横には丸太で組まれた階段が設置されている。皆で登っていってみると、そこには広く平らな丘のような空間がある。「開けた場所だったから、とても遠くまで町が見渡せた。湧いた水が細い川になって、くねってなだらかなところを回り込むように通りながら、さっき見た駐車場の下のほうにある小さな鳥居のある池にむかって細く流れ込んでいる。まず、いちばんはじめに目に入ってきたのは、広場全体にいくつも立っている、石を積み上げた塚みたいなものだった。どれも、大きさがばらばらの石を積みあげて作られているみたいに見えた。高いものはたぶん大人の身長よりもずっと大きくて、低いものも一メートル弱はあるみたいに見えた。まっすぐ上をむいたものだけじゃなくて、そり返ったり曲がったり、真ん中あたりから二股にわかれたものもあった」。そこには驚くべき光景が広がっている。謎と奇跡に満ちた光景が。

　町中ぜんぶのものが集まったんじゃないかと思うくらいの、ものすごい数の石が使われていて、ところどころ練った土で固められたりしてある。地面には雑草が生い茂って、たまに土が剝きだしになった地面が見えている。空のペットボトルが刺さっていて、洞窟に生えている水晶みたいにキラキラしていた。

川の中にも小さな石塚が作られていた。塚が川の中で水の流れを割って、流れを変えたり水を上に持ち上げたりしている。塚の間にはヒモがわたされていて、缶だったり、ペットボトルだったり、ちょっと見たらガラクタにしか思えないようなものがいっぱい並んでぶら下がっていた。ペットボトルには透きとおった色つきのビー玉やネジみたいなものが入っていて、いくつかの空き缶は、ところどころ穴を開けて切り広げられてある。風を受けてくるくる回っていて、見渡すと地面にむかって光がばらばらの色でちらばっていた。

水の流れを受けて回りながらいろんな色に見えるように切ったセロファンをはりつけられたペットボトルが、川をさえぎるように一列に並んで、水の中で水のつぶを作っている。この広場にある風景を作っている一個ずつのものは、ほかにネジやクギ、おかしの袋とか石、土、水や木の実みたいな、ふだん町の中のどこにもあって見なれていた、でもあんまり大事じゃないものだった。なのにたくさん集まっていることで、今まで見たことがない景色になっている。（同）

皆が口々に言っている。「外国の古代遺跡みたいだな」「まじないとか、祈りとか」「誰がこんないたずら」「なんかの目印？　暗号みたいな」「ゆうえんち？」「ゆうえんち！」。物語が始まってまもなく、サトは「小さいころ住んでいた町には遊園地がなかった。ただ、それを残念に思ったことはない」と思い出す。

「ゆうえんち」は、この小説を流れるモチーフのひとつである。じいちゃんが入院した病院の待合室で、サトは父親から、昔、町に移動遊園地がやってきた時の話を聞く。父親の遠い思い出の中で移動遊園地は、とても現実だったとは思えないような、不確かで幻想的な世界に変貌している。いや、ほんとうに現実ではなかったのかもしれない。あとでサトは渋柿にも町に来た遊園地に行ったかと尋ねる。渋柿は「夢のようでしたよ」と答える。じいちゃんも移動遊園地に行っただろうか。目の前に広がる光景は、あたかも自然と人工物で造られた遊園地みたいだ。「上からの日差しと、水のいろんなところからの反射もあちこちから見えた。どこに立ってみても景色がちがって見えた」。だが、それだけでは終わらない。


「すごい」「すごい」「ここ」「おいでよ」

　みんながいる高台の上にかけのぼって、自分が来た方向、みんなが目を離さないでいるところを振りかえって見渡すと、塚やペットボトルのプロペラのせいで水の流れがさえぎられてしぶきを作って、そういう小さな滝とか噴水みたいな水のうごきが缶とかガラスの光の角度によって、太いもの、細いもの、何本かの光の線が浮かび上がっていた。

「にじだ」

　発した言葉はものすごくふつうで、言ったすぐあとにとても恥ずかしくなった。ただまわりを見ても、誰かの言った言葉を聞いている人なんていなかった。そこにいたみんなが、一度にこんなにたくさんの虹を見たことなんてなかったかもしれない。


（同）

ゆうえんちにたくさんのにじが架かっている。「虹は塚と塚の隙間を縫うようにして出ていたり、またいくつかの塚どうしをつないでいたりして、差し込む日光をはじく水のつぶといっしょに川の中に混ざっていってるみたいだった」。それは巨大な、無数の虹の製造機でもあったのだ。いったい誰が、どうやってこんなことをやってのけたのか、サトだけがその答えに気づいているが、彼はもちろん誰にも言わない。ただ、その後、静吉の病室を訪ねたサトは、ベッドに横たわって点滴を受けながら身動きせず何も言わない祖父に「じいちゃんはぼくにも遊園地を見せたかったんじゃないかって思ったんだ」と言う。もちろん祖父は何も答えてはくれない。

この小説の他の色々と同様に、はっきりとは書かれていないが、おそらく静吉はほどなく亡くなったのだと思われる。では彼はいったい何者で、何をしようとしていたのか。読者はその或る一面を、ここでは敢えて触れてこなかったこの小説の幾らかの記述によって推察することが出来る。それは「印刷工場」とも関係している。だが、いま語りたいのはそれとは違うことなのだ。

アナキズム研究者の栗原康とフランス文学者の白石嘉治の対談本に、イメージではなくピクチャーだ、という話題が出て来た。前後の文脈は措いて白石の発言だけ引用する。

白石　ふつう絵は「イメージ」とみなされる。フランス語だと「イマージュ」ですね。なぜ「イメージ」ということばをつかいたくないかというと、「イメージ」にはセットになることばがあるからです。「イデア（観念）」というのがそれです。そしてイメージでもイデアでもない、つかみがたい現実もあります。それは「コーラ」とよばれます。「コーラ／イメージ

／イデア」で、ひとつの連続したセットになっている。
これはプラトンが設定したことです。まず現実のわけのわからないカオスみたいなコーラがあって、つぎにそれをあらわしたイメージがある。そしてそれが蒸留されると観念、つまりイデアになる。イメージということばには、そういうストーリーが想定されている。「イメージ」ということばをつかいたくないのは、そういうプラトンの枠組みをどうしてもひきずってしまうからです。

（『文明の恐怖に直面したら読む本』）

これはとても面白い提案だ。イメージという語を使わずにピクチャーと言ってみることで、コーラ＝現実とイデア＝観念のどちら側の引力からも逃れることが出来る。「オブジェクタム」の「ゆうえんち」にして「虹製造機」も、イメージではなくピクチャーなのだと考えてみることで、見えてくるものがあるのではないか。像ではなく絵／画であるところの描写。プラトンの三項図式とは無関係の、ただそこに描かれてあり、それゆえにそこに見えているもの。心的な表象、脳内映像とも、あるいは存在とか実在とか呼ばれているものとも、まったく違う次元に属する視覚的記述。それはボルヘスが「その光景を非現実のものに見せていたのはまさにその単純化という特色なのであった」と言っていた「単純化」ということにも関係しているように思われる。ということはすなわち、その先に控えていた「永遠」と「無限」をめぐる思弁とも関係があるということだ。
オブジェクタムはホレリスコード以上に聞き慣れない言葉かもしれない。ラテン語では一般に

（従って例外はあるが）名詞に接尾辞「〜 ari」を付けると形容詞化し、更に「〜 um」を付加すると容れ物や場所を意味する中性名詞になる（例：aqua（水）→ aquarius（水の）→ aquarium（水族館））。つまり objectum とは object ＝対象／物体の容器、客観の収納場所といった意味だと考えられる。対義語はサブジェクタム＝ subjectum である。ところが、ややこしいことにサブジェクタムとオブジェクタムの意味は、中世においては現在とは逆転していた。subjectum は、ギリシア語の「hypokeimenōn ＝下に置かれてあるもの＝基体」のラテン語であり、objectum は同じくギリシア語「antikeimenōn ＝向こうに投じられてあるもの＝心的内容」のラテン語である。つまりサブジェクタムが客体／客観でオブジェクタムが主体／主観だったのだ。

この用法が正反対になっていくのはカントが登場する近代以降のことだという。高山羽根子がどういう意図で、このような題名を自作に冠したのかは知らないし、小説の中でも一切触れられていない。だから想像してみるしかないのだが、やはり問題は「um」なのではないかと思われる。object でも objective でも objectivity でもなく、objectum。かつては「心内」という意味だったのに、ある時から「客観」ということになっていった「向こうにあるもの」、それらが収められてある容れ物＝場所＝空間。オブジェクタムをピクチャーと接続してみること。

白石嘉治は栗原康との対談の続きで、「「ピクチャー」ということばをつかいたい積極的な理由もあります」と言う。ピクチャーの最初の文字である「p」には「刺す」という意味がある。「「ピクチャー」そのものは、ラテン語の「pingere」ということばにさかのぼります。それは「色をつけて塗る」という意味なんだけど、そもそも筆先はとがっている」。白石が言うにはパンチ、ピック、プッシュなど頭がｐで始まる単語には「刺す」という意味の痕跡が残っている（栗原は「ピープルも！」と応じる）。そして当然のように白石はロラン・バルトが『明るい部屋』で提出した「プンクトゥム」へと話を進める。「バルトにそって言うと、写真のなかには、その構図などとはまったく関係なしに、点として気になるところがある。たとえば、ある写真をみていると、写っているひとの手にどうしても目がいってしまう。そういうふうに、向こうからやってきてわれわれを刺すもののことを「プンクトゥム」とバルトはよぶ」。そして更にそれを対談の前の方で話題にしていた中井久夫が言う「徴候」に繋げてみせるのだが、とりあえず今のところはイメージが「表象」ならピクチャーは「徴候」なのだとだけ言っておく。表すものと指す（刺す）もの。白石の発言の続きを読もう。

文明以前はひとが歩いていて、草がゆれることは表象ではなく、徴候としてとらえなければならない。そうした徴候は、われわれを刺してくるもの、つまりピクチャーでもある。草がゆれたのは、危ないクマがいるということなのか、それともおいしく食べられるウサギがいるということなのか、あるいはたんに風が吹きぬけただけなのか、そういったことをその都度判断する。存在を知覚することから不在を想像する。そういうふうに知覚と想像が重なりあう。それが徴候であり、ピクチャーであり、生きていくということです。

だから文明という前提を外すと、人生はピクチャーでできているといえる。そして「それでなにか問題ある？」といい切ったのがプルーストです。『失われた時を求めて』の主人公は、タイトルどおりに時が失われていると感じている。ぜんぜん生きている感じがしない、となげいている。でも、（略）主人公が敷石に躓いたのをきっかけに、過去の「印象」が現在と折りかさなるようにおしよせてくる。有名な場面です。そうした徴候のピクチャーのなかで、存在と不在のしきいはとりはらわれる。情動がかきたてられる。生きているという感じがする。

（同）

ここで言われている「人生はピクチャーでできている」の「人生」を（白石の意に沿うかどうかはわからないが）「世界」に書き換えてみたい。「世界はピクチャーでできている」。無数の（あるいはひとつの？）「絵／画」で構成された／描かれた世界。

ここでふと思い出されるのは、磯﨑憲一郎の小説だ。彼には「絵画」という題名の短編もあるのだが、それについては以前、別の文脈で多少詳しく書いたことがあるので（『新しい小説のために』）、ここでは別の作品にしよう。「ペナント」という一見ばらばらな三つの断片から成る短編小説。その三つ目、つまり最後の断片の最後、つまり小説の最後。

（……）森の中の道は右手にカーブしながら緩やかな上り坂になり、坂を上りきったところは広々とした葱畑になっていた。ここは見晴らしの良い高台《たかだい》だった。眼下には青い稲がぎっしりと詰まった真夏の水田が広がり、その向こう遠くには少年の住む町から隣町までまたがる大きな沼が銀色に輝いていた。高台の上へ視線を戻すと、強い日差しを浴びた、焦げ茶色の土から飛び出した葱の葉の深緑色の連なりはいますぐそのまま食べられそうな、とても清潔なものに見えた。葱畑の尽きる東側の斜面の土はどうしてなのか赤茶色で、そこから松《まつ》林《ばやし》が始まっていた。そのうちの、ある一本の松が少年の気に留まった。幹はほとんど垂直なのだがほんのわずかに左に傾き、高いところで枝分かれし始めてからは、強い風圧が加わって枝も葉も一気に右へと流されていく。それはセザンヌが一八九六年にプロヴァンスで描いた松の木だった。とてもよく似た木、ということではなくて、セザンヌの描いた松の木そのものだった。

（「ペナント」）

いちおう断わっておくが、この小説の舞台は一八九六年のプロヴァンスではないし、セザンヌの名前が出てくるのはここのみである。「じつは少年は夏休み中だというのに、毎日のように学校へ通っていた。図工の時間に描いた一枚の絵、それは工事現場の巨大なクレーンが鉄骨をワイヤーで吊るして、持ち上げているところの絵だったのだが、その絵に目を付けた教師が県展に出品させるために何度も、何度も、少年に描き直しを命じていたのだった。仲の良い友達だってもうとっくに下校してしまった、画用紙は四枚目だった、茶色と水色の絵の具も使い切ってしまった。それは一学期が終わって、夏休みに入っても続いていたのだ。「あんなに苦労して、一生懸命描いた絵だというのに、あの絵はいまではどこへ行ってしまったのだろう」と、とつぜん何者かが嘆いたところで左の引用に繋がる。つまり絵は出てくるのだが、それはセザンヌとは似ても似つかないものだ。わざわざ「とてもよく似た木、ということではなくて」と言い添えられているわけだが、もちろんセザンヌのモデルになった松の木が百年後に（おそらく）日本のどこかに移植されていたということではなく（その可能性も絶対にないわけではないが）、この場面自体が、いや、この小説そのものが、ピクチャーなのである。そしてそれは「世界はピクチャーでできている」ということでもある。

高山羽根子が「世界の秘密」を描いているとは、どういうことなのか。そのことを言うためには、もうひとつの作品を召喚せねばならない。第二回林芙美子文学賞を受賞した短編「太陽の側の島」もまた、ピクチャーの作家としての彼女の特質が瞭然と示された作品である。

この小説は書簡体の形式を採っており、遠く離れた南方の島にいる若き兵士の真平と、まだ幼い息子とともに夫の帰りを待つその妻チヅとの間で手紙が交わされる。戦争中であるらしいのだが、「オブジェクタム」と同様、時代や場所の記述は曖昧である（夫婦が互いに送り合う手紙という設定が説明的な要素のさりげなくも大胆な省略を可能にしている）。それでもたぶん太平洋戦争時のことなのだろうと思って読み進めてゆくと、少しずつ不可解で不可思議な要素が入り込んできて、次第に奇怪さが募り、終幕に至ってこの小説は一挙に反現実的な様相を帯びる。しかしそれは最初、戦時の日常の中のちょっとした違和感、奇妙といえば奇妙ではあるが、すごく気になるわけでもない映像として始まる。

こちらは拍子抜けするほど恙《つつが》無く順調です。無論、毎日の訓練と荒地の開墾に精を出してはおりますが、空からの攻撃や海上戦の気配はいまだない状態です。時に敵連合国軍のものらしき飛行機が畑を耕す我々の頭上遠くに飛ぶのが見え、すわ、と緊張が走るのですが何事もなかったように通り過ぎるきりです。気がついたのは、我が国と比べてここはずいぶんと雲が高い位置を流れているようだということです。見通しがよいはずであるのに敵機が我々を見つけることができないのが不思議ではありますが、綿シャツ一枚で鍬を振るう日に焼けた我々を現地の農夫と見間違えているのかもしれません。これも機とばかり我々は食糧の整備に精を出すのみであります。ただ不思議なことには遥《はる》か頭上を行く飛行機がいつもどういうわけか上下あべこべのように見え、敵国の戦闘機のつくりがそうであるのか、また我々の知らぬ方法でひっくり返って飛ぶ戦法があるのかはよくわかりません。

（「太陽の側の島」）

もちろん「違和感」とは「上下あべこべ」というところなのだが、真平からチヅへの二通目の手紙、まだ小説が始まって間もないこの時点で、その真相を見抜くことの出来る読者はまず皆無だろう。それはまったくもって驚くべきものなのだ。これも「オブジェクタム」と同じく、この小説の魅力は平明を装いつつ細心かつ巧妙に計算された語り口と、それが実は重要な伏線であることを読む者に気取らせないディテールの描き方にこそあるのだが、ここでは一足飛びに「真相」を述べることにする。チヅから真平への最後の手紙、この小説の最後のパートでもある手紙の中で、チヅは「私、気がついてしまったのでございます。真平様と私の関係を」と書く。それは「あなたの耕す南の島の土と、私の立ちつくす庭先の関係」のことだと彼女は言う。

私は今まであなたは同じ空の下、地続きのずっとずっと遠い異国の南島においでであると思っておりました。だのに手紙のやり取りはまるですぐそばに、いいえ寧《むし》ろ同じところに立っているかのように同じ時が流れているのが不思議でなりませんでした。

しかしたとえばどうでしょうか、空の反対側、同じ空を挟んで向こう側にあなたの耕す大地があるのだとしたら。天気や時の流れは全く同じの空の下、いいえ私から見ましたらあなたの大地は空の上、あなたから見ましたら私のいる場所は空の遥か上となるのでございます。荒唐無稽な妄想とお笑いになられるでしょうか。

（同）

「空」を挟んでふたつの「大地」が上下逆さまに向かい合っているのだという、まさに「荒唐無稽」としか言い様のない「真相」が露わにされるとともに、この小説は終わる。これが「世界の秘密」である。そしてその光景は、やはり「オブジェクタム」と同じく極めてピクチャレスクである。この結末を読んだ時、思い出したのは小沢剛の「す下降にンバンレパ兵神神兵パレンバンに降下す」だった。鶴田吾郎の戦争画「神兵パレンバンに降下す」を基にした、画面の真ん中で同じ像が鏡像状に反転している絵画で、左右対称の絵の中で、本来は敵を撃っていた日本兵は自分自身を攻撃しているように見える。もちろん「太陽の側の島」と「す下降にンバンレパ兵神神兵パレンバンに降下す」は主題も仕上がりも全く異なっているし、高山羽根子は小沢剛に影響されたわけではない（「太陽の側の島」が書かれたのは「す下降にンバンレパ兵神神兵パレンバンに降下す」の初公開より前のことである）。しかし二枚の絵には、それでもどこか相通じるものがあるように思う。

ところで実は、「太陽の側の島」に隠された「世界の秘密」は、二つの大地が空を挟んで上下互い違いに接続されているという荒唐無稽な世界構造だけではない。真平たちがいる島の住民たちは、当初はいかにも素朴で善良な異国の人々という描かれ方なのだが、その特異な風習や生態が明らかになっていくにつれて、真平やチヅたちとは根本的に違う生き物なのではないかという疑念を読者に生じさせてゆく（例によって曖昧模糊とした叙述なのだが、島民と同じ種族（？）のひとりであるらしい敵国の兵士をチヅが秘かに保護する挿話も語られる）。どうやら島の民は人間とは異なる仕組みによって生と死を延々と循環しているらしい。チヅへの最後の手紙の中で真平はおもむろに、島民の一人が「小さな紙に図を描いて説明してくれ」たと書く。

彼らは、どうやらどこかからどこかへ移動している最中のようなのです。その地点がどれだけ離れているのか、また、どのくらいの時間をかけて移動しているのか、それは彼ら自身にもわからぬと言うのです。ただ、とても、長い時間がかかるということだけを理解している、と彼は言いました。彼らが体を再利用するのも、疲れず無理をせず、私たちから見れば無為なように過ごしているのも、最低限の労力で作物が取れるこの島の仕組みも、何か果てしのない航海に、私たちのような余所者《よそ》がこの大風に運ばれて漂流してきてしまったようなことなのかもしれません。

（同）

この真に驚くべき手紙の内容について、次の返信にして最後の手紙でチヅが一切触れていないことも非常に気になるのだが（彼女は夫の書いてきたことを無視して「私、気がついてしまったのでございます」と二つの世界の関係を推理してみせるだけなのだ）、しかし、とするとこれはどういうことになるのだろうか。

真平の手紙の記述を信じるならば、彼らのいる島はそれ自体が移動している、それも途方もなく長い時間を掛けて移動を続けているということになる。その事実と、チヅが気づいた世界の異様な構造は、どのように関係しているのか。それとも、そういうことではないのか。そもそも頭の中に真平の世界とチヅの世界の「絵」を思い描いてみた時点で、自然科学に基づく世界像は崩壊してしまっている。「島」が「船」なのだと言われても、そうであるのならそうだろう、とでも言うしかないのではあるまいか。しかし「どこかからどこかへ」とは、どこからどこまでだというのか……このように「太陽の側の島」に装塡された「世界の秘密」は、広義のSF的なアイデアに支えられているようなのだが、しかしそれはかなり特異なタイプのSFだと言っていい。そこには説明や解決はなく、整合性への配慮もほとんど感じられないからである。

では「オブジェクタム」はどうなのか。事はやはりピクチャーにかかわる。物語のクライマックスでサトたちが見る「ゆうえんち＝虹製造機」の光景には、まだ隠されているものがあるのではないだろうか。ヒントは「ホレリスコード」である。そう、静吉が、じいちゃんが、石と水と土と光と、ペットボトルとその他の色んなものを使って、たったひとりで組み上げた、あのピクチャーにも、何らかのコードが埋め込まれているのではないか。あるいはあれ自体が一個の水流コンピュータ（！）のようなものなのではないか。これが「世界の秘密」である。だが、カベ新聞に漉き込まれていたホレリスコードと同じく、この暗号も最後まで誰にも解かれることはない。それに渋柿が言っていたように、じいちゃんは、静吉は、最初から「読むことができないもの」を作ったのかもしれないのだ。解読不能なメッセージを、それそのものとしてサトに遺したのかもしれないのだ。もちろんそれは、この小説の作者である高山羽根子が読者に発信した「メッセージ」でもあるだろう。

カンタン・メイヤスーは「形而上学と科学外世界のフィクション」という講演（及びそれを基にした論文）において、従来の「SF＝サイエンス・フィクション」に対して「科学外（世界の）フィクション（fiction（des mondes）hors-science ＝ FHS）」という新しい「フィクションの体制」を提案している。メイヤスーによれば、SFにおけるサイエンスとフィクションの関係は「科学知識や科学による現実支配の可能性が変化――多くの場合は拡張――した、架空《フィクション》の未来を想像する」というものである。そしてその変化の結果として人間と世界の関係も変化する。それゆえに「サイエンス・フィクションのなかでは、起こりうる未来はどれほどの大変化を遂げていたとしても、それゆえ科学の範囲内に収まっています」。ということはつまり、

あらゆるサイエンス・フィクションは、「予想される未来においても、世界を科学知識に従わせることはまだ可能である」という原理に、暗黙のうちに従っているのです。科学はその新たな力によって変貌するでしょうが、科学自体は依然として存在するでしょう。この種の文学を指す一般的名称〔＝サイエンス・フィクション〕は、当然そこから来ているのです。フィクションは、極度の変化をもたらすかもしれませんが、それはあくまで科学の内部においてのことです。たとえ見分けのつかないほどの姿になっていたとしても、科学自体はなおも存在しているのです。

（「形而上学と科学外世界のフィクション」／神保夏子訳）

　ＳＦが「サイエンスのフィクション」であるとは、要するにそういうことだ、とメイヤスーは言っている。ならば「ＦＨＳ＝科学外フィクション」とは、いかなるものなのか。「「科学外世界」とはいっても、われわれはたとえば人間が現実との科学的な関わりを発展させてこなかった（あるいはまだ発展させていない）世界のような単なる科学不在の世界、つまり実験科学が実際に存在しない世界の話をしているわけではありません。「科学外世界」とは、実験科学が原理的に不可能である世界のことを言うのであって、それが実際に未知の事実である世界のことではありません」。科学「外」世界とは、つまり文字通りの意味なのである。

ですから、科学外フィクションとは、実験科学がその理論を展開したり、その対象を構成したりできないように構造化された——あるいはむしろ構造を失った——世界を思い浮かべるという、想像の世界の独自の体制を定義するものです。ＦＨＳの指導的問題は以下の通りとなります。すなわち、科学知識にとって原理的に太刀打ちしがたいもの、自然科学の対象として設定できないものとなるためには、世界は一体どのようなものでなければならないのであろうか、と。（同）

　ＳＦの側からは、すぐさま幾つもの反論が思いつかれることだろう。この論文が——メイヤスーと彼を中心軸のひとつとする「思弁的実在論」のわが国に於ける小ブームにもかかわらず——

SF界隈ではあまり話題にならなかったようなのは、メイヤスーのSFの定義が、あまりにも矮小で偏狭に過ぎると思われたであろうことが理由の一つではないかと推測出来る。そもそもSFのSが「サイエンス」のみを意味しているという理解は相当にクラシックな認識だと言っていい。どういうわけかメイヤスーは言及していないが、Sを「スペキュレイティヴ＝思弁的」にしようという提案さえ今から数十年前に為されているのだし。

とはいえ、この点についてはメイヤスーも論に入る前にあらかじめエクスキューズしている。SFとFHSを「明確に区別するために、前者にはかなり一般的で、月並みとも思えるような定義を与える」と。また「皆様はあるいは次のようにお考えになるかもしれません。すなわち、サイエンス・フィクションと呼ばれる文学ジャンルのなかに科学外フィクションも含まれているのではないか。（略）SFという文学ジャンル自体が、それゆえ、私の主張する区別とは矛盾しているのではないか」と言いつつ、自分の意図は「ある概念上の区別を強調し、その哲学的な重要性を示すところにある」のだと述べている。

実際のところ『有限性の後で』や「亡霊のジレンマ」での主張を踏まえるなら、FHSがメイヤスーの哲学的プログラムを「フィクションの体制」に適用したものであることは一目瞭然である。それは「形而上学と科学外世界のフィクション」では「帰納の問題、より正確には、デイヴィッド・ヒュームが『人間本性論』において、またその後『人間知性研究』において提起したような、自然法則の必然性の問題」に集約される。よく知られているように、ヒュームはビリヤードの喩えを用いて「自然法則の因果性」を根本的な疑問に晒してみせた。孫引きになるが、たとえば、私が一つのビリヤード・ボールが直線をなして他の一つのほうへ運動していくのを見るとき、そして第二のボールの運動が両者の接触ないし衝撃の結果として、たまたま私に示唆されたとした場合においてさえ、一〇〇にも及ぶさまざまな〔他の〕出来事がこの原因から等しく生じうることを、私は心に思い浮かべることができないであろうか。これら二つのボールは絶対的な休止状態で止まりえないであろうか。第一のボールが直線をなして戻ってくるとか、第二のボールを飛び越えて何らかの直線運動あるいは何らかの方向への運動をする、といったことはありえないであろうか。これらすべての想定は整合的であり、想念可能である。とすれば、他に比べてより整合的でも想念可能なわけでもない一想定をなぜわれわれは優先させるべきであろうか。われわれのア・プリオリなすべての推論は、この優先についていかなる根拠をもわれわれに示すことは決してできないであろう。

（同（訳文は『人間知性研究　付・人間本性論摘要』斎藤繁雄・一ノ瀬正樹訳より））

メイヤスーは、ヒュームのこのような思考実験を過激かつ過剰に徹底化することによって、この世界のとつぜんの根底からの変化の可能性を導き出す。「経験も論理もそれについての確信を与えてくれない以上、物理法則が一瞬後にもまだ有効であることをわれわれに保証するものは正確には何なのか、何がわれわれをそのように確信させているのか」をヒュームは問うているのだとメイヤスーは言う。「将来法則が変化するという想像には、いかなる論理矛盾もない」のだし、「過去における法則の恒常性のいかなる経験も、その経験に基づいて法則が未来永劫続くと推測することを許しはしない」のだと。メイヤスーの標的は明白である。「経験とはその定義上、現在（私が今経験しているもの）と過去（私がすでに経験したもの）についてのみ、われわれに情報を与えてくれるものです。つまり、未来の経験などというものは存在しないのです。それでは、自然は明日も今日と同じように既知の定数に従うであろうという確信を、どうすれば経験をもとに正当化することができるのでしょうか？」「提起される問題はそれゆえ、安定した自然についてのわれわれの確信が正当化されるのかどうかを知ること、そして――もしそうではないのなら――現実世界の未来の恒常性に対して日常においてはかくもまったき信頼を寄せることをわれわれに許している、この主観的な確信がどこから来ているのか」。

すなわち、人間はなぜ、明日の世界が今日と同じ世界である筈だと思い込めるのか。周知のように、ヒュームはこの問題を、人間は「習慣（habitude）」によって正当化（とまでは言えないかもしれないが）しているのだと考えた。ならば習慣による推測、すなわち帰納的思考を退けたなら、世界は一気に不断の変動／変容可能性に満ち満ちた不安定かつ不定形な状態に陥ることになる。いや、それこそが世界の実相なのだ。

ＦＨＳの前提となる論議として、メイヤスーは彼が「自然法則の必然性の問題」と呼ぶヒュームの懐疑に対する哲学史上の二つの回答を検討する。そのひとつ目はカール・ポパーによるものである。これもよく知られているように、ポパーは科学における理論的言説の客観的妥当性は「反証可能性」によって証明されると考えた。つまり、或る科学的な理論は将来的に新たな実験の結果によって反証（正しくなかったことが証明）され得る可能性によってのみ検証される。

このポパーの主張のどこが問題なのか。メイヤスーはこう述べる。「まず、ポパーの解決が、サイエンス・フィクションのそれと完全に同質の想像の世界に属していることに注目しましょう。科学的理論に関する反証主義は、実際われわれに何を認めることを要求するのでしょうか？現時点では検討されていない他の諸理論によって将来その理論が反証されるかもしれない、ということです。ポパーがこのような反証について挙げた例はもちろん過去に属していますが、彼の認識論の原理は、すでに生じたものとちょうど同じぐらいラディカルな断絶（ruptures）――たとえばニュートン力学が、一般相対性理論や量子物理学ほどに革命的で一八世紀の人間には予見不可能であった理論のために失効を経験したような――の可能性を、未来に投影することなのです」。メイヤスーが言う「ポパーによるヒュームの誤解」は、まさにこの点に存している。

> ポパーが実際に提起しているのは、「われわれの理論は将来新たな実験によって反証されうるであろうか」という問題です。したがって彼の問題は認識論的なもので、科学知識の本質に関わっています。しかし、ヒュームの問題とは反対に、それは存在論的なものではありません。ヒュームの問題は単なる科学理論の安定性（stabilité）ではなく、物理法則そのものの過程の安定性に関わるものです。ところでポパーは、反証主義を通じて、この存在論的問題を扱ってはいません。（同）

メイヤスーがヒュームの懐疑に見出したのは、認識論ではなく存在論に属する問題なのである。ポパーの反証主義は「人間は科学的な真理をいかにして認識し得るか」と問うてはいても、その「真理」の真理性は俎上に載せていない。言い換えれば、ポパーは人間には間違えること、すなわち事実を見誤る場合があり、それがゆえに本物の事実、すなわち真理へと漸進していくことが出来るのだという知識・認識の一種の進化論を述べているのに過ぎず、その「事実」それ自体が──人間とは無関係に──理由なく崩壊し得る事態を想定していないとメイヤスーは指摘している。

科学そのものが不可能になった未来世界、というこの仮説こそが、真のヒュームの問題です。ポパーの問題──われわれの理論への保証の問題──はサイエンス・フィクションの問題、可能な科学が未来永劫存在することを前提としたフィクションにおいて繰り広げられる問題です。しかし、ヒュームの問題のほうはもう一つの想像の世界、すなわち科学外フィクション──いかなる科学理論も現実にはもはや適用できないほどにカオス化した未来世界のフィクション──の想像の世界を動員しています。（同）

ヒュームの懐疑に対する第二の回答は、（時間的には逆行するが）イマヌエル・カントによるものである。言うまでもなくメイヤスーにとってはこちらの相手の方が巨大かつ重要なのだが、ここでは「フィクションの体制」にかかわる部分についてのみ触れる。メイヤスーはこう述べている。「ヒュームは、彼がわれわれに想像するよう提示したビリヤード・ボールが、物理法則の純然たる非恒常性のために気まぐれな軌道をとる可能性を排除することを何がわれわれに許しているのかを問うています。カントの解決の原理は次のようなものです。われわれの想像するこの場面は、いかなる場合も決して知覚することができない。なぜなら、このような場面を可能にしうるもの――自然法則の偶然性――は、対象のあらゆる知覚、あらゆる意識を不可能にするであろうから」。カントの論法は背理法である。

カントによれば、ヒュームの議論の欠陥は、科学の条件を意識の条件と切り離した点にあります。実際ヒュームは、科学が不可能になった世界をわれわれが意識している状況を提示しています。われわれはなおも対象――ビリヤード台、ボール――を知覚することができるが、対象のほうは科学理論では説明できないいかなる振舞いをもする、という世界です。しかし、カントにとって、科学なき意識とはあらゆる論証の崩壊にほかなりません。科学の不在、すなわち科学によって知られうる世界の不在においては、意識が存続することはできないであろうというわけです。（同）

カントに従うならば、ヒュームが仮定しているような事態がほんとうに世界に出来したならば、その瞬間に、人間の知覚も意識も記憶も何もかもが消失してしまうことだろう、とメイヤスーは言う。「すべては奥行も自らの過去との関係も持たないカオスの点の一時的・記憶喪失的な直観に帰してしまうでしょう。現実は（略）どんな夢よりもさらに非現実的になり、こうした全滅を夢見る者をその虚無へと陥れるでしょう。あとには意識も一貫性もない、純然たるカオス的多様体しか残らないでしょう」。

これがメイヤスーの「ハイパーカオス」である。しかしカントは、そのようなものが現実に存在し得るし得ない以前に、仮に存在し得たとしても人間にはそれを認識し得ないと考える。裏返して考えてみれば「つまり、ヒュームによって仮定された諸法則の偶然性は、もしもそれが真実なら、表象と世界の消滅を含意するでしょうから、世界の表象が存在するという事実自体がヒュームの仮説への反証となるのです」。

では、ここからメイヤスーは、どう巻き返すのか。ある意味で彼の反論はあっけらかんとしたものである。一言でいえば、それは想像可能なのだから想像可能なのだと、ほとんどトートロジカルにメイヤスーは言ってのける。「必然的法則に従わない世界を想像することがどうしてできないのでしょう？　つまり、どちらかといえば不安定で、あちこちで不条理なことが起きるけれども、全体としては規則的——といっても必然的な因果の過程から生じたわけではない規則性ではありますが——な世界を？」と彼は問いかける。実に興味深いことに、メイヤスーはつい先ほど提示したばかりの「(ハイパー) カオス」を自ら縮減してみせるのだ。「法則のない世界は、なぜ確実にこれほどにも激烈に不安定でなければならないというのでしょうか？」。そうでなくてもよい、そうではないカオス＝世界だって在り得る。

カントはわれわれにこう言います。もしわれわれの世界がいかなる必然的法則にも支配されていないのなら、世界のいかなるものも存立することはできないと。しかしわれわれはこう答えたいのです。いかなる法則にも従わない世界が、秩序あるものではなくカオス的である理由はない、つまり、そうした世界に何かを押しつけることが正確には不可能である以上、無差別にそのいずれでもありうるのでなければならないと。結局のところ、私にはカントがここで、必然性のない世界と根源的カオスとの同一性を明言することを彼に許す、ある暗黙の法則に頼っているように思われます。その法則とは、確率論的（probabiliste）法則です。

（同）

そこでメイヤスーが指摘するのは、カントの思考の背後にある「確率論的法則」も「法則」である以上、ヒュームが示唆した「法則なき世界」にとっては何ら意味を持たない、ということである。「形而上学と科学外世界のフィクション」はまだ途中だが、次の一節は核心を突くものだ。

もしそれがカントの推論であるならば、彼に対してこのように答えるのはたやすいことです。いかなる法則にも従わない世界が、確率論的あるいは統計学的な法則に従わなければならない理由はどこにもない、と。あらゆる健全な蓋然性に反するものも含め、自らを世界に形成する一つの包括的な秩序——にもかかわらずそのなかではヒュームのビリヤード・ボールのようにある種の細部がいつでも「脱線（déraper）」しうるような秩序——を構成することを彼に禁じうるものは何もありません。われわれはそこから、超越論的演繹の弱点は、FHS的想像の不十分な実践に由来するのだと気づくのです。というのも、より研ぎ澄まされた科学外フィクションの想像力は、世界が将来法則なき世界に変容する可能性や、さらにはわれわれがすでにそうした世界に住んでいる——そのカオス的な細部がまだわれわれにとって明確な形では現れてはいないにせよ――という可能性を排除することを彼に禁ずるでしょうから。

（同）

メイヤスーが、ここではっきりと「われわれがすでにそうした世界に住んでいる可能性」に言及していることに注意を促しておきたい。ＦＨＳ＝科学外世界のフィクションは、ある意味ではメイヤスー自身の主張とは根本的な矛盾を来しながらも、すでに書かれているのかもしれないのだ。

カンタン・メイヤスーが円城塔の小説を読んだとしたら、何と言うだろうか。いわゆる「文学」といわゆる「ＳＦ」の二つの領域で同時並行に活動してきたこの作家は、登場した時から或る強度のオブセッションを背負っていた。「全ての可能な文字列。全ての本はその中に含まれている」と、そのデビュー長編を彼は書き始める。しかしすぐさま、この言明は宙吊りの不可能性へと追いやられる。

しかしとても残念なことながら、あなたの望む本がその中に見つかるという保証は全くのところ存在しない。これがあなたの望んだ本です、という活字の並びは存在しうる。今こうして存在しているように。そして勿論、それはあなたの望んだ本ではない。

（『Self-Reference ENGINE』）

円城塔のオブセッションとは、彼が書きつけた最初の二文字、すなわち「全て」である。彼は「全て」を、そして「全ての全て」を、むろん「全ての全ての全て」を、以下どこまでも続く「全て」を、こんな言葉遣いが許されるのならば、渇望している。

だが、そんな彼のやみくもな想いとはまるで無関係に、あっけなく「全て」は、そこに在る、在ってしまう、在ることになっており、在ることに出来て、だから在ったのだ。しかし、だからそれが何だというのか。問題は、狂おしいほどに求めている筈の「全て」が、実のところは難なく手に入ってしまい、なのにそれでは何にもならない、何ひとつ得られたことにはならない、ということなのだ。

要点はさしあたり二つ。第一は、右の文にもあるように、「全て」から「部分」を見つけ出すには事実上、「全て」を全て把握することが必要となり、それは事実上、「全てであること」いや「全てになること」が必要になるということ。そうでなければ、ただ単に「「全て」がここに在る」、とでも言って（書いて）満足しておくしかない。第二に、さっきまでの「全て」と、今現在の「全て」と、この後の「全て」は全て同じ「全て」なのか、という問題。「全て」は増えたり減ったり入れ替わったりしないのか。それはするだろう。するのではないか。だとしたら「全て」はいつまで経っても「全て」に追いつけない。

パラドックスを弄しているのではない。もっと切実な話だ。

円城塔の『文字渦』は「文字」をめぐる連作短編集だが、敢えて「文字」をあまりめぐらないところを読み出してみれば、彼が今なおデビュー以来のオブセッションに拘泥し続けていることは明白だ。冒頭に据えられた、第四十三回川端康成文学賞受賞作「文字渦」の主人公である陶俑

（人型の陶像）づくりの俑は、秦の貴人、のちに始皇帝と呼ばれることになる人物に呼び出され、その姿を粘土に写せ、陶俑を拵えよと命じられる。作業に何日かかるかと問われた俑が「どの程度の厳密さを御希望かによります。通常の俑であれば、おおよその形をつくるのに一日、細工に二日。御髪の一本までということですと、かたどる間に本数が変わったりもいたしますから、写しとること自体が難事となります」と慎重に答えると、相手はその態度が気に入ったとばかりに「いかなる瞬間もその一瞬のみをとらえるわけにはいかず、変化は今こうしている間にも常に生ずる。水を泳ぐ魚の姿を頭の方から見ていけば、尻尾へと向かうに従い、歳をとっていくはずだ。その魚に充分な大きさがあったとしたなら、人間が記録するのは、頭部が稚魚で尾部が老魚の姿をした生き物となる。一見奇妙な代物だが、あらゆる事物は時の流れから逃れられない」と宣う。

「そなたに命ずるのは、真人の像である」と貴人は言い、

「真人」と俑が訊く。嬴は頷き、

「盧生の言うところの、完成した人間というものだ。水に入っても濡れず、火に入っても焼けず、天地と寿命を等しくする」

「仙人の像をつくれということでしょうか」という俑の問いかけを、

「違う」と遮る。「あくまでもこのわたしの像をつくるのだ。無論、時間の中で変化を続けるこのわたしの像をではない。当然、時間を超えた像となる。頭の先が一瞬前、足の先が一瞬後の生形を写すというような、時間に侵された像は必要ない。ほんの一瞬、そこにあった

がゆえに、永遠に存在せざるをえなくなるようなものが望みだ」
「それには、時間を超えた時間がかかりましょう」

（「文字渦」）

もちろん貴人は俑の抗弁を笑って受け流す。期限を定められ、守れなかったなら命を失うと告げられる。「しかし、時の中に不滅のものは御座いません」と俑が言うと、貴人はこう答える。「不滅を滅ぼす矛を用いて、滅を先に滅するのだ」。矛があるなら、盾はどこにあるというのか。矛盾。やがて作業を始めた俑は、目の前の被写体が片時も変化を止めないことに驚き戸惑い、畏怖する。「泡の上を流れる油を見ているようです」と彼は嘆息する。返ってくるのは「その泡を割ればそなたの命はない」という上機嫌の言葉だ。そして貴人はこう言う。「そなたには、わたしの真の姿が見えているというのはどうかな。写しとることができぬ人間であるというわたしの姿が」。確かに見えているのに写しとることは不可能であるということ。これもオブセッションだ。この種のエピソードは他にも幾らでも挙げられるが、ひとまずはこう言っておこう。円城塔は「全て」を相手取り「全て」に挑み続ける作家、すなわち「全体論＝ホーリズム」の作家、少なくともそのひとりである。

ルートヴィヒ・ヴィトゲンシュタインは、一九三二年から一九三三年にかけてケンブリッジ大学で行なった講義の中で、「時間」にかんして興味深い考察を披瀝している。

一三

番号のついた丸太が流れている川に目を向けるならば、われわれは岸辺のできごとをこれらの丸太との関連で記述することができる。例えば「二〇五番の丸太が通過するとき、私は夕食をとった」、のように。丸太が私のところを通過するときに、どんという音をたてるとしよう。われわれはこれらの音が等間隔に分たれているとか、等間隔ではない、と言うことができる。あるいはまた、ある組の音が他の組の音よりも二倍速いと言うこともできよう。しかし、そのようにして測られた間隔の相等性ないし不等性は、時計によって測られたものとはまったく異なったものである。

(『ウィトゲンシュタインの講義　ケンブリッジ　1932-1935年　アリス・アンブローズとマーガレット・マクドナルドのノートより』／野矢茂樹訳)

「番号のついた丸太が流れている川」という喩えが素晴らしい。絵が目に浮かぶようだ。「われわれは、「二秒離れている二つの音と一時間離れている二つの音との差異は程度の違いである」のようには言うことができない。というのも、間隔が一時間の場合にはリズムの感覚をもたないから」だとヴィトゲンシュタインは言う。一時間を二秒ぐらいに感じられる者ならばリズムはあることになるのだろうが、そういうことではないのはもちろんわかっている。

通過する丸太が等距離ずつ離れているように思われるとしよう。われわれは（時計で測られたものではないにせよ）これらの丸太の速度と呼ばれるかもしれないものを経験する。この意味で、川が一様に動いていると言おう。しかし、もし丸太一と丸太一〇〇の間の方が丸太一〇〇と丸太二〇〇の間よりも速く時間が過ぎていたと言うならば、これは比喩でしかない。実際には何ものもより速く過ぎてなどいないのである。時間がより速く過ぎるとか、時間が流れる、と言うことは、何ものかが流れていると想像することにほかならない。そのときわれわれは、その比喩を拡張し、時間の方向についても語る。人々が時間の方向について語るとき、彼らの前にあるのは、まさに川の比喩なのである。（同）

「時間」を「丸太」だと考えるか「川」だと考えるかの違いは大きい。前者が「主観」で後者が「客観」ということなのか。それともその逆か。だがしかし、オブジェクタムというものもあるのだし。「丸太」でなく「船」であり、その上に乗っている、ということだってあり得る。ヴィトゲンシュタインは続ける。「川ならば、言うまでもなくその方向を変えることもできようが、反転される時間について語るとき、人は眩暈を感じる。その理由は、流れおよび「流れていく」何ものか、そして流れの方向といった考えは、われわれの言語の内に姿を現わすもの「であり、時間の反転はわれわれの文法に抵触すること」だからである」。この時代にはもちろん、まだ「言語ゲーム」という用語は使われていないが、その思考の萌芽はすでに現れている。

ある間隔で状況が反復すると仮定する。そしてそのとき、時間は循環すると言う人がいたとする。その人の主張は正しいのか、誤りなのか。いずれでもない。彼の主張はたんにもう一つ別の表現法というにすぎず、われわれは循環的時間について語ろうといっこうに構わないのである。だが、流れとしての時間、方向をもつものとしての時間という映像は、きわめて力強くわれわれに迫ってくる。

（同）

実感が齎《もたら》す啓示とでも呼ぶべきものが、長いブランクを経て哲学に復帰してからの彼にはことのほか重要だった。こんな素朴な言い方では何を言ったことにもならないが、結局のところ「時間」とは「時間についての思考」のことなのだと言ってしまってよいのだし、それが間違いであったとしても特に困ることはない。ここで言われている「表現法」とは言語使用のことであり、思考の様式のことでもある。そしてそれは「映像」とも織り重なり合っている。

（同）

ある人が、丸太の流れる川には始まりがあった、そして終わりがあるだろうと言い、また、さらに一〇〇本の丸太が流れ、そこで終わるだろうと言ったとする。この言明を検証する経験が存在する、と言われるかもしれない。これを、時間が終わると言うことと比較せよ。時間が終わることの、あるいは進み続けることの規準は何か。（中略）われわれが「時間」という名詞をもっておらず、ただ丸太の通過について語るだけであったとしよう。そのときわれわれは、「時間」という名詞を使わずに時間の計測を為しうるだろう。あるいは、丸太が終わりになるという意味で、時間の終わりについて語れるだろう。われわれが時間の終わりを語るのは、こうした意味において、可能になるだろう。

（同）

むしろ「時間」という名詞（とその使用）、そこに自ずと密輸される種々の観念こそが、時間を取り逃がす共犯となってしまうということか。だが、ただ丸太を眺めているだけで、時間を、その終わりを、ほんとうに摑まえられるのか。「時間はできごとなしにも進みうるのだろうか」とヴィトゲンシュタインは問う。丸太が流れるのが出来事なのではなく、誰かが（自分が）丸太が流れるのを目撃することが出来事なのだろうか。「「できごとは一〇〇年前に始まり、時間は二〇〇年前に始まった」。ここに含まれる時間に対する規準は何であろうか。時間が創造されたのか、それとも世界が時間の内に創造されたのか？」。

それとも「時間」が創造されるとともに「世界」も創造されたのか。まだ「時間」とも「世界」とも呼ばれてはいなかったのだとしても。「名詞としての「時間」がわれわれをひどく惑わせる。われわれは、ゲームをプレイする前に、そのゲームの規則を作らねばならないのである。「時間の流れ」に関する議論は、哲学の問題がいかにして生じるかを示している。哲学的困難は、言語を実際的に用いずに、言語に目を向ける際に言語を拡張することによって引き起こされるのである。われわれは文を作り、それからその意味しうるところを思案する。ひとたび名詞としての「時間」を意識すると、次には時間の創造について問うようになる」。それでも人間は、とうの昔に「時間」を持ってしまったので、そこはもはやどうにもならない。始めに戻ってやり直すわけにもいかないし、何とかこのままやってみるしかない。

複数のことを、多数のことを、無数のことを、出来る限り一度に、可能な限り同時に、考えてみたい。何故ならば、ほんとうはいつもそうしているのだから。その方が普通で常態で、思考はもともと並列分散処理を常に行なっている。

しかしひとたび、それ（ら）を外部に出力しようとすると、途端に実際的な困難が待ち受ける。書くのであれ話すのであれ、言葉は基本的に順序を必要とする。それを論理と呼ぶこともある。しかしその時していのは、頭の中の空の上に浮かぶ、複雑な綾を成したまん丸い（丸くなくてもいいが）かたまりを、むりやりに解きほぐして一本の線にしてしまう、というようなことで、むりやりであるからにはそこには無理が生じ、いつのまにかもともと考えていた筈のこととは違う言い方になってしまったり、かなり違う話になってしまったり、時にはぜんぜん違う結論になってしまったりする。そして、それはそれで悪いわけではないし、そういうものなのだ。

それに、そうすることによって思いも寄らない考えが落ちてくる／浮かんでくることだってある。いずれにせよ書きながら／話しながら考えているのだし、先に考えてあったことを表に出しているだけではないのだから。だからそれでよいのだが、それにしてももう少しくらいどうにかならないものだろうか。

何故、一度に一つのことしか言えないのか。ほんとうに一度に一つしか言えないのか。言えないと思い込んでいるだけ、一度に幾つもは言ってはならないと決めつけ（られ）ているだけではないのか。一度に一つを一つずつ繋いでいって、それらが繋がっていること、それらが繋げられてあるということに、どうしてこうも意味や価値を認め（させ）なくてはならないのか。話が繋がっているというのは、そんなにいいことなのか。話が繋がっていないというのは、そんなによくないことなのか。そもそも「話が繋がっている」とは、どういう状態のことなのか。繋がっている／繋がってない、ということではないのではないか。もっと重要なことがあるのではないか。もっと頭の中で起こっていることに、思考の運動それ自体に近いやり方があるのではないか。考えている、という運動を丸ごと外に出すことは出来ないのか。ずっとそう考えていた。だからこのように始める。

だからこのように始めたが、問題はむしろ、繋げまいとしても繋がってしまう、ということなのかもしれない。いや絶対に繋げないとまでは思っていないが、別に繋げなくともよいのでは、くらいには前から薄々思っていて、試し試しそうしてきたのだが、それでもいつのまにか、知らないうちに繋がっている。向こうの方で勝手に繋がってしまう。繋がってないよと言われるかもしれないが、確かに繋がっている。繋がってしまう。論理が自生する。それがよいことなのか、よくないことなのか、どちらでもないことなのか、仕方のないことなのかも、今はまだよくわからない。

保坂和志は、一九九九年に発表した短編「生きる歓び」で出会いを描いた猫の花ちゃんとの別れをきっかけに書いた短編「ハレルヤ」の中で、彼の最新の「時間」についての考えを記している。最新の、というのは彼は小説家としてのこれまでの長い時間を掛けて、そのことを辛抱強く思考してきたからだ。保坂の「時間」論は一貫しているようでいて、少しずつ変化してきているとも思える。「過去の出来事は現在の私の心、というより態度によってそのつど意味、というのでなく様相、発色が変わる」と彼は書く。

私はいまそのことを証明しようとしているのだろうか？　そんなことは私にはできない、だいいちその証明というのが過去の出来事は現在の私の働きかけによって変えられないという世界観の中の言葉だ、現在は過去の結果であり、過去は現在の原因である、という。

それなら現在が過去の原因になりうるか？　過去が現在の結果になりうるか？　と考えたとしても時間がどっちからどっちへと流れているイメージは変わっていない、そうではなくてきっと、時間においてはいつも過去と現在が同時にある、だからそれは時間というものではないのかもしれないし、過去と現在というものでもないのかもしれない。では未来は？　それはきっとない、しかし未来を考えた途端に未来は生まれるが、それは姿を変えた現在と過去でしかない。

（「ハレルヤ」）

「過去」と「現在」と「未来」というのも名詞であって、それらを一本の線の上に並べろと言われたら間違えるひとはまずいないだろうが、それが正しい正しくないということ以前に、そんな風に考えなくてもいいのではないか、とか、そのように考えないことにした方がしっくりくる、とか、「現在」があるからには「過去」が後方に「現在」が前方にあるのだとは考えない方が自分は幸せになれるという人が居てもおかしくはない。「時間のイメージが、流れないで、過去と現在が同時にあると考えている人たちがいるとしたら、その人たちは死を生の終わりであるとは考えないだろう、生には終わりはあるかもしれないがそれを死とは呼ばない、というような」。

死とは個体の時間の停止なのだろうか。体内時計の針はそこで止まったままなのか。或る存在が生まれてから死ぬまでを一本の線だと仮定して、それはその端から端まで歩いていく。そうではなく、それが歩き出したところから線が始まり、落ちたところで線が終わり、そうして一本の線が引かれる。どちらであっても一本の線が残されることには変わりない。だが前者を採るなら、その先に線がもはやなくなる点（がある）という想定が得られる。そのような想定が救いになる者もいれば、絶望になる者もいる。線というイメージを捨てれば、もっと楽になれる筈だと考え（ようとす）る者もいれば、そうではないと思う者もいるだろう。しかしこれはけっして、考え方は人それぞれだ、ということを言いたいのではない。

十分後にこうなる、一時間後にああなる、雲が出て冷たい風が吹き出したらどうなる、というのは周期的か規則的な変化で正確には未来とは言わない、しかし人間の先の予測も基本的には周期的変化の延長だ。地震の予測なんかひどいものだ、「過去のデータを元に判断すると……」としか言ってない、猫には未来はわからないというなら人間にも未来はわかっていない、周期的変化を理解できているという理由で人間に未来の概念があるというなら猫にも人間程度には未来の概念はある、しかしそれは本当はすべて現在のことだ。

（同）

すべて「現在」のことだ。つまり「現在」しかない、ということなのか。だが「現在」と言った瞬間に「過去」も「未来」も誕生する。たとえばひとりが別のひとりと見つめ合っているとして、その時、ひとりとひとりは同じ「現在」にいるということになるのだろうか。その時だけは二人は「現在」を共有しているということか。おそらく「時間」の問題は、誰が、とか、誰の、ということと切り離し得ない。今が現在だと思い込んでいる誰かは何ものか。

保坂は「ハレルヤ」と再録の「生きる歓び」と、その間に「十三夜のコインランドリー」と第四十四回川端康成文学賞受賞作「こことよそ」を収めた作品集『ハレルヤ』の「あとがき」に「時系列に正確であること、原因-結果の関係に忠実であることは、世界のリアルとは関係ないと感じることがだんだん多くなった」と書いている。二つのことが言われている。線の話と因果律の話。丸太にふられた番号が違っていることに、もしも気がついてしまったら?

原因と結果を結びつける思考様式はじつは案外特殊なもので、

「これが結果で、さかのぼってあれが原因だった」

というのは解釈の問題で、たいていのことは原因でも結果でもない、流れたり渦巻いたりしている力のそのときどきのあらわれにすぎず、力はすぐに別の姿になる、原因や結果を捜している人は置いてきぼりにされる。

時系列で並べたら後に来るものがそれに先行している事象に影響を与えていると思えることはいっぱいある。

そして世界は、〈ある〉と〈ない〉だけでなく、〈あったかもしれないこと〉〈あるはずのないこと〉〈ありそこねたがあろうとするポテンシャルが爆発寸前のこと〉〈あったのにないとされていること〉……それら、絵や音楽やダンスを見たり聴いたりするときの洞察力やそれとは逆に構えをとって脱力していないと感じられないことであふれている。

(「あとがき」『ハレルヤ』)

短編「十三夜のコインランドリー」の最後で、それを書いている（書いてきた）「私」は或る話を披露する。「高校三年の秋、私は七里が浜の友達の家でみんなと泊まってひと晩浜で騒いだりして私はそのまま早朝海沿いの道を歩いて帰っているとその道の海側につづく歩道の隅に小さめの猫がうずくまっていた」。怪我をしているらしいその猫を「私」は箱に入れて家に連れ帰るが、着くなり猫は逃げ出して三軒先の金持ちの家の縁の下にもぐってしまった。それから半年経って大学生になった「私」は、その家の天井裏を駆け回る音がするらしいと母親に聞き、その猫であってほしいと思った。それから十年経って勤め人になった「私」は東京に住んでいたが、両親の旅行の間、飼い犬の世話をするために実家に帰ってくると、玄関の奥に光る目がある。

玄関の電気を点けると光る目は猫だった、私と猫はしばらく見つめ合った、あのときの猫だった、黒くて鼻すじが白く、前足の先だけが白い、猫に疎かった私でも忘れない。逃げるつもりがないのかと思って近づこうとすると身を翻すようにして居間に入り、居間の上の欄間と言っていいのかサッシの小窓が夏だったから開いていたそこにダッ！　と跳び上がって通り抜けて行ってしまった。

（「十三夜のコインランドリー」）

だがこれは特に不思議な話というわけではない。「私はたった今の場面の全体が信じられなかった」が、猫は人間が留守の隙に家に入り込んでいただけのことだ。なぜ「信じられなかった」のかといえば、「私はあの頃猫が十年以上生きるということさえ知らなかった」からに過ぎない。しかしそのことを知らなかったまだ猫に疎かった「私」にとってみれば、それはほとんど奇跡にも思えたことだろう。

ボルヘスが「永遠の歴史」の中でショーペンハウアーを引用している。「情熱的で明晰なショーペンハウアー」とボルヘスは書いている。「死も思い出も知らずに動物たちが生きている純粋な肉体的現実」とボルヘスは書いている。

「いま中庭で遊んでいる灰色の猫は五百年前に飛んだり跳ねたりしていた猫だと私が断言するのを聞いたら、人は私のことを酔狂と考えるだろうが、それを根本的に別の猫だと考えることのほうがよっぽど気違い沙汰だ」

（「永遠の歴史」）

かくのごとく繋がってしまう。そろそろ「方法序説」も終わりそうなのでひとまずの終わりに施川ユウキのマンガ『銀河の死なない子供たちへ』の話をしたい。舞台は途方もない遠未来、遥か彼方の超未来の地球。最初のページには、こう書かれている。「一万年前／私はこの星空を見ている／一万年後も／私はきっと／同じ星空を見ている」。年を取らず、死ぬこともない少女πと、同じ境遇の少年マッキ。二人には「ママ」がいるが、実の母親とは限らない。そして地球にはおそらくπたちの他に人間はいない。というかπたちも人間ではないようなのでだとしたら人間はおそらくもうどこにもひとりもいない。人類はとうに絶滅している。たったの数ページの間におそろしく長い永い時間が流れる。流れてゆく。流れ去る。とするとπたちにとって時間は一時間が二秒どころではない猛烈なる速さで過ぎているということなのかというと、たぶんそうではない。たったの数ページで何百年何千年が過ぎていると思う、そんな気がしているのは読者の方であって、πたちはおそらくいなくなった人間たちと同じ毎秒一秒の速度で時間に繋ぎ留められている。

ＳＦには途轍もない永さ長さの時間が流れる作品が幾つもある。オラフ・ステープルドンの『最後にして最初の人類』や『スターメイカー』、ロジャー・ゼラズニイのあの愛すべき「フロストとベータ」、グレッグ・イーガンの諸作、などなど。だが施川ユウキが素晴らしいのは、無限にも思える（がけっして無限であるわけではない）悠久のタイムスケールを他でもないπと呼ばれる少女にひたすら寄り添って描いてみせたことだ。彼女はぜんぜん時間を持て余しているように見えない。むしろ毎日が冒険だ。何千年何万年が冒険だ。とはいえ、彼女が「死なない」が「死ねない」でもあることに気づいた時に、物語は終わりに向かうことになる。その結末は限りなく美しい。

ボルヘスが引くショーペンハウアーは、こう書いている。

「私の誕生に先立って無限の持続があったわけだが、それほどの間、私はいったい何だったのか。形而上的には、おそらくこんなふうに自答できるのではないか。『私はつねに私であったのだ。つまり、人が何と言おうと、私はその時間のあいだ、他ならぬこの私であったのだ』と」

（同）

まだ始まったばかりなのだから、これから何がどうしてどうなるのかなんてわからない、というのは間違いではなくて、むしろそれはいつだって常に完全に正しいのだが、わかっていることを書くのではなく、わからないことをわからないからわからないままに書くのだ、わからなさこそを書いていくのだというのとまったく同じ意味で、今すでにここには何もかもの全てがあり、「全て」があるのであり、自分はそのことをわかっている、最初から知っている、よくよくわかっている、と思う、そんなことがある。

このようにして始める。これは「小説」の話だ。それだけではないが、しかし「小説」の話をしている。そう思って欲しい。これは来たるべき「小説」のためのプログラムである。

第二章

世界を数える

　スペースノットブランクの小野彩加と中澤陽からメールが来た。新しい公演の案内が記された末尾に、二人の『舞台らしき舞台されど舞台』をこの連載のいちばん最初に取り上げたことへの礼が述べられてあり、そして次のように書かれていた。「場面「1」は、実は上演していないシーンなのです。佐々木さんの中の記憶がそうなっているのか、故意にそう書いてあるのかは読み取れなかったのですが、もし佐々木さんがそれを上演したものとして記憶して書いていただいているのであれば、それは私たちが求めた効果を十分に発揮できたということで、とても嬉しく感じました。「1」は当日パンフレットの代わりにフライヤー束と一緒に置いておいたのみで、開場中でも、上演中でも、上演後でも、観客の皆様が作品の一部として読むことができれば良い「小説」のようなものとして舞台から切り離された「上演しないオープニング」というもので、実際の舞台は「2」から上演されています」。

　驚いたと言ってもいいし、そんな気が薄々、いや、確かにしていた、と言ってみてもいい。椅子に置かれた束のいちばん上にあった「1」と書かれた紙片と、終演後に買い求めた戯曲の最初の一枚は、まったく同じだった。それを上演前に読むともなしに読んでいたのか、あるいは終わってからはじめて読んだのかも判然としないが、第一章の始まり、そもそもの始めに書いたこと、すなわち「自分は知っている、確かによく知っている、全部わかっている」というのは、それは今でもそう思っているのだが、しかしいつのまにかどこかで、読んだことが観たこと、見たこと聴いたことに掏り替わってしまっていた、文字と文の記憶が視覚と聴覚の記憶を上書きしてしまっていたのだった。

現実には存在しなかった「1」の「上演」に立ち会った、という、曖昧なものでは全然ない、確固たる実感。何しろ今でもよく覚えているのだから。スペースノットブランクはこうも書いていた。「小説について、と書いてあるのを見て、その「1」が上演されたかされてないか定かではないが読み物として残る「小説」として佐々木さんの記憶にリンクしていたのだとすると、これも偶然で済ませてしまうには惜しいほどに嬉しい出来事です」。これは偶然だ。だが偶然などない。

アリ・スミスの『両方になる』は、素晴らしく知的で、且つ、素晴らしく感動的な小説だ。この長編は大きく二つのパートに分かれていて、どちらも「第一部」と題されている。この奇妙な趣向の意味はあとで述べるが、目のイラストが冠された「第一部」は十五世紀ルネサンス期イタリアの画家フランチェスコ・デル・コッサの一人称で語られる。といっても語りの現在時は現代――スミスがこの小説を書いていた二〇一四年――で、フランチェスコ（の霊？　魂？）はイギリスに忽然と出現する。もうひとつ、監視カメラのイラストが据えられた「第一部」は、舞台は同じく現代のイギリスで、「目」の「第一部」でフランチェスコが美術館（ナショナル・ギャラリー）で自分の絵に見入っていたのを気に留めて追尾してゆくケンブリッジに住む十代の少女ジョージの物語が、彼女を視点人物とする三人称で語られる。つまりほぼ同じ事柄が、片方は五百五十年も昔の異国の画家によって、もう片方はごく真っ当なスタイルで物語られていくのだ。

しかし実際は「目」の記述の大半はフランチェスコの自伝的な回想で占められている。フランチェスコ・デル・コッサは実在した画家だが、美術史においては比較的マイナーな存在であり、現存する作品はナショナル・ギャラリーが所蔵する聖ヴィンチェンツォ・フェラーラに捧げた祭壇画ほか十数点しかない。作品そのものよりも、当時としては珍しく自分の報酬を上げて欲しいと雇い主の貴族に直訴した手紙を書いたことで知られている。ところでこの小説でスミスは極めて大胆な解釈、いや改変をフランチェスコの人物像に施している。それもすぐあとで書くが、とにかくフランチェスコにとってジョージの生きる二十一世紀は見るものすべてが珍しい。というよりも見ているものが何なのかもわからない。読者は「目」で「石盤」や「窓」と呼ばれているものがスマホかiPadであることに気づくまでに暫しの時間を要するだろう。フランチェスコの語りは基本的にリズミカルでユーモラス（シリアスな部分もある）、独特の歌うようなリズムがある。「カメラ」の「第一部」のジョージは、母親を病気で突然に喪って間もない。彼女はその歴然たる事実をまだちゃんと受け入れることが出来ない。母親とのさまざまな想い出がすぐに頭の中に浮かび上がってくる。あまりにも急なことだったので、ジョージは或ることにかんして母親と感情的にこじれたままになってしまったのだ。少なくとも彼女はそう思っている。彼女はそれを悔いている。

ここでなぜ「目」も「カメラ」も「第一部」とされているのかを述べると、実は『両方になる』という本には二つのヴァージョンがあり、ひとつは「目↓カメラ」、もうひとつは「カメラ↓目」の順番で印刷されているのだ。だからどちらも「第一部」なのである。もちろん原著がそうなっているのであり、各国の翻訳書も同様なのだが、作者の希望により、この趣向は本の中のどこにも記されていない。英語版の電子書籍も二種類の順序を選べるようになっており、冒頭に“Who says stories reach everybody in the same order?”で始まる但し書きが附されている。この小説を訳した木原善彦は「訳者あとがき」で「おそらくほとんどの読者が目にしたことがないと思われるような、驚くべき仕掛け」と書いている。読まれる順序を固定しない試みは過去に幾つもあるが（代表的な例はもちろんフリオ・コルタサルの『石蹴り遊び』だ）、実際の版が二つある、しかもそのことが隠されているというのは確かに前代未聞だろう。

しかし重要な点は、この奇抜と呼んでよい、そしてやる側にとっては実に面倒な趣向が、この小説のテーマと深くかかわっているということなのだ。『両方になる』の原題は“How to Be Both”。両方＝Bothになる／である方法。この小説が素晴らしく知的で素晴らしく感動的である理由はひとつではないが（そう、勿論ひとつではない）、それらはすべて何らかの意味で「両方になる」ということに繋がっている。

「目」でフランチェスコは最初、美術館の一室で自分の絵を見ているのは少年だと勘違いする。やがて間違いに気づくのだが、ジョージという名前は男女いずれでもありえる（精確にいうと彼女の名前はおそらくGeorgieなのだが、本人も家族もGeorgeと呼ぶ）。そしてこれが作者がフランチェスコ・デル・コッサの伝記的事実に施した最大の改変なのだが、フランチェスコは実は女性だったというのである。彼は彼女なのだ。彼女は父親や兄たちと同じ職工になるために（絵描きになるために）男性として生きることを選んだのだ。しかし、ただそれだけだったら、よくあると言えばよくある物語上の改変に過ぎない。問題は「両方」ということなのだ。フランチェスコトとジョージは、二つの「第一部」で、それぞれの仕方で「両方」になる／であることを学んでいく。

『両方になる』には抜き書きしたい箇所がたくさんある。フランチェスコがまだ幼い頃、馬の小便溜まりに木から種が落ちて波紋が広がって消えたのを見て「私」は不思議に思う。「どこに行ったの？」と母親に訊ねる。「どこに行ったって、何が？」「輪《リング》」「どの輪？」「あれは輪じゃない」「種よ」。まだフランチェスコになっていない「私」は何が起こったのかを話す。「私」の目は涙でいっぱいだ。「なくなった」「消えちゃったよ」。すると、ほどなくして若くして亡くなる最愛の母親は、「私」にこんな話をする。

ああ、と彼女は言った。だから泣いてるわけ？　でも、本当は消えたわけじゃないわ。だからこそ、金の指輪より素敵なの。輪は実は消えてない。たまたま私たちの目には見えなくなっただけ。本当は、今でもずっと広がり続けている。あなたが見た輪はどこまでも進み続けて、どんどん広がる。水溜まりの端まで達したら、今度は水から出て、目には見えないけれど空気の中を進む。驚異の現象ね。体の中を輪が突き抜けるのを感じた？　感じなかった？　でも、通ったのよ。今ではあなたも輪の内側にいる。ママもそう。私たちは二人とも輪の内側にいる。この庭も。煉瓦の山も。砂の山も。薪小屋も。家も。それに馬、パパ、伯父さん、お兄ちゃんたち、職人さんたち、家の前の道も。よそのおうちも。それから塀も庭も、家も教会も、宮殿の塔も大聖堂の尖塔も、川、裏の野原も、ほら、あの向こうの野原も。あなたの目はどこまで見える？　あそこの塔、向こうの家が見える？　誰も何も気付かないけれど、輪はそこを通り抜けているの。ここからは見えない野原や畑の上に輪が広がるところを想像してごらんなさい。野原や畑を越えてその向こうの町、さらに向こうの海まで広がっていく。次は海の向こうまで。あなたが水溜まりに見た輪は世界の縁まで広がり、縁まで行ってもまだ進むのをやめない。何もそれを止めることはできないわ。

（『両方になる』木原善彦訳）

そしてフランチェスコの母親は言う。「そしてすべての始まりは一つの種が落ちてきたこと」。こんな風に、世界の無辺さ、この今とこの此処の切りのなさ、果てしなさを描いたところが、この小説には沢山ある。そしてそのすべては、まずは「両方になる」ことから始まるのだ。絵描きとしての修業を始めたフランチェスコは、「ピエロ大先生」（ピエロ・デラ・フランチェスカのこと）の作品を見て「馬の開いた口」と「風景の中の光の使い方」と「軽さの厳粛な性質」と、「そして物語の語り方、1度に複数のやり方で語る方法、1つの物語の下から別の物語を立ち上がらせる方法」を学んだ、と言う。

『両方になる』は絵画論小説、芸術論小説でもある。フランチェスコは「普段は大体、絵は単なる絵にすぎない　しかし時々、絵がそれ以上のものになることがある」と言う。「絵の端から足や手が伸びて、額縁の外の世界にはみ出ているような技法が私は大好きだ　だって、絵はリアルな存在であって、この技法がそのリアルさを浮き彫りにしているからだ　そして、絵と世界との間にある空間に入る人の姿が好きなのと同様に、絵に描いた服の下に実在する身体も好きだ」。そして彼である彼女、彼女である彼は「絵そのものの生命が額縁からあふれ出すときに起こること」を挙げる。「1つには、その瞬間、世界が見られ、理解される。もう1つは、そのとき、絵を見る人の目と生命が解き放たれ、絵の世界と現世の両方が一瞬だけ自由になる」。この二つは「正反対のこと」だとフランチェスコは言う。正反対のことが同時に起こる。

『両方になる』には引用したい部分が幾つもある。「聖母の姿を見たがった幼い少年の話」や「忘却と想起」の挿話も引用したい。だが切りがないので、フランチェスコが「私が人生の中で10分間だけ知り合った相手に見られ、入られ、理解された話」として披露する挿話、すなわち処女喪失のエピソードを書いておくことにしよう。「私が道を歩いていると、畑一面に異教徒の労働者が働いているのが目に入る」。白い服に黒い肌。その内のひとりがフランチェスコの背中に向かって、何ごとかを語りかける。

僕を呼んだのか?と私は訊く。

そうだ、と男は言う。

(それはそうだ、道には他に誰もいないのだから)。

もう1度言ってくれ、と私は言う。さっきの言葉を。さっき私を呼ぶときに使った言葉だ。

俺は自分の国の言葉であなたを呼んだ、と彼は言う。

異教徒の言葉?と私は言う。

男はにやりと笑う。男の歯はとても丈夫そうだ。

異教徒の言葉、と男が言う。あなたたちの言葉でそれを何と言うのか、俺は知らない。

私は笑みを返す。そして少し距離を縮める。

その言葉の意味は？と私は言う。

〝同時に2つ以上のものである人〟という意味だ、と男は言う。〝期待を越える人〟に対する呼び掛けだよ。


（同）


このあと「私」は男とはじめてのセックスをする。そう、両方になるということには、その先が、続きがある。同時に二つ以上になること。期待を越えること。フランチェスコには死んだ記憶がない。だがしかし二〇一四年までずっと生き続けてきたわけでもない。「目」の「第一部」の最初と最後は、ジグザグ飛行のような、不安定にくるくる回転しながら落下しているみたいな、いわば詩とかみたいな特殊な文字組み、レイアウトで書かれていて、語り手は文字通り、空から、地球の上から、宇宙から、どういうわけだか落ちてきて、建物の屋根を通り抜け、着地し、絵の前にいる少年（ほんとうは少女）の背後に立つ。

フランチェスコの語りはあちこちに自由気儘に跳んでいき、また戻ってくる。「カメラ」の「第一部」によると、この画家はおそらくペストの犠牲となって四十二歳で没している。だが「目」の「私」はそんなことは覚えていない。だが彼、でなく彼女、いや彼と彼女の両方である「私」は、疑いもなくこの小説を読んでいる者に向けて語りながらも（だがどういうわけで？）少しずつ色々なことを忘れていく。

何が起きているのかはわからない。そもそも何が起きてこうなっているのかだってわからないのだし。たまたま同じ誕生日に生まれた、身分の全く違う、長年の親友バルトの名前さえ思い出せなくなる。回想の最後の場面で「私」は彼の肖像画を描いている。二人の友情、いや、彼の「私」への感情は複雑なものだ。彼はある時、フランチェスコがいわばフランチェスカであることを知った。そのことは友人を苦悩させた。それはこういうことだ。「彼は私を愛している　私たちの友情が成り立っていたのは、彼が私を自分のものにすることができないという条件があったからだった　ところが誰かが、誰か別の人間が画家以外の私の正体を彼に教えたことで、その条件が破られてしまった　だって、そうなると話が変わるから、自分のものにできるから」。そしてそれからそれなりの時間が経って、フランチェスコは友人の非公式の肖像を描いている。彼の名前は思い出せない。彼の父親が亡くなって、家督は全て彼のものになった。彼の奥方を「私」は煩わしく思っている。いや、彼の奥方が「私」を煩わしく思っているのだったか。

私は彼がいら立っているのを知っている　昔からそのことは分かっていた　それはほぼ、私たちが友達になったときから始まったことだ　壁で閉じ込められた活力　彼の周囲に漂う困惑の空気は嵐の前を思わせる。

しかし彼はいつもと同様に優しさから、別のことを考えていたというふりをする。

彼は物語に腹を立てているのだという。

頭から離れないんだ、と彼は言う。いつもそのことを考えてしまう。

どの物語のこと？と私は言う。

すべての物語さ、と彼は言う。本当に。世の中にある物語は、俺が必要としたり、俺が本当に求めていたりするものであったためしがない。

（同）

「私」が作業の手を止めると、彼は「何にでも変身できるし、好きな形になることができる、ただ頭にかぶるだけでそんなことができるという魔法の兜《かぶと》に関するお話」を始める。そこまではいいのだが、「物語には別の部分があって、そこには、埋蔵金を守る3人の乙女が登場する　彼女たちから金を勝ち取り、それを使って指輪を鋳造した者が、大地と海、世界とそこに住むすべての人々など、あらゆるものを支配する　ところが1つ、問題がある　1つの条件だ　指輪を作る男はすべての権力を握るのだが、それを維持するためには愛をあきらめなければならない」。

そして友人は画家を見る。「私」は「彼には、私に向かって口にできないことがある」と思う。むしろけっしてそれを口にしないことによって、二人の友情はかくも長い間続いてきたのだ。しかし別の見方で言えば、彼はとっくの昔にそれを口にしていたも同然だし、「私」もそれを聞いたも同然で、そのことを二人ともよくわかっている。「とにかく俺には理由が分からない、と彼はしゃべっている。金を勝ち取ってそれを指輪にするだけの勇気や運を持っている人間が、どうして指輪と愛の両方を手に入れられないのか」。つまり、両方になること、両方になれることは、しばしば極めて困難なのであり、時には不可能でさえある。そしてこのことは「カメラ」の「第一部」とも繋がっている。ともあれ「目」の「第一部」の最後は、こんな風に終わる。

新しい骨のすべてよ、こんにちは

すべての老いた者たちよ、こんにちは
ありとあらゆるものたちよ、こんにちは
すべての定めは
作られ
壊されること
その両方

（同）

しかしそれにしても、わかっていたこととはいえ、どうして「目」の「第一部」と「カメラ」の「第一部」を混ぜこぜに書いていくことが出来ないのだろうか。アリ・スミスだってそうはしていない（出来ていない）わけだが、なんだかすごく不自由な気がしてしまう。読むことにおいても、書くことにおいても、なかなか両方以上にはなれない。だったらいっそ、ここで別の話をしてみてはどうか？　別の話をすると予告してから別の話をするのでは駄目なのだけれど、もう書いてしまったし、書いたことは消さない。

美学者にして考古学者のジョージ・クブラーの『時のかたち　事物の歴史をめぐって』は、原著は一九六二年に出ているので半世紀以上経ってからの翻訳だが、噂には聞いていたけれど、確かにこれは不思議な魅力と迫力のある本だ。第一章「事物の歴史」は、次のように書き出される。

芸術概念を、人間の手によってつくり出されたすべての事物に広げてみよう。世界中の実用的でないもの、美しいものや詩的なものに加えて、すべての道具や文章までも含めてみよう。こうした見地からは、人間がつくり出したものすべてがそのまま芸術の歴史と重なって見えてくるだろう。その次には、すべての人工物を把握するためのよりよい方法を考え出すことが早急に必要となる。そのための近道を見つけるには、実用的な見地からではなく、芸術から始めるとよい。もし実用からの考察を出発点にしてしまうと、すべての役に立たないものを見過ごしてしまうからだ。それに対して、事物の好ましさを出発点として考察を始めたならば、実用的なものも芸術と同様に多かれ少なかれ私たちが大切にしている事物であると適切に判断できるはずである。

(『時のかたち　事物の歴史をめぐって』／中谷礼仁、田中伸幸訳、加藤哲弘翻訳協力)

原題は"THE SHAPE OF TIME: REMARKS ON THE HISTORY OF THINGS"。クブラーは「芸術」を出発点として「事物= THINGS」の歴史を繙こうというのである。壮大な計画と言ってよいだろう。そこで彼が提出するのが「かたち= SHAPE」という概念である。これは従来の芸術史で使用されてきた「様式= STYLE」や「類型= TYPE」に対置されている。クブラーによれば、「様式」や「類型」は「かたち」とは別の次元にカテゴライズの根拠を置いている。

たとえばイコノロジーとは「図像の類型を、歴史的変化を伴う象徴的表現だとみなす研究」である。つまりそこでは「象徴」の時間的な変化が問題とされている。また、近年では「科学史家たちが発見へと至る必要条件を執拗に調べ上げ、観念と事物を結びつけようとした。彼らの手法は、科学史上の発見がなされた瞬間を再構成することによって、出来事の始まりの瞬間を都合よく描き出そうとする点にある」。すでにこの書き方にクブラーの批判の論点が現れているが、彼の目からするとイコノロジーも科学史も、いわばタイムマシンで過去に戻ってすでに見知っている今後の未来を予知してみせるがごとき詐術を弄している。「発見の瞬間やそのあとに起こる連続的な変容は慣習的行動のように、あたかも予定されていたかのような現象として復元されてしまう。しかし、このようにして復元された変容の行程は、歴史の実体から起源とそれに続く主要な分節だけをとらえた輪郭にすぎない。本来、歴史の実体には構造があって、語り手の単なる思いつきではそれを区分することはできない」。

そこで「象徴」や「観念」とはまったく別の歴史の解読格子が要請されることになる。それが「かたち」である。「かたち」の水準での思考により、無生物である事物も考察の対象となる。クブラーは、従来の「歴史」記述は、あまりにも「生物学的な隠喩」を多用し過ぎてきたと苦言を呈する。たとえば「誕生」「一生」「死滅」「開花」「成熟」「衰退」などといった語が、無生物に対してさえも、特に何の断わりもなく適用されてきた。

生物学的なモデルは、事物の歴史を説明するのに最適の方法ではなかった。もしかすると、広く普及している生物学的な隠喩よりも、むしろ物理科学から取り出した隠喩体系の方が芸術の状況をより適切に語ってくれるだろう。芸術におけるある種のエネルギーの伝達、たとえば、衝撃や力の発生する中心、中継点、あるいは伝達中のエネルギーの増加や損失、さらには回路内での抵抗や変換などについて語ろうとするのであれば、なおさらである。つまり、電気力学の用語の方が、植物学の用語よりも私たちには好都合だったかもしれない。物質文化の研究には、リンネよりもマイケル・ファラデーの方が助言者としては適任者だったのかもしれないのである。

（同）

クブラーの目論みは大変興味深いものである。「「事物の歴史」という言い方をここで選んだのは、少しばかり遠回しな表現を使って物質文化という不適切な言葉の代わりとしただけではない」と彼は続ける。「物質文化という用語は、人類学者たちによって、観念、つまり「精神文化」と人工物を区別するために用いられている。しかし「事物の歴史」という語が意図するのは、目に見える形という表題のもとに、観念と物質とをもう一度結び合わせることである」。「事物の歴史」という「この用語には、雑多な人工物と芸術作品、複製物とたったひとつしかないもの、道具と表現に富んだもの、これら両極のすべてが含まれている。端的に言うとこの語は、時間的推移のシークエンスのなかで展開する一連の観念に導かれた、人類によってつくり出されるあらゆるものを含んでいる。これらすべての事物において、時のかたちが姿を現す」。

こうして書名の意味が述べられる。事物すなわち「人類によってつくり出されるあらゆるもの」の「歴史」を描き出そうとするクブラーにとって、「時間」に対するスタンスは当然ながら重要だ。

時間は、心と同じように、そのものとしては認識ができない。そのなかで起こる事柄によって、私たちは間接的に時を知る。つまり、私たちは変化と永続性を観察することにより、言い換えれば、安定した環境のなかでの出来事の連続性を見守ったり、さまざまな変化の速さの違いに注目したりすることにより時を知る。文献資料から得られるのは、世界のごく限られた地域でのごく薄いごく新しい過去の記録だけである。概して古い時代についての私たちの知識は、そこに肉体を持った人間が生物として存在したことを示す視覚的な証拠にもとづく。したがって、連続するあらゆる種類の美術作品をそれぞれ異なるままに配列する技術的方法があれば、書かれた記録と重なり合って、時を計るためのより精密な尺度ができ上がるだろう。（同）

『時のかたち』は体系的な書物というよりも、（一見整然と章立てがされているとはいえ）実際には複数の論点が断続的に深められつつ次第に絡まっていく理論的なエッセイのような様相を呈している。そうでなければ、かくのごとき巨きな構想をコンパクトな一冊の書物に収めることは出来なかっただろう。クブラーは「文化時計」という魅力的な造語を提出する。それは「事物の配列と比較にもとづいて相対的な年代を推測する方法」を指す。文化時計による測定は物理的方法に先行しており、「最新の絶対的計測法を用いても、その確証には、要素が混在すればするほど、文化的側面での補完を必要とする」。

しかし文化時計も万全というわけではない。それは「主として廃物の集積や最終処理場、あるいは見捨てられた都市や地中に埋没した集落から発掘された物質の壊れた破片をもとに「作動」

する。つまり、物質的な芸術のみが今まで生き残ってきた。それに対して、たとえば音楽や舞踊、演説や儀式などの一時的表現である芸術については、孤立した部族がその伝統を受け継いでいた場合は例外として、現実的には地中海世界の外に既知のものは何もない。したがって、過去の人々の生活に関する証拠のうち有効なものはほぼすべて視覚的な秩序にもとづいている。それは時間や音ではなく、物質や空間に存在する」。

クブラーが美学者と考古学者の両方であることを思い出していただきたい。彼はこう続ける。

人類の過去についての知識を広げるにあたって、私たちは人がつくり出してきたもののうち大部分に関し、目に見えるものに依存している。ここで、絶対的な実用と絶対的な芸術との間に連続性があると想定してみよう。純粋な両極端は私たちの想像のなかにしか存在せず、人間のつくり出すものには実用と芸術の両者がいつもさまざまな割合で混ざり合っている。この両者が混合していないものなど考えられない。考古学の研究では一般に、文明に関する情報を目的として実用性を抽出する。一方で芸術の研究では人類の経験全般の本質的な意味を目的として質に関する事柄を強調するのである。（同）

そしてクブラーは、純粋な芸術と実用的な工芸との選別の歴史にかんして私見を述べる。強調しておくべきことは、当然ながら、一九六二年にすでにこのような論議がなされていたということではなく、一九六二年にあらためてこのような論議が蒸し返されていたということである。芸術の有用性と実用性の美学の関係性の問題は、古くて新しく、新しくて古い（その両方）。クブラーは「肝心なのは、芸術作品と呼べるほどに洗練された道具も多いとはいえ、芸術作品は道具ではないということである。芸術作品は、道具としての使用目的が優勢でないとき、そして技術的、合理的な基盤が目立たないときにのみ現れる。ものの技術的組成や合理的秩序ばかりが目につくとき、それは実用の対象になる」と述べる。これはさほど過激な意見というわけではない。むしろ順当かつ穏当というべきかもしれない。

カントによると、ものは必要とされるようになれば、それを美しいと判断することができなくなる。必要とされるものは、ただ適切であるとか整合的であると判断されるだけなのだ。簡単にいえば、道具は役に立つが、芸術作品は役に立たない。道具はどこにでもあり代替的なものだが、芸術作品は唯一無二で取り替えのきかないものなのである。（同）

ジョージの母は、娘の「芸術って何の意味があるの？」という身も蓋もない問いに、こう答える。「芸術は何もしないことによって何かを引き起こす（Art makes nothing happen in a way that makes something happen.）」。何かで落ち込んだらこれからはこの魔法の言葉を唱えよう。死んでしまった／死んでいる／死んでしまうことになる母親は、さまざまな仕方で、さまざまなやり口で、自分の娘に「両方」になること、それ以上になることを教える。

母はふと思い立って（実はそうではないのだが）娘とまだ幼い息子をイタリア北東部、エミリアロマーニャ州フェラーラにあるスキファノイア宮殿に連れてゆく。現在は美術館になっているそこにはフランチェスコ・デル・コッサがコズメ゠トゥーラと共同で描いたフレスコ画の部屋がある。母親には絵画にかんする知識はほとんどないが、しかし彼女には視力が、見る力がある。娘にはまだ、そのどちらもない。「部屋は暖かく暗い。いや、暗くはない。明るい。その両方だ。部屋は巨大な薄暗いダンスホールのようだ。全面というわけではないが壁には、部屋を取り囲むように絵が描かれていて、そこに照明が当てられている。室内には他に何もない」。これはジョージの視点。「部屋には絵しかない。全部を一度に見ることはできない」。彼女は実のところ驚嘆している。絵画の存在、ピクチャーの現前に。

「絵の中段には全体を上と下に分ける幅の広い、青い帯が部屋を巡るように続いていて、そこに描かれた人々は、特にその明るい一角では、宙に浮いているか、何もないところを歩いているみたいに見える」。それは「巨大な続き漫画にも似ている。しかし同時に、絵画にも似ている」。だからそれは絵画に似た絵画とは違う絵画のような絵画である。ここから続く一連の描写は、まったくもって素晴らしい。「家鴨《あひる》がいる。家鴨の首を捕まえている男がいる。家鴨は本当に驚いた様子で、まるで何だくそ野郎と言っているかのようだ。家鴨の頭上には、別の一羽の鳥が止まっている。人に捕まっていないそちらの鳥は男の隣に止まり、男が家鴨の首を絞めるのを、興味深そうに見ている」。たとえ一枚の絵であっても全部を一度に見ることはできない。

これは細部の一つにすぎない。同様の細部がそこら中にある。水の中を泳いでいる犬がいる。ジョージはその性器をじっと見る。実際、絵の中にいる雄の動物はどれも睾丸が大きい。ところが、誰もが同じことを期待しそうな動物、雄牛は違う。雄牛には睾丸がないように見える。

そして一匹の猿が男の子の足に抱きつきながら、気取った様子で、さげすむようにそれを見ている。少し離れたところでは、黄色い服を着て帽子をかぶった小さな子供が何かを読むか、食べるかしている。一枚の紙切れを持った年老いた女がその子を見守っている。こちらでは一角獣《ユニコーン》が馬車を引き、あちらでは恋人たちがキスをしている。こちらには楽器を持った人々、あちらには木の上や畑で働いている人々。そして下の方では、アーチの下の真っ暗な部分から覗く目と、その視線に気付かずに世間話や商売をしている人々。犬と馬、兵士と町人、鳥と花、川と土手、川面に浮かぶ泡、笑っているみたいな白鳥たち。赤ん坊の群れ。赤ん坊なのに横柄な顔。ウサギ、あるいは野ウサギ、いや、その両方。

（『両方になる』）

書き下ろしの一冊の書物として世に出た坂口恭平の『建設現場』は、もはや何と呼んだらいいのかわからないような本だが、それでもやはり「小説」と言ってしまっていいような気もする。『現実宿り』『けものになること』『家の中で迷子』と、坂口の「小説」は以前にも増して一作ごとに自由になってきた。だがその「自由」は、放埒や野放図を超えてむしろ獰猛で凶暴でさえあり、とともに真摯で峻厳で、禁欲的でもある。

『建設現場』は次のように始まる。

もう崩壊しそうになっていて、崩壊が進んでいる。体が叫んでいる。体は一人で勝手に叫んでいて、こちらを向いても知らん顔をした。崩壊は至るところで進んでいて、わたしは一人で気づいて、どうにか崩落するものに布なんかをかけようと探してみたが何もない。隣にいる者に声をかけてみたが、男は一切しゃべらず、それ以外にもまだたくさんの人間たちがいた。

(『建設現場』)

最初から崩壊していて、崩壊し続けている建設の現場。そこが舞台である。「現場ではいろんなものが崩壊していたが、それもこの建設の一つの仕事なのかもしれない。わたしは想像するしかなかった。しかし、昨日も寝ていない。もう数日寝ていない。正確に言うと、寝ていないことはなかった」。どちらでも変わらない。なぜなら「ところが寝ていても、夢の中ではまったく同じ場所があらわれ、わたしは同じように働いていた」のだから。夢の中の世界と夢の外の現実がそっくりなら、今のここが夢でも現実でも構わない。「わたし」は或る役目を負っているようだ。

崩壊はまだ続いていた。建てても建てても定期的に揺れ、崩れ落ちていく。そのたびに日誌に被害の状況を逐一記録しなくてはならなかった。しかし、こんなことをやっても無意味だと多くの人が思っているのか、報告する側もされる側もどちらも上《うわ》の空で、誰も何も聞いていないようにみえた。日誌にはなにか記録されていたが、どれも何語かすら判別できない。いろんな国の人間たちがいた。もうすでに国なんてもので区切られていなかったので、

それは住所の番地みたいなものにすぎなかった。（同）

トラックの運転手がやってくる。「わたし」は日誌をつけなくてはならないのに人の名前を覚えるのが不得手なのだが、何度も会っているわけではなくても彼の名前はなぜだか覚えていた。ロン。彼に会うと「わたし」はほっとする。昔の友人に似ているような気がするからかもしれない。

ロンは「小説を書いている」と言った。わたしはなんでそんなことを今、言ったのかよくわからず、もう一度聞き直した。ロンはまた「小説を書いている」と言った。唐突だったが、わたしは「小説を書いたことがない」とだけ返事をした。わたしは「小説ではないが、なにかよくわからない、なにかわからないけど、自分の中になにかある」という曖昧すぎてよくわからないことを言った。（同）

なにかよくわからない、なにかわからないが、自分の中にあるなにかを書いたのが『建設現場』ということになるのだといえば、それはちょっと単純過ぎるのではないかと思われるかもしれないが、単純で何が悪い。いや、実際のところ、この単純さはそれほど単純ではない。建設と崩壊という二項の堂々巡りも、そんなに単純なものではない。

ジョルジョ・アガンベンの『実在とは何か――マヨラナの失踪』は奇妙な本だ。原著は二〇一六年、長年取り組んできた「ホモ・サケル・プロジェクト」の完結（二〇一五年）の後に出ている。アガンベンは浩瀚《こうかん》な主著群の間にごく短い本も旺盛に発表してきたが、これはその中でも小著どころか短編論文と言っていいものであり、彼がなぜこんな本を書いたのか、書かねばならなかったのかが気になる。邦訳書には原著と同じくアガンベンの文章に加えて、この本の「主人公」というべきエットレ・マヨラナの論文「物理学と社会科学における統計的法則の価値」が付録として訳出されており、更に関連論文のジェロラモ・カルダーノの『偶然ゲームについての書』も追加収録されている。

イタリアの理論物理学者エットレ・マヨラナは、一九三八年三月二十五日の夜、ナポリからパレルモ行きの郵便船に乗船して以後、行方がわからなくなった。マヨラナはその当日、勤務するナポリ大学の物理学研究所長のアントニオ・カッレッリ宛に手紙を書いている。「わたしはもはや避けがたくなった決断を下しました。そこにエゴイズムは一片たりとも介在していませんが、わたしの突然の失踪によって学生や貴殿にご迷惑がかかることは十分に承知しております」と始まる短い文面からも覚悟の行動であったことがわかるが、動機はまったく書かれておらず、突然の失踪の理由は謎だった。マヨラナは両親にも手紙を送っていたが、そこには自殺をほのめかす部分があった。しかしやはり明確な動機は書かれていない。その後、カッレッリ宛に新たな手紙が届いたものの、それきりとなり、しかもその後の調査でそこに書かれていたことには虚偽が含まれていたことが明らかになっている。結局、現在に至るまで、マヨラナの所在も生死も不明のままである。彼は完全に「失踪」してしまったのだ。

アガンベンはまず、あたかもミステリ小説か映画の粗筋のように、この謎めいた事件のあらましを簡潔に記していく。一九七五年になって、イタリアの作家レオナルド・シャーシャが『マヨラナの失踪――消えた若き天才物理学者の謎』を著して幾つかの事実を指摘した。奇しくもマヨラナが消えた年にノーベル物理学賞を受賞し、妻がユダヤ人だったことからムッソリーニのファシスト政権下での迫害を懼れてアメリカに亡命したエンリコ・フェルミ――マヨラナはフェルミ率いる物理学者集団「パニスペルナ街の若者たち」の一員だった――をして「ガリレイとニュートンのような天才である、ただし良識にかける」と評されていたこと、それ以前に、ライプツィヒではヴェルナー・ハイゼンベルクと研究をともにしていたこと、などを記した上で、シャーシャは大胆にもマヨラナが、その時点ではまだ確認されておらず、彼の失踪後に幾つかの段階を経てマンハッタン計画で成功したことになっている核分裂の現場に立ち会っており、その結果、この「物理学の天才が、いまだ承認されていないとはいえ、事実上、核分裂が発見されたのを目撃して、（中略）狼狽し、恐怖に襲われて、そこから遠ざかろうとしたとは考えられないだろうか」と述べる。この推理（？）を踏まえてアガンベンの考察が始まる。とはいっても、むろん更なる調査に赴いて隠された事実を露わにしてみせるわけではない。当然ながら、アガンベンが行なうのは思考であり、思弁である。

鍵となるのは、マヨラナが失踪以前に執筆していたが一九四二年まで公表されることのなかった一編の論文である。「物理学と社会科学における統計的法則の価値」と題されたその論文の結論部にアガンベンは着目する。その部分は「実在とは何か」でも最も重要な位置を占めている。論文の内容の骨子は物理学者によるものとしてはいささか異例な表題に端的に示されている。マヨラナは「物理学（自然科学）」と「社会科学」を「統計的法則」に基づいて比較し、最終的に以下のような提言を書きつける。

> 原子の崩壊は一回限りの予見不可能な現象であり、何千年も、さらには何十億年も待って初めて、突然、それも孤立して起きる。一方、社会統計によって記録される諸事実の場合には、似たようなことは何一つ起こらない。それでも、この異議は乗り越え不可能な異議ではない。放射性原子の崩壊は、自動計算機に機械的に登録されるようにしておけばよい。これは適当な増幅によって可能になる。ひいては、ただ一個の放射性原子の偶然的な崩壊によって統御された一連の複雑で目立つ現象を用意するには、実験室の普通の操作で十分なのだ。厳密に科学的な観点からは、人間に関わる出来事の根源に、等しく単純で、目につかず、予見もできない生命的事実が見出されることを、さもありなんと考えるのをさまたげるものは何もない。わたしたちの考えるとおりだとすれば、社会科学の統計的法則の果たす任務はますます増大しつつある。そして、そこには、おびただしい数にのぼる未知の原因の結果として生じるものを経験的に確定するという任務だけでなく、とりわけ、この現実について直接的で具体的な証言を与えるという任務も含まれる。その解釈は、統治技術のうち、けっして最後に数えられるような補助的な手段ではない、特別な技術を要求する。
>
> （「物理学と社会科学における統計的法則の価値」／上村忠男訳）

アガンベンは特に論文の末尾に注意を促す。「統治技術のうち、けっして最後に数えられるような補助的な手段ではない、特別な技術」こそ「統計学」である。アガンベンはこう述べる。「量子論力学の確率論的法則が原子体系の状態を認識することではなく「統御する」ことをめざしているように、社会統計学の法則も、社会現象の認識ではなく「統治」をめざしている。統計学は、どちらの場合にも、《統治技術のうち、けっして最後に数えられるような補助的な手段ではない、特別な技術》なのだ」。

アガンベンの標的は、ここに現れている。続いて彼はシモーヌ・ヴェイユの量子論物理学批判「科学とわたしたち」を検討する。孫引きになってしまうが、重要な箇所なのでアガンベンが引いているヴェイユの文章を、そのまま引用する。

（……）偶然性（hazard）ということにかんして、人はしばしば思い違いをしている。偶然性は必然性の反対物ではないし、必然性と両立しえないわけでもない。それどころか、偶然性はつねに必然性との関連においてのみ姿を現す。一つの厳密な必然性に従って結果を生じる、一定数のはっきりと区別された原因が存在する、と想定してみよう。そして、それらの結果のなかに一定の構造をもった集合が姿を見せている、と想定してみよう。その場合、それらの原因をその構造の集合のなかに取り込めないときには、偶然性が発生することになるのである。一個のサイコロには、その形態からして、六つの落ち方しかない。だが、投げ方には無制限のやり方がある。わたしがあるサイコロを一〇〇〇回投げたとしよう。すると、サイコロの落下後の状態は六種類に分類される。そして、その各々が相互に数的関係をもっている。しかし、投擲《とうてき》のほうは、同じようには分類できない。加えて、サイコロの運動をそれが投げられる回ごとに決定する機械的な必然性の網のなかにごく微細な隙間があるとすら、わたしは想像することができない。わたしがサイコロを一回投げたとして、その結果がどうなるか、わたしは知らない。しかし、それは現象のなかに何か無規定なものがあるからではない。そうではなく、問題になっている与件の一部をわたしが知らずにいるからにほかならない。［…］これらのゲームの場合、原因の集合は連続体としての力を有している。すなわち、もろもろの原因は一本の線上の無数の点のようなものである。それにたいして、結果の集合は相互に区別された少数の可能性をつうじて定義される。

（『科学について』／福居純、中田光雄訳）

何が問題なのか。「確率の名において必然性と決定論を放棄することで、量子論的力学は――ヴェイユによると――あっさり科学を放棄してしまった」とアガンベンは書く。「実在とは何か」は短いだけに極めて凝縮され速度を上げた論述が為されており、とりわけ科学史にかんしては一定の知識抜きにはついていけない程だ。「量子論物理学の確率論的性格」をめぐる名だたる学者たちの論議の系譜を見た後、アガンベンはカルダーノの『偶然ゲームについての書』に言及する。十六世紀後半に書かれ、確率論の嚆矢《こうし》として知られるこの論文は、要するに「サイコロから運を根絶することは不可能である」という実に明快な主張を有している。「確率という概念はある実在の出来事（現におこなわれているサイコロの投擲）に関わるものではなく、たんに可能的な状態で考察された出来事に関わるものだ、ということである。すなわち、確率は出来事を可能なものとして、さらには問題になっているもろもろの出来事のクラスにとって等しく可能なものとして考察する人間の知性の能力を前提としているのである。これこそは、それなくしては確率計算をなしえようもない規約である」。

シモーヌ・ヴェイユが主張し、アガンベンがあらためて強調しようとしているのは、偶然を算出出来ると嘯《うそぶ》く確率論は、結局のところ、どこまでいっても「可能性」を相手にしているのに過ぎず、「実在」に対しては何の効力も持ち得ていない、ということである。「すなわち、確率の計算を統御している原則は何かといえば、実在の領域に確率の領域を置き換えること、あるいは重ね合わせることなのだ。確率を考慮しながら行動する者は、この重ね合わせにひれ伏して行動していることになるだろう。そして、それが実際の個別的な場合《ケース》を決定することはけっしてないが、それでもなお、誤謬推理であることが明白であるにもかかわらず、現実を前にした彼の選択にある程度の影響を与えうるということを多かれ少なかれ暗々裡に承認していることにならざるをえないだろう」。そして決定的に重要なのが次の一節だ。

もしわたしが乗ることになっている飛行機が墜落する確率が一〇〇〇分の一なら、そのときには、まさにその墜落する飛行機は「ほとんど蓋然性のない場合《ケース》」であり、その飛行機が実際に墜落したあとでも、その事情に変わりはないだろう。ウィトゲンシュタインの言葉を借りるなら、世界とは《それがその場合《ケース》であるところのもの》でしかなく、したがって確率はけっして確率としては存在しえない。というのも、確率とは当の世界そのものにほかならないからである。そして、世界を統御し、世界にかんして決断を下すことをなしうるために、世界の実在は宙づりにされるからである。わたしたちが「偶然」と呼んでいるものは、蓋然的なものおよび可能的なものが実在のなかで「起きる」という擬制である。逆が真であるにもかかわらず、である。すなわち、ある仕方で考察されたなら、その実在性を宙づりにし、そのようにして、たんに蓋然的なものであるかぎりにおいて、みずからのなかで起こりうる実在的なものなのである。

（「実在とは何か」／上村忠男訳）

アガンベンの喩えは、いささか唐突に思われるかもしれないが、泡坂妻夫のデビュー作「DL2号機事件」を思い出させる。

「名探偵・亜愛一郎もの」の第一作でもあるこのミステリ短編の解決部分で、犯人を指摘してみせた後、亜愛一郎はサイコロを振る際、ひとは三種類に分かれる、と話し出す。ひとつ目は「最初に一の目が出たら、次にも一の目が出るぞと考える」タイプ、二番目は「最初出た目の数のことは全く無視する」タイプ、そして三番目が「最初に一の目が出てしまったのだから、二度目にはもう一の目は出やしない」と考えるタイプ。「今日は雨がうんと降っているから、明日は降るまいと考える人」と亜は言う。そして話を聞いていた警察官たちに、次のように訊ねる。「例えば地震ですが、地震に遭うことを、極度に恐れている人がいるとすると、この人は何処《どこ》に住んだらいいでしょうね？」。警官には亜の言いたいことがやっとわかる。「今の賽ころの三番目の考え方をするんだな。地震の恐い人間なら、大地震のあった直後、その土地に住めばよい。彼らはその土地に続けて二度も大きな地震が起るとは考えないからだ――」。

「そりゃあそうだ、賽ころのように、また同じ地震の目が出ちゃあ敵《かな》わねえ」

と署長が言った。

「しかし、学問的には、地震のあった時期に、もう絶対同じ地震がないとは言えませんがね」

だぶだぶの地質学者が言った。

「そりゃそうだろう。今度の地震でも、もうこんな土地は嫌だと言って何処かへ引っ越してしまった人もいる。だが大部分の住人は、これであと、五十年は地震がないと思っているんだ」

（「DL2号機事件」）


二〇一一年三月十一日からしばらく経った頃にも、この小説のことを思い出した。ここにある逆説は、原発廃止論の原理と成り得るのではないだろうか。確率が何パーセントだったとしても、それが起こった途端に、それはいわば一分の一で起こったことになる。つまり「確率とは当の世界そのものにほかならない」。そして或る目が出た瞬間に途方もない悲劇を引き起こすサイコロが存在しているのだ。

「実在とは何か」の原題は「Che cos'è reale?」、すなわち「リアルとは何か」。ようやくわかってきた。リアルの（何度目かの）危機は、こうして開始されたのだ。アガンベンが撃ちたいのは、このことなのだ。ではマヨラナは？　彼の「失踪」は、このことと如何なる関係を結んでいるのか。「実在とは何か」の最終節は「実在がみずからを実在として主張しうる唯一のやり方としての失踪」と題されている。

　ここでわたしたちが示唆しようと思う仮説は、もし量子論力学を支配している約束事が、実在は姿を消して確率に場を譲らなければならないということだとするなら、そのときには、失踪は実在が断固としてみずからを実在であると主張し、計算の餌食になることから逃れる唯一のやり方である、というものである。マヨラナは現代物理学の確率論的宇宙におけるる実在の規定の範例的な暗号をみずからの身をもって作り上げたのだった。そして、そのようにして、絶対的に実在的であると同時に絶対的にありそうにない一つの事件を生み出したのである。一九三八年三月の夜、無のなかに消え去り、彼の失踪の実験的に明らかにしうるあらゆる痕跡を見分けがつかなくさせる決断をすることによって、彼は科学に、実在とは何か、という未済の、しかしまた避けて通るわけにはいかない回答をいまもなお期待している問いを提起したのだった。

（「実在とは何か」）

　これで最後である。どうだろうか。意図的にして完璧な「失踪」は「実在」による「確率」への一撃たり得るのか。正直言って、この結論は、かなり無理があるように見える。だが、ここでアガンベンが言おうとしていることは、エットレ・マヨラナの失踪という現実にあった出来事が持つ意味／意義ではおそらくない。

「実在とは何か」には、アリストテレスによる可能態＝デュナミスと現実態＝エネルゲイアの区別にかかわる節が含まれている。言うまでもなく、エネルゲイアに対してデュナミスを擁護、顕揚することこそ、アガンベンが繰り返し主張してきたことのひとつである。そしてアガンベンにとってデュナミスの可能性は現実化しないことによって（も）保証される（『バートルビー――偶然性について』など）。起こり得るか起こり得ないかのいずれかである、そしていずれかになる、という「計算」に対して、起こすことも起こさないことも可能である、がゆえに、そのいずれをも選ぶことが出来る、という選択と実践の力を、いわば人間の究極的な権利としてアガンベンは肯定しようとする。実在は、リアルは、けっして確率に道を譲ってはならない。人間の学である科学は、けっして偶然に身を任せてはならないのだ、と。

この意味で『実在とは何か』は、このイタリアの哲学者のこれまでの著作と同じく、誤解を恐れずに記せば、ヒューマニズムの書である。そして見方によっては、それこそがアガンベンの限界なのだということにもなるのかもしれない。

『建設現場』は、番号のふられた一一八個の断章と、番号のない最後の章から成っている。そのほとんど終わりがけの「１１７」と番号のふられた章の全文を引用しておこう。

　これはわたしが想像しているのではない。この町はわたしが考えたことではない。しかし、これはいま、わたしの中にある。外にもある。ここには人々が暮らしている。そういう現実がある。こちら側にある。わたしはすでに存在しているものをただ見ているだけだった。ここにはいくつもの時間が流れている。石の中にも時間が流れている。瓦礫の中では分断された時間が新しい家屋をつくりだしている。人間たちはそこで暮らしている。わたしはそのいくつかを知覚しているにすぎない。知らない時間であふれていた。わたしは予感を感じている。わたしはもう目が見えなくなっていた。体はばらばらになっていたが、朝になるとわたしは何事もなかったかのように出かけた。わたしの体はこの町と同じように動いていた。わたしはそれでも見ることをやめなかった。

（『建設現場』）

アリ・スミスの『両方になる』でジョージは今は死んでいるがその時は生きていた母親に連れられて弟と三人でイタリアに来ている。かつてスキファノイア宮殿だった場所。フランチェスコ・デル・コッサ。もうひとつの「第一部」で何世紀も前に死んでいる筈だがジョージの後をついてくる画家の作品がそこにはある。絵は上と下に分かれている。「青の中、生意気そうなヤギか羊の上では、美しい赤のドレスを着た女が宙に浮いている。白いぼろを着た男もそこにいる。母が美術雑誌に掲載された写真で絵を見た、あの男だ。彼が原因で、ジョージたちは今ここにいる。ヤギの上に浮かんでいる女を挟んでその反対側には、若い男か女、どちらでもありえそうな人物がいる。美しく華やかな服を着て、手には矢か棒のようなものと金の輪を持っている。まるですべては魔法を使ったゲームだと言いたげだ」。娘は母に訊ねる。男、女？　さあね、と母は言う。そしてすぐに、男、女、両方、と言う。みんな美しいわ、羊も含めて。ジョージは別の壁の絵を見て、また戻る。

すべてが層になっているみたいだ。絵の手前側で起きていることが別個に、かつ関連しつつ背後でも、その背後でも、さらにその背後でも起き続けている。まるで何マイルにもわたって遠近法の中でそれを見ているみたいに。さらに、家鴨を持った例の男みたいな個別の細部もある。それらの出来事はすべて、それぞれの理由があって起きている。絵はそれらを同時に見せる——身近な出来事とより大きな全体像を。家鴨を手にした男の存在によって、残虐行為がいかに日常的でほとんど喜劇的なのかが浮き彫りになる。今起きているすべてのことの中に残虐行為が見いだせる。これは残虐行為が実は非常に日常的なものであることを示す驚くべき手法なのだ。

（『両方になる』／木原善彦訳）

「こういうものは今までに見たことがない」とそれから母親は言う。「親しみと呼んでもいいくらいの温かみがある。親しみの持てる芸術作品。こういうものは今までに想像したこともなかった。それにほら、見て。センチメンタルなところはこれっぽっちもない。寛大だけど嘲笑的。嘲笑的だなあと思ったら、次の瞬間にはまた心の広さを感じる」。そしてジョージに「ちょっとあなたに似てる」と言う。

これは全部ジョージの想い出だ。母親は死んでいる。あとで母親はジョージにフレスコ画の話を聞かせる。「一九六〇年代にイタリアの別の町で大洪水があってフレスコ画が傷み、当局と職人が修復のために壁の表面をはぎ取ったところ、その下から、画家の手による下絵が見つかったのだが、下絵は時に表面の絵とかなり違っていたのだという」。ここから先は、またもや興味深い絵画論、芸術論。

でも、どっちが先なのかしら？と母が言う。鶏か卵か？　下絵が先か、表面の絵が先か？　下絵が先、とジョージが言う。だって、先にそっちを描いたんだもん。

でも私たちが先に目にするのは表面の絵、それに普通、私たちはそれしか見ることがない、と母が言う。ということは結局、表面の絵が先ってことじゃない？　それに、もし下絵のことなんか知らないとしたら、そんなものは存在しないのと同じことなのかも。（同）

この話は、もちろんこの小説の二つの「第一部」の関係に関係している。もっとも理にかなった解釈は、訳者の木原善彦も示唆しているように、「目」の「第一部」は「カメラ」の「第一部」の後で、ジョージが、あるいはジョージとHが創り出した（書いた）というものだろう。そう考えれば辻褄は合うし、正解を探すなら（正解があるなら）それが正解だ。しかしそれはあくまでも小説の中の話。では作者アリ・スミスがどちらの「第一部」を先に書き出したのかといえば、そんなことはわからないし、わからなくても別によく、わからないほうがよいのだと言うためにスミスはこんな変わった趣向を発案したのに違いない。下絵が下絵であるからには先に描かれたのであり、だから表面の絵はその後で描かれたのだとする時間的前後関係の把握は正しくはあるがただそれだけのことだ。逆であってもいいではないか。それは「カメラ」の「第一部」の画家の性別がどちらが先でも後でもよく、なぜなら重要なのはその「両方」ということであるからだ、というのと同じだ。

僕が愛しているとローラに伝えてくれ。それは母が子供の頃に好きだったレコードの一枚だ。桜の木に止まる小さなコマドリ。最初にチリチリという針の音、次に、一気に爆発するみたいに感傷的なメロディーが響く。そんな曲を聴いていると、まるで文字通り別の世界に移動したかのように過去を経験できる。人々が本当にそんな歌を歌っていたその場所は、あなたにとってまったく新たな、別の世界だ。そこはまったく異質な過去なので、一種のショックを感じないではいられない。

新しくて古い、同時にその両方というショックね、と母が言う。

（同）

ジョージは学校で、ヘレナ・フィスカー、Hと友だちになる。カラチとコペンハーゲンの出身の「Hの父によれば、北と南、西と東、同時にそのすべての出身であることが何の問題もなく可能らしい」。ジョージと生前の母親の感情的なしこり（奇妙な言い方だが）は、母とリサ・ゴリアードという女性のかかわりにかんするものだった。アリ・スミスはこの小説の中で、ジョージとH、母親とゴリアードの関係を二重写しにしてゆく。それは特別な意味と価値を持つ友情で、それ以外の、それ以上の何かでもある。ジョージはHの存在によって、亡き母の心の中で何が起こっていたのか、ゴリアードとは母にとって何だったのかを少しずつ探り当ててゆく。もちろん二組の二人組は同じではない。母とゴリアードのことはよくわからないままだ。だって母は結局のところ死んでいるのだから。だからジョージは自分とHの間で起こっていることを手がかりにして、母とゴリアードの間で起こったことを想像する（しかない）のであって、それは先ほどの下絵と表面の絵の話と似ている。

『両方になる』にはものすごく沢山の「両方になる」ことが畳み込まれている。この小説にはいったい何個「both」という語が出てくることだろう。この小説が素晴らしく知的で素晴らしく感動的な理由はこれまで述べたこと以外にも多々あるのだが、それら全部合わせて、アリ・スミスは世界の「両方性」とでも呼ぶべき様態を描き出そうとしたのだと言ってみたくなる。

　複数性とは違う。多様性とも異なる。複数性という考え方の難点は、どうしても、そこからどれかひとつ、という方向に進んでしまいがちであるということだ。どれかを選べば、どれかは選ばれない。そこでは明らかに、選択しなかった（出来なかった）可能性の束が複数性を保証している。どうして全部では駄目なのか。駄目ではないのか。だが全部と言ってしまうと今度は複数であることの意味が失われてしまうのではないか。多様性も同じで、多様なのは容れ物に過ぎない。多様なものが存在するというのは当たり前でしかない。それだけでは何も言ったことにはならない。世界が多様であることは誰もが知っているのだし、複数のものがあるということだって自明の事実でしかない。問題は、それなのにこちらがひとつであるらしいということなのだ。

　だからまずはおずおずと、「両方になる」ことから始めなくてはならない。いや、それほどむつかしいことではない。「両方になる」ことはアウフヘーベンとは違う。止揚されてひとつになったりはしない。そういうことではなく、あるものとあるものが対になっていて、その両方。表と裏が、前と後が、右と左が、内と外が、ひとつ目とふたつ目が、最初と最後が、などなどがあって、その両方。両方と、また別の両方の、両方になること。そう、複数で多様であることを知っているだけでは世界は変わってはくれない。世界の数え方を変えてみなくてはならないのだ。それは簡単なことではない。世界はひとつきりしかなく、世界は幾つもある、その両方。『時のかたち』の「結論」と題されたパートの「発明の有限性」という節でジョージ・クブラーはこう問いかける。

実際、事物についての私たちの知覚はひとつの回路なのであり、同時に多種多様な新しい感覚情報を受け入れることができない。人間の知覚は習慣的行動をゆっくりと修正してゆくことに最も適しているので、斬新な発明はいつも知覚の入口のところで足止めされてしまう。メッセージの重要性や受け手側の必要性に比べて、人間の知覚ははるかに流量の限られた狭き門なのである。では私たちはどのようにして、その門の交通渋滞を減らすことができるのだろうか。

（『時のかたち　事物の歴史をめぐって』）

ことあろうにクブラーは、この難問に答えようと試みている。彼の答えは単純といえば単純だ。策はふたつある。流量を減らすか、門を広げるか。純粋主義か、進化と洗練か。だがしかし、そもそもの前提を見直すことは出来ないのだろうか。ここでは「ひとつの回路」と「多種多様な新しい感覚情報」が対置されているのだが、別の見方はないのか。無理をすると「崩壊」してしまうのかもしれないが。

世界の数は、幾つあるのだろうか？　マルクス・ガブリエルなら、こう答えるだろう。「ゼロである。何故なら世界は存在しないから」。

ドイツ本国で思想書としては異例のベストセラーとなり、日本でも邦訳書が売れに売れて人文系のみならずビジネス媒体にも取り上げられ著者の来日やテレビ出演にまで至った――〝マルガブ〟という四文字渾名まで存在する！――『なぜ世界は存在しないのか』の主張は、まずはそのインパクト大な題名に端的に示されている。史上最年少で独の名門ボン大学の正教授に就任したというこの少壮の哲学者は、二十一世紀に入って次々と勃興した、フランスのカンタン・メイヤスーらの「思弁的実在論（Speculative Realism＝ＳＲ）」、ＳＲから派生したアメリカのグレアム・ハーマンらによる「オブジェクト指向存在論（Object-Oriented Ontology＝ＯＯＯ）」と並ぶ、現代哲学の新潮流「新しい実在論（New Realism＝ＮＲ）」（この用語は一世紀前からあるものだが、ガブリエルとイタリアのマウリツィオ・フェラーリスは新しい意味で使用している）の代表的論客とされている。ＳＲ―ＯＯＯ―ＮＲの理論的／人脈的な関係性は相当に錯綜しているが（その最新の整理は千葉雅也氏や仲山ひふみ氏の文献に当たられたい）、いずれもポストモダン以前の大陸哲学の巨星――カント、ヘーゲル、シェリング、ハイデガーなど――に新たな解釈や批判や価値付けを行なうことで既存の実在論／存在論のヴァージョンアップを目指している点が共通している。その中でも群を抜いて人口に膾炙《かいしゃ》したのがガブリエルだが、その理由は、容易には受け入れ難い荒唐無稽な結論や主張を含むＳＲや、やや専門的でテクニカルな要素を持つＯＯＯに比べて、とにかくＮＲがわかりやすかったからだということは間違いない。

では「世界は存在しない」という一見突飛な主張のどこがわかりやすいのか？　『なぜ世界は

存在しないのか』は一般読者向けに書かれた一種の啓蒙書だが、内容は多岐にわたっており、論じられているトピックもヴァラエティに富んでいる。しかしガブリエルの言わんとすることは序論に当たる「哲学を新たに考える」にあらかじめおおよそが述べられている。彼はまず、形而上学と構築主義とＮＲの違いを説明する（本では「ヴェズーヴィオ山」とされているが馴染みがないので日本ヴァージョンに変換しよう）。「山田さんが山梨にいて、富士山を見ているちょうどそのときに、わたしたち（この話をしているわたしと、それを読んでいるあなた）は静岡にいて、同じ富士山を見ているとします。とすると、このシナリオに存在しているのは、富士山、山田さんから（山梨から）見られている富士山、わたしたちから（静岡から）見られている富士山ということになります」。

さて、形而上学においては、このシナリオに存在している現実の対象は、ただ富士山のみである。「富士山は一方で山梨から、他方で静岡から見られているが、これはまったくの偶然であって、富士山にとっては（願わくは）ほとんどどうでもよいことである。富士山に関心を寄せているのが誰かなど、富士山それ自身にとっては問題ではない。これが形而上学です」。次に構築主義によると、このシナリオの対象は次の三つである。「山田さんにとっての富士山、わたしにとっての富士山、あなたにとっての富士山です。これらの背後に、現実の対象など存在していない。あるいは、そのような対象をいずれ認識することは、わたしたちには期待できないというわけです」。形而上学と構築主義の結論は完全に対立的である。だがＮＲの場合、対象は少なくとも以下の四つになる。

1　富士山
2　山梨から見られている富士山（山田さんの視点《パースペクティヴ》）
3　静岡から見られている富士山（あなたの視点）
4　静岡から見られている富士山（わたしの視点）

一見すると、これは単に先の形而上学と構築主義の折衷のようにも見える。実際そうなのだが、ガブリエルはNRが「最良の選択肢」であることを「事実」という言葉を使って説明する。つまり右の1から4を、まったく同等の権利を持つ「事実」として受け取るのである。そればかりか「わたしが感じていながら表に出さないさまざまな感覚も、すべて事実です」とまでガブリエルは言う。「こうして新しい実在論が想定するのは、わたしたちの思考対象となるさまざまな事実が現実に存在しているのはもちろん、それと同じ権利で、それらの事実についてのわたしたちの思考も現実に存在している、ということなのです」（『なぜ世界は存在しないのか』／清水一浩訳）。ここでの「現実に存在している」という言い回しが、すなわち「事実」ということなのだが、ガブリエルは事実上「事実」の適用範囲を極端に拡張している。彼は「この世界は、観察者のいない世界でしかありえない（＝形而上学）わけではないし、観察者にとってだけの世界（＝構築主義）でしかありえないわけでもない。これが新しい実在論です」と述べる（丸括弧内は引用者による補足）。では、このようなNRから、如何にして「世界は存在しない」が導かれるのだろうか。

世界には、国家も、夢も、実現しなかったさまざまな可能性も、芸術作品も、それにとりわけ世界についてのわたしたちの思考も含まれているのだとすると、世界は自然科学の対象領域と同一ではありえません。（同）

ガブリエルは（「自然科学の対象領域」も含めた）これらの全てを「事実」すなわち「世界」の構成要素として認定する。これを裏返すと「世界を有意味に定義しようとすれば、すべてを包摂する領域、すべての領域の領域とするほかありません。こうして世界とは、わたしたちなしでも存在するすべての事物・事実だけでなく、わたしたちなしには存在しないいっさいの事物・事実もそのなかに現に存在している領域である、ということになります」。そして彼は、おもむろにこう続ける。「ところが、まさにこのすべてを包摂する領域、つまり世界は存在しませんし、そもそも存在することがありえません。この主要テーゼによって、人類が頑《かたく》なにしがみついている「世界は存在する」という幻想が打ち壊されるだけではありません。それと同時に、わたしとしては、この幻想をうまく利用して、そこからポジティヴな認識を獲得したいとも思っています。つまりわたしは、世界は存在しないということだけでなく、世界以外のすべては存在するということも主張したいわけです」。

『なぜ世界は存在しないのか』の第一の証明はこうである。

なぜ世界が存在しないのかを理解するためには、何かが存在するとはそもそも何を意味するのかをまず理解しておかなければなりません。そして、およそ何かが存在すると言えるのは、その何かが世界のなかに現われるときだけです。じっさい、世界のなかにでなければ、どこに存在するというのでしょうか。というのも、ここで世界という言葉で理解されているのは、およそ起こりうる事象のすべてがそのなかで起こる領域、つまり全体にほかならないからです。ところが当の世界それ自体は、世界のなかに現われることがありません。少なくとも、わたしは今までに世界それ自体というものを見たことも、感じたことも、味わったこともありません。それに、わたしたちが世界について考える場合でさえ、わたしたちがそれについて考えている世界は、わたしたちがそのなかで考えている世界と、もちろん同一ではありません。わたしが世界について考えているとき、この思考自体が、世界のなかの非常に小さな出来事、わたしの小さな世界内思考にほかなりません。この思考と並んで、ほかにも数えきれないほど多くの対象や出来事が存在しています――にわか雨、歯痛、連邦首相府、等々。

（同）

さまざまなもの／ことが、たくさんのこと／ものが、ありとあらゆるもの／ことが、ありとあらゆる以上（以外）のこと／ものが存在する場（？）としての「世界」。となると「わたしたちは、けっして全体としての世界を捉えることができません。全体というものは、どんな思考にとっても原理的に大きすぎるのです。しかしそれは、わたしたちの認識能力のたんなる欠陥のせいではありませんし、世界が無限であることに直接関連しているのでもありません（じっさい、わたしたちは、たとえば無限小法や集合論といった形で、少なくとも部分的には無限さえ捉えることができます）。むしろ世界は、世界のなかに現われることがないから原理的に存在しえないのです」。

これが「世界は存在しない」というテーゼの意味である。「存在するものは、すべて――わたしたちの想像のなかにしか存在しないのだとしても――どこかに存在する」とガブリエルは言う。だがしかし「ここでも唯一の例外は、やはり世界です。世界それ自体なるものは、どうしても想像することができません」。ほとんど何もかもがあるのだが、それらを内包する「世界」だけが存在しない。つまり「全体」は存在しない。

『なぜ世界は存在しないのか』の第一章「これはそもそも何なのか、この世界とは？」では、この主張がより詳しく説明されているのだが、そこでガブリエルはヴィトゲンシュタインの『論理哲学論考』の「第一テーゼ群」を引く。

一　　世界とは、成立していることがらの総体である。
一・一　世界は事実の総体であって、物の総体ではない。

ヴィトゲンシュタインを踏まえて、ガブリエルは次のような推論を行なう。「リンゴが果物鉢に盛られているとします。そして、およそ世界にはこのリンゴと果物鉢と、両者の占めている空間とだけが存在するものと想定しましょう」。すると「世界は以下の三つの物の総体に等しい」。

1　リンゴ
2　果物鉢
3　両者の占めている空間

ポイントはもちろん3である。まずガブリエルは「事実とは、何かについて「真である」と言える何らかのこと」とあらためて定義する。「事実のない世界は存在しません。何も存在しないという事実がなければ、何も存在しないということ自体が存在しません」。ガブリエルによれば、右の123はいずれも「事実」である。ということは「絶対的な無は存在しません。つねに何らかのことが成立していて、つねに何かについて何らかのことが真であると言えるのです。どんなひとも、また何ものも、事実から逃れることはできません。全能の神であっても同じです。神であっても、事実から逃れることはできません。こうして話題になっているのが神であって無ではないということは、ともかくもひとつの事実だからです」。

こうしてガブリエルは、ヴィトゲンシュタインが排除した「物の総体」も「世界」の構成物として受け入れ、更には「物・対象・事実だけでなく対象領域（＝○○が占めている空間）も存在している」（丸括弧内は引用者による補足）と考える。というわけで、NRによる「世界」の定義は、このようなものになる。

世界とは、すべての領域の領域、すべての対象領域を包摂する対象領域であるそしてガブリエルは、そのような「世界」など存在しないし、存在できるわけもなく、存在しないと考えるべきである、と主張しているわけである。

『なぜ世界は存在しないのか』の原著が出版されたのは二〇一三年だが、その後、ガブリエルは、この本の主張を更に哲学的に深化させた著書『Fields of Sense（意味の場）』（二〇一五年）を発表している。「新しい実在論者の存在論（A New Realist Ontology）」という副題の附された同書は、NRの本格的なマニフェストであり、現在までのところのガブリエルの主著である。そこでキータームとなっているのが、書名にもなっている「意味の場（Fields of Sense／Sinnfeld）」である。この語は『なぜ世界は存在しないのか』の第三章「存在するとはどのようなことか」に、すでに重要な概念として登場する。ガブリエルは「たったひとつの世界なるものなど存在せず、むしろ無限に数多くのもろもろの世界だけが存在している。そして、それらもろもろの世界は、いかなる観点でも部分的には互いに独立しているし、また部分的には重なりあうこともある」と自身の主張をまとめたうえで、従来の「存在すること＝世界のなかに現われること」という等式は、次のように改良されるべきだと唱える。

存在すること＝何らかの意味の場のなかに現われること

「この等式は、意味の場の存在論の原則です。意味の場の存在論は、こう主張します。およそ何かが現象している意味の場が存在するかぎり、何も存在しないということはなく、そこに現象している当の何かが存在している、と」。それからガブリエルは、彼の言う「意味の場」と、先ほどの「対象領域」との違いについて述べる。「意味の場とは、何らかのもの、つまりもろもろの特定の対象が、何らかの特定の仕方で現象してくる領域です。これにたいして対象領域においては――集合においてはなおさらのこと――まさにこの点が捨象されます」。

注意するべきは、ガブリエルの「意味の場」は空間的なものではないということである（『意味の場』の中では「時間と空間は存在論においてまったく中心的なものではない」という大胆な主張も為される）。

存在するものは、すべて意味の場に現象します。存在とは、意味の場の性質にほかなりません。つまり、その意味の場に何かが現象しているということです。わたしが主張しているのは、存在とは、世界や意味の場のなかにある対象の性質ではなく、むしろ意味の場の性質にほかならないということ、つまり、その意味の場に何かが現象しているということにほかならないということです。（同）

そのような「意味の場」全部を包摂し得る「世界」は存在しない。存在するのは「無限に数多くの意味の場」だけであり、それは常に同時に不断に存在している。『意味の場』の刊行後、ガブリエルはOOOの総帥グレアム・ハーマンのインタビューを受けている（ややこしいが、同書はハーマンが監修を務める「思弁的実在論」叢書から刊行された）。その中でハーマンは、あらためて「世界は存在しない」テーゼを持ち出し（それは『意味の場』第七章の主題となっている)、「この主張は、(アラン・) バディウや (スラヴォイ・) ジジェクによる「全体は存在しない」という類似した主張と、どのように異なっているのでしょうか」と、すこぶる率直に訊ねている。それに対するガブリエルの答え、その「省略バージョン」は、彼の「新しい実在論者の存在論」の簡潔なまとめとなっている。

(1) 存在するとは、意味の場のうちに現象することである。
(2) 意味の場が存在するとは、それが意味の場のうちに現象することである。
(3) 世界は対象や事実の総体ではない (というのも、このふたつの概念が存在の概念を覆い尽くすことはないから)。
(4) 世界とは、あらゆる意味の場の意味の場である (そうでないならば、世界は全体ではなく、したがってまた、ある種の開かれた全体、無限に拡張可能な全体でもない!)。
(5) もし世界が存在するならば、あらゆる意味の場の意味の場が存在しなければならない。
(6) しかし、世界は存在しえない。もし世界が存在するとしたら、それは (世界のうちにまだ含まれていない) べつの場のうちに現象するか、もしくは自分自身のうちに現象しなければならないだろう。
(7) 世界のうちに現象するものは、他の場と並び立つ、ひとつの意味の場である。
(8) 世界は、他の場と並び立つ、ひとつの意味の場であることはできない。
(結論) したがって、世界は、世界のうちに含まれていない場のうちに現象することも、他の場と並び立って現象することもできないので、存在しない。

（「『意味の場』刊行記念インタビュー」／飯盛元章訳）

ガブリエルは自分の主張は「バディウのように、集合論のパラドックスを存在論／形而上学に応用したものではない」と断言し、それればかりか「そうした応用には非常に問題があります！」とエクスクラメーション・マーク付きで言っているのだが、やはりそれほど違わないのではないかとも思える（ジジェクにかんしては長くなるので省略する）。

ここで話をいったん巻き戻す。ガブリエルは『なぜ世界は存在しないのか』の論議の出発点において、「ヴェズーヴィオ山（富士山）」を見ている複数の「視点」のことを言っていた。この「視点＝パースペクティヴ」は、ブラジルの人類学者エドゥアルド・ヴィヴェイロス・デ・カストロを思い起こさせる（実際ガブリエルはヴィヴェイロス・デ・カストロにも言及している）。「パースペクティヴィズム」は「多自然主義」とともにこのドゥルージアンの人類学者の中心概念である。従来の人類学において「視点」はあくまでも観察者としての人類学者の側にのみあったのに対し、ヴィヴェイロス・デ・カストロはその構図を逆転し、観察対象――たとえばアメリカ大陸先住民――からの「視点」も常に同時にあるのだと指摘し、それを敷衍して、あらゆる存在には「視点」が装塡され得るのだと主張する。

こうして、視点が賦与されているあらゆる存在は主体でありうる。あるいはより正確を期せば、視点のあるところには主体の位置がある。われわれの構築主義的な認識論がソシュールの定式――「視点が対象を創造する」、主体的な存在は原初的で、視点がそこから発する固定された状態である――によって要約可能であるのに対して、アメリカ大陸先住民のパースペクティヴィズムは視点が主体を創造するという線に沿って展開する。視点によって活性化されたものや行為能力を持ったものは何でも主体となりうる。

（「アメリカ大陸先住民のパースペクティヴィズムと多自然主義」／近藤宏訳）

このようなヴィヴェイロス・デ・カストロの「パースペクティヴィズム」は、OOOや、その理論的背景にあるブリュノ・ラトゥールの「アクターネットワーク理論」とも親近性が高い。「はっきりさせておこう。魂を授かった動物やほかの存在物は、それらが（変装した）人間であるがために主体であるわけではなく、その反対である――それらは、（潜在的に）主体であるがために人間なのである。このことが言わんとするのは、〈文化〉は〈主体〉の本性である、ということである。主体は、全ての行為者が自らの本性を経験する際の形相なのである」と、ヴィヴェイロス・デ・カストロは述べている。「パースペクティヴィズム」にかんするマルクス・ガブリエルの意見はこうである。

パースペクティヴィズムとは、現実にたいするさまざまな見方《パースペクティヴ》があるというテーゼです。あらゆる見方が関わっていく唯一の現実なるものが存在するということが、このテーゼではすでに前提されています。これには主観的パースペクティヴィズムと、客観的パースペクティヴィズムとがあります。客観的パースペクティヴィズムは、どんな見方も客観的なものであり、現実を歪めて見せているのではないと想定します。これにたいして主観的パースペクティヴィズムは、どんな見方もある種の虚構だと見なします。

（『なぜ世界は存在しないのか』）

そしてガブリエルは、「客観的パースペクティヴィズムは、見方《パースペクティヴ》が真偽に関わりうることを過大評価」しており、「主観的パースペクティヴィズムは、見方が真偽に関わりうることを過小評価」していると言う。言うまでもなく前者は「形而上学」、後者は「構築主義」の言い換えとなっている。そのうえでガブリエルは彼の理論と「パースペクティヴィズム」との決定的な差異について、こう述べる。

いずれのパースペクティヴィズムも、人間という立場から、ほとんど一面的にしか見方を理解していません。これとは逆に、意味の場の存在論は、人間によるさまざまな見方・見え方――パースペクティヴ――を、存在論的な事実として理解します。世界が存在しないがゆえに、無限に多くの意味の場が存在する。わたしたちは、それらの意味の場のなかに投げ込まれ、またそれらの意味の場のあいだを移行し続けています。つまり所与の意味の場から出るさいに、新たな意味の場を生み出しているわけです。しかし新たな意味の場を生み出すとは、けっして無からの創造ではなく、さらなる意味の場への転換にすぎません。人間は、誰もが一人ひとりの個人です。しかし、同じようにそれぞれ個々のものであるさまざまな意味の場を、わたしたちは共有しています。ですから、わたしたち一人ひとりが自分自身に閉じ込められているわけではありません。ましてや自らの自己意識に閉じ込められているのではありません。わたしたちは、無限に多くの意味の場のなかをともに生きながら、そのつど改めて当の意味の場を理解できるものにしていくわけです。それ以上に何を求めるというのでしょうか。
（同）

ごく大雑把に言って、SR—OOO—NR（とそれ以降の「新しい唯物論（New Materialism＝NM）」等々）およびその前段や近傍にある諸理論は、「人間」をどう扱うか、すなわち「人間／性」を如何にしてそれ以前とは異なる仕方で括弧に括るか、相対化し尽くせるか、という動機を共有している（いわゆる「ポスト・ヒューマニティーズ」）。マルクス・ガブリエルの、そして彼が標榜するNRの特徴は、或る面においては極度に非人間的でありながら——彼は最終的に「意味の場」は「人間」とは無関係に存在しているのだとする——もう一面では多分にヒューマニスティックで（も）あるということである。

そしてそれはもちろん、ガブリエルもまた「人間」であるという端的な事実に因るのだと思われる。『なぜ世界は存在しないのか』の結論部分では、そのような（啓蒙的な？）貌が前面に出てくる。

意味の場の存在論が、ハイデガーの有名な表現を借りて言えば「存在の意味」とは何かという問いにたいする、わたし自身の答えです。存在の意味、つまり「存在」という表現に

よって指し示されているものとは、意味それ自体にほかなりません。（同）

そして「わたしたちは、意味から逃れることはできません。意味は、いわばわたしたちの運命にほかなりません。この運命は、わたしたち人間にだけでなく、まさに存在するいっさいのものに降りかかってくるのです」とガブリエルは言う。彼の主張の「わかりやすさ」、その一般的な受け入れやすさは、まさにここに還ってくるということにある。彼は最後に「人生の意味」にさえコメントしてみせる。

人生の意味の問いにたいする答えは、意味それ自体のなかにあります。わたしたちが認識したり変化させたりすることのできる意味が、尽きることなく存在している――このこと自体が、すでに意味にほかなりません。ポイントをはっきりさせて言えば、人生の意味とは、生きるということにほかなりません。つまり、尽きることのない意味に取り組み続けるということです。（同）

おおよそ以上のようなマルクス・ガブリエルの「新しい実在論」には、当然のごとく数々の論難や批判が寄せられてきた。日本国内においても、メディアと一部のアカデミズムによる「マルクス・ガブリエル・フィーバー」に反比例するように、強力な論者たちから少なからぬ違和感が表明されてきた。その典型的なものは、カンタン・メイヤスーの『有限性の後で』の訳者のひとりであり、日本へのＳＲのもっとも早い紹介者のひとりでもあった千葉雅也（彼はガブリエルの来日時に対談している）と東浩紀による対談である。

千葉雅也　（前略）ガブリエルはみずからの哲学を「新しい実在論」として展開しています。けれど、（略）同じ実在論といっても思弁的実在論とガブリエルは正反対です。ガブリエルは、実在は多様な「意味の場」によって支えられていると主張する。自然科学的な世界観であれば、実在とは素粒子の集積ということになりますが、ガブリエルにとっては、自然科学も無限に多様な「意味の場」のひとつにすぎず、特権的なものではない。特定の文学作品もやはりひとつの「意味の場」であって、だからこそその「意味の場」には一角獣のような虚構の存在も実在すると言える。それがガブリエルの主張です。つまり彼は、ものの見方はいろいろいろあるよね、というポストモダンと同型の議論をしつつ、「ものの見方はいろいろある」の「いろいろある」の部分はそのまま実在を意味するのだとゴリ押ししてしまうわけです。そして、ガブリエルは「世界」のようなすべての「意味の場」を包括する全体の集合は考えることはできないと主張します。これがタイトルの「世界は存在しない」の意味になります。

東浩紀　どうなんでしょうね。「世界は存在しない」と言われると、ものすごく深い主張をしているように聞こえますが、まったくそうではない。「世界」を「意味の場」を包摂するものと定義したとき、それは定義上存在しえないと言っているにすぎない。ずいぶん浅い話にしか聞こえないのだけど。

千葉　とはいえ、便利な哲学ではあります。たとえばガブリエルの哲学は、現代的なポリティカル・コレクトネスを擁護するものになりえます。「意味の場」理論を使うことで、たとえば、いろいろ細かくちがう性的アイデンティティーの主張に対しても、それはそれぞれの「意味の場」で実在するんだから同等に権利主張ができます、と簡単に言えてしまう。そして、なぜそれが実在するのか、そもそも実在するものなのかどうかという本質主義的な問いに対しては、いずれにせよそれぞれ実在するのだからこれ以上立ち入ってはいけませんよ、と不問に付すことができる。ガブリエルの議論には、ポリコレを擁護し、基礎づけようとする政治的な含意があると思いますね。ナチズムの反省をもとにつくられた、戦後ドイツならではの優等生的な民主主義的哲学と言えるのかもしれない。

東　なるほど。それはよくわかりますね。ガブリエルの哲学は、マイノリティの権利主張のための新しい存在論的な基礎づけとして使うことができる。だから支持されている。とはいえ、だとすると、哲学とはそもそも政治的な正しさに奉仕するものなのかという疑念が生まれる。

（「実在論化する相対主義——マルクス・ガブリエルと思弁的実在論をめぐって（後）」——ゲンロンβ29【エラーの哲学】）

ガブリエルの「意味の場」理論は、いわば汎実在論としての存在論とも言えるものになっており、結果として昨今のポリティカル・コレクトネスと親和性が高い、がゆえにウケているのだ、ということである。『なぜ世界は存在しないのか』のベストセラーとガブリエルのスター化の理由のひとつは、確かにこのことに関係しているだろう。こんにちの学者は——いかなる分野であっても——知名度を増せば増すほど、社会的・政治的な発言とコミットメントをさまざまな形で求められることになるので、ガブリエルにもそのような要請や問いかけが数多向けられてきた／いることは想像に難くない。そしてたとえば「マイノリティの権利」について問われたなら、ガブリエルの答えは——他ならぬ彼の理論上——PC的なものにならざるを得ない。このような彼の「優等生」ぶりを鼻持ちならないと思う者が出てくるのは当然のことだと言っていい。

しかしここでむしろ気になるのは、ガブリエルは、なぜかくも無理矢理（！）に「世界」を消去しようとしているのか、ということである。むろん、すでに示されたように、彼の「世界は存在しない」とは、実のところ「何もかもが存在しているが「何もかも」だけは存在しない」と言っているに等しく、ある意味では詭弁の誹りを免れ得ない部分がある。だが一方で、そのアカデミックな経歴や、より専門的な著作や論文を概覧するだけでも、ガブリエルが哲学史に通暁しており、大陸哲学——特にドイツ観念論——の極太の伝統に立脚しつつ、それらを分析哲学の諸成果と縦横に接続し得る抜群の教養と知性を備えていることは疑いを入れない。

ならばガブリエルは要するに一発狙って「世界は存在しない」と言ってみたのだろうか。ならばそれはものの見事に成功したわけだが、たとえそれだけのことであったとしても、彼がほとんど執拗に——いわばオブセッシヴに？——「世界」をこの世界から消し去ろうとしていることには、彼自身の意図とはまた別の面白味があるのではないかと思われるのだ。

世界の数は、幾つあるのだろうか？　様相実在論の提唱者として知られるアメリカの分析哲学者デイヴィッド・ルイスなら、こう答えるだろう。「たくさん」。素敵なタイトルが附された主著の始めに、ルイスは次のように書く。

事物のあり方というのは、包括的に言ってもせいぜい、この世界の全体がどうあるかを意味するにすぎない。ところが、もろもろの事物は異なるあり方をしていたかもしれず、その異なり方はじつに多様である。私のこの本は、予定通りに書き上げられていたかもしれない。あるいは、私がこのように常識的な人間ではなかったとしたら、可能世界が複数あることを擁護するにとどまらず、自己矛盾によって本当のことが語られる不可能世界も複数あることを擁護していたかもしれない。あるいはまた、私は、この私自身としても私の対応者としても、そもそも存在していなかったかもしれない。人間なるものが一度も存在しないこともありえたかもしれない。また、もろもろの物理定数が、生命の出現と折り合わないようないくぶん異なる値をとることもありえたかもしれない。あるいは、まったく異なる自然法則が存在したかもしれない。電子やクォークの代わりに、電荷や質量、スピンをもたず、この世界の何ものも共有しないエイリアンな物理的性質を備えたエイリアンな粒子が存在していたかもしれない。ある世界ひとつをとっても、その可能なあり方には非常に多くのものがある。そして、これら多くのあり方のうちのひとつがこの世界の現実のあり方なのである。

他のあり方をしているような、他の世界は複数存在するだろうか。存在すると私は主張する。私は、われわれの世界はたくさんある世界のうちのひとつにすぎないと主張する世界の複数性テーゼ、すなわち様相実在論を擁護する。他の世界は数えきれないほどたくさんあり、これら他の世界もまた非常に包括的である。われわれの世界は、われわれやわれわれをとりまくすべてのもの（時間と空間においてどれほど遠くにあるとしても）から構成されている。われわれの世界はより小さいものを部分としてもつひとつの大きなものなのだが、ちょうどそれと同じように、他の世界もまたその世界におけるより小さいものを部分としてもつ。これらの世界は、遠くの惑星のような何かである。

（『世界の複数性について』／出口康夫監訳）

ルイスは言う。この世界とは「他のあり方をしているような、他の世界」「遠くの惑星のような何か」は「複数存在する」。ならばそれはどこにあるのか？

ただし、それらの世界の大部分は単なる惑星よりもずっと大きく、どこか遠くにあるというわけではない。どこか近くにあるわけでもない。それらはそもそも、ここからなんらかの空間的距離にあるわけではない。それらはまた、過去あるいは未来向きに遠くにあるわけではなく、近くにあるわけでもない。それらはそもそも、現在からなんらかの時間的距離にあるわけではない。それらは孤立分離している。つまり、異なる世界に属するもののあいだには、いかなる時空的関係もないのである。

（同）

それらの「この世界」とは「異なる世界」たちの「孤立分離」は徹底している。従って「ある世界で起こったことが原因となって、別の世界で何かを引き起こすというようなこともない。異なる世界に属するものがオーバーラップするということもない。つまり、異なる世界が部分を共有することはないのである」。このように、ルイスは「可能世界」の実在を主張しつつも、それら相互の関係性や交通は否定することで、実質的に、いわゆる「可能世界（論）ＳＦ」の成立を否定している。それでもルイスはあっけらかんと続ける。「これらの世界はたくさんあって多様である」。重要なのは次のことである。「じっさい、他の世界は非常にたくさんあるので、あるひとつの世界の可能なあり方のおのおのに対して、なんらかの世界の現実のあり方が必ず対応している」。そして勿論、この世界も、それらの「たくさんあって多様」な世界のなかのひとつなのである。

このようなルイスの哲学的な立場は様相実在論と呼ばれている。彼は、その主張を『世界の複数性について』（原著出版一九八六年）に先立つ第一の主著『反事実的条件法』（原著出版一九七三年）で提示した。ルイスの「反事実的条件文」とは、たとえば次のような文のことである。

私がその椅子に座ろうと企てたとしたら、私はその椅子に座っていたはずだ。

（『世界の複数性について』解説／八木沢敬）

つまり、現実にはそうではないことについて、もしもこうだったらこうなっていただろう、という形式を取っている文のことである。実際には「私がその椅子に座ろうと企てなかったので、私はその椅子に座ることはなかった」わけだ。つまり「反事実的条件文」とは、論理的には意味が通っているが現実とは異なる事態を述べた文のことである。そのようにして世界はありとあらゆる可能性の分岐を軸に無数に複数化する。ルイスの様相実在論の特異な点は、そのような形で果てしなく分岐していく「反事実的」な「世界」が全て実在すると断言してしまうところである。ルイスの理論だと、先の文は次のように書き換えられる。

私がその椅子に座ろうとしたが座らなかった任意の可能世界Wについて、Wよりも現実世界に近い可能世界で、私がその椅子に座ろうとして座った世界がある。(同)

ルイスは、こう述べる。「なぜ世界の複数性テーゼを信じるべきなのか。なぜなら、この仮説は役に立ち、そのことは、それが真だと考える理由になるからである」。彼はヒルベルトが「集合論の宇宙を数学者の楽園と称した」のに倣って、「論理空間（logical space）は哲学者にとっての楽園である」と言う（「哲学者の楽園」は『世界の複数性について』第1章の章題であり、もともとは独立して発表された論文である）。「われわれは可能者からなる広大な領域を信じさえすれば」よいのだとルイスは言う。

様相実在論の詳細は、分析哲学／現代形而上学のテクニカルな議論になるのでこれ以上立ち入るつもりはないが、現実にはそうではない／なかったが、もしもそうだったなら、そうなっていただろう、あるいは、もしもああだったなら、どうなっていただろうか、などと考えたり問うてみたりすることは誰にでもある。その仮定の数だけ、いや当然ながらそれ以上の数の世界が、現にどこかに、レトリックではなく、字義通りのどこでもないどこかに存在しているのだとすることに如何なる効用／効果があるのか、すなわちデイヴィッド・ルイスとはまた別の意味で「なぜ世界の複数性テーゼを信じるべきなのか」。これは重要な問いになり得る。

ドン・デリーロの『ポイント・オメガ』は謎めいた小説である。二〇一〇年に発表された短い長編とも長めの中編とも呼べる作品だが、読み終えた時、深い余韻とともに名状し難い不安が訪れる。しかしその不安はどこか甘美なのだ。

小説の冒頭には「二〇〇六年、晩夏／初秋」とある。最初と最後に「匿名の人物」と題されたパート（それぞれ「九月三日」「九月四日」と日付が明記されている）が置かれており、そこでは「彼」とのみ呼ばれる男を視点人物として書かれているが、その間に四章立てで「私」ことジム・フィンリーが一人称で語る本編（？）がある。「匿名の人物」の「彼」は、美術館の一室で上映されている或る「映画＝映像」を連日観に来て、長時間をそこで過ごしている。それは実在する映像インスタレーション、イギリス人アーティスト、ダグラス・ゴードンの『二十四時間サイコ』である。タイトルの通り、この作品はアルフレッド・ヒッチコック監督の映画『サイコ』（一九六〇年）を超スローモーション上映で二十四時間に引き延ばしたものである（もとの上映時間は一時間四十九分）。「彼」はそれにひどく魅せられているのだが、どうして魅せられているのか自分でもわからない。彼はもう何日もここに来ている。

彼は必要なだけ集中して映画を見られた。こうした映画だから完全に集中することが可能だったし、また、そうしなければならなかった。映画が無慈悲なほどゆっくりだったせいで、その遅さに対応できるほど注意深く、かつ必要なだけ集中していられる観客が見るのでなければ、この映画に意味はなかった。

（『ポイント・オメガ』／都甲幸治訳）

「彼が見ていたのは純粋な映画、純粋な時間だった。ゴシック映画のあからさまな恐怖は、時間のなかに溶け込んでいた。彼はどれだけここに立っていたら、何週間、あるいは何カ月立っていたら、この映画の時間の流れに一体化できるだろう。あるいは、もう一体化しはじめているのだろうか」。こうして「匿名の人物」である「彼」の思索は、一種の映画論、いやむしろ映画原論の様相を帯びていく。

この映画を見ていると彼は、まさに自分は映画を見ている誰かなのだと感じた。このことの意味は彼にはわからなかった。感じている物事の意味がわからなかった。でもこれは本当の映画ではなかった。そのはずだ、厳密には。これはビデオだった。だが映画でもあった。広い意味では彼は映画を、動画を、多少なりとも動く映像を見ていた。

（同）

今、まさに映画を見ている誰かが「まさに自分は映画を見ている誰かなのだと感じ」るということ。このとき彼は、いわば「映画の映画性」を感じている。彼が見ているのは確かに一本の映画に過ぎないが（この場合はかなり特殊ではあるが）、と同時に彼は「映画」というもの／ことそのものを体験し、認識している。認識させられている。「彼はあるものともう一つのものとの関係について考えはじめた。この映画と元の映画との関係は、元の映画と現実の人々の経験との関係と同じだ。これは離脱からの離脱なのだ。元の映画は作り事だが、これは現実だ」。そうだろうか？　よくわからないが、ともあれ「これには意味が存在しない。彼は思った。でももしかしたら、そうではないのかもしれない」。

そう、ここには何かの意味が存在するのかもしれない。この映画と元の映画と現実との関係の連鎖が、彼に何ごとかを伝えようとしているのかもしれない。そしてそう考え始めたならば、それはそうなるのだ。「これだけの時間を費やして、やっと彼は理解しはじめた。自分はここに立ったまま何かを待っているのだ。何だろう？　今の今まで、それは意識による認識の外にあった。彼は女性がやってくるのを待っていたのだ。女性がたった一人で来るのを」。こうして彼は「映画」と「現実」を短絡する。

まいったな。

生々しかった。この速度は奇妙なほど生々しかった。身体は音楽的に動いた。ほとんど動かないというやり方で。十二音技法だ。ものごとはほとんど起こらなかった。原因と結果が徹底して引き離され、それゆえ彼は生々しさを感じた。この世界の、われわれが理解していないものすべては現実として存在するのだ、と言われたような感じだった。

（同）

彼がこのような気づきを得るまでの間に、或る出来事が語られているのだが、それはあとで述べる。この後程なく、「匿名の人物　I」と記された序章（なのかどうかもこの時点ではわからないが）は終わる。「映画」が上映されているスペースのドアが開き、外界に存在している筈のものたちの気配が入り込んで来る。「映画ではない何か」の。

やっと「私」を語り手とする物語が開始される。それは先ほどまでの「彼」の挿話とは無関係であるように始まる。「私」の名前はジム・フィンリー。映画監督、映像作家。まだ完成した作品は一本しかなく、それも偉大なる往年の喜劇役者ジェリー・ルイスの登場場面を五十七分に編集した（「百五十七分でもよかったし、四時間でも六時間でもよかった」）だけの作品なのだが、「私」はしばらく前からカリフォルニア州サンディエゴの外れにあるアンザボレゴに、七十三歳の引退した学者（「通常の資格を持たない、国防の専門家だ」）であるリチャード・エルスターと滞在している。フィンリーは三十七歳。７３と３７。対称形。そこは砂漠だ。「私にとって砂漠は異質な、ＳＦ的な存在だった。それは私を満たすと同時に遠くにあった。そして私はここにいることを強いて自分に信じさせなければならなかった」。

これに対して「彼は自分がどこにいるかわかっている、と私は考えた。彼は椅子に座ったまま、原始世界がそこにあることに気づいていた」。フィンリーはエルスターに呼ばれて、ここに来た。古生物学者だったエルスターの前妻が所有していた家があるのだ。「私」は老人を映画に撮りたいという希望を持っている。だが、まだ撮影は始まってはおらず、いつ始められるのかも、始められるのかどうかさえわかっていない。エルスターは出演をＯＫしていない。老人は砂漠では何もしていない、ただ思考に耽っている。「絶滅は今の彼が関心を抱いている主題だった。

風景によって主題が浮かんでくるのだ。広大さと閉所恐怖症。これが主題になりそうだった」。

エルスターは二〇〇三年のイラク戦争にブッシュ政権のブレーンとして参画した。彼は爆撃の正当性の構築に積極的にかかわった可能性がある。「私」はエルスターたったひとりしか出て来ない映画を撮ろうとしている。「一人の男と壁だけです」と彼は老人に言う。「男はそこに立ったまま経験したことを全部語ります。思いつくこと全部を。様々な人物、推測、詳細、感覚。その男はあなたです。画面の外から質問する声はありません。いろんなところに差し挟まれる戦闘場面や、画面に映ったり声だけだったりする他の人のコメントもありません」。エルスターは最初は断わったが、その後「私」を砂漠に誘った。だがいつまで経っても映画の撮影が行なわれることはない。やがて二十代半ばのエルスターの娘、ジェシーがやってきて、三人の生活が始まる。

二章に入ると物語は更に緩慢になる。というか、ますます何も起こらなくなる。彼らは砂漠の光景にも飽いてしまう。しかしそれでもそこを去ることはない。老人は言う。


「これを見てくれよ」彼は見ずに言った。風景や空を、腕を後ろ向きに振って示しながら。

我々も見はしなかった。

「昼はついに夜に変わるが、これは光と影にまつわることで、過ぎていく時間、人にわかる時間は関係ない。ここには普通の恐怖なんて存在しない。ここでは違うんだ。時間は巨大だ。私にはすぐわかる。我々の前からあって、我々のあとにも続いていく時間だよ」

（同）

エルスターは一向にフィンリーの映画にOKを出そうとはしない。「私」はそのことについてジェシーと会話する。彼女は「普通の映画を撮ったほうがいいんじゃないの？」と言う。「だって、あんなゾンビみたいなもの、わざわざ時間をつかって見たいと思う人が何人いる？」。「私」も彼女のこの意見には同意せざるを得ない。「匿名の人物」とかかわる話題が不意に出てくるのは、このすぐ後である。


「以前、君のお父さんを映画に連れていったことがある。《二十四時間サイコ》ってタイトルだ。映画じゃなくてコンセプチュアル・アートの作品だけど。古いヒッチコックの映画がものすごくゆっくりと映写されてて、終わるまで二十四時間かかる」

「お父さんから聞いた」

「何て言ってた？」

「七十億年かけて世界が死んでいくのを眺めてるみたいだったって」

「我々が見たのは十分くらいだよ」

「宇宙の収縮みたいだったって」

「彼は宇宙的な規模でものを考えるんだ。君も知ってるように」

「宇宙の熱力学的死のことね」彼女は言った。

「彼は興味を引かれていたと思う。我々はそこにいて、十分後に出た。彼が逃げ出し、私は追いかけた。六階分を降りるあいだ彼は何も言わなかった。そのころ彼は杖をついていた。長い距離をゆっくりと降りていったんだ。エスカレーター、人混み、廊下、最後の階段。一言も発しなかった」

（同）

そして、この小説のストーリー上、極めて重要な事実が語られる。その晩、父親は娘に映画のことを話した。娘は興味を持ち、翌日、自分も観に行ってみた。彼女は父親よりも長く、そこにいた。三十分。「いいね。三十分はいいね」と「私」は言う。「いいのか悪いのか」と彼女は言う。実は「匿名の人物」のパートでは、これら一連の出来事であるらしき場面が「彼」の側から語られているのだった。このことは物語の終盤でおそらくは深い意味を持つことになる。しかしまだこの時点では、何も起こってはいない。何も起こらないまま、小説は三章に入る。エルスターが語る話、彼らの会話は、現実世界から完全に遊離していく。

「時間が消え去っていく。ここでは私はそう感じるんだ」と老人は言う。「時間はゆっくりと年老いていく。すさまじく年老いる。一日ずつ過ぎるんじゃない。これは深い時間、地質学的な時間だ。我々の人生は遠い過去に退いていく。目の前に広がっているのはそれだ。更新世の砂漠、絶滅の法則」。そしてここで、この小説の題名が口にされる。

「意識は増大していく。自分自身の上に折り重なりはじめる。こうしたことはほとんど数学的にさえ私には感じられる。我々がまだ全く気づいていない数学か物理学の法則みたいなものがある。その法則に沿って、人間の精神はあらゆる方向から内側に向かって超えていく。それがオメガ・ポイントだ」彼は言った。「この用語にもともとどういう意味が与えられていようともね。もし意味があれば、経験を超えた何らかの観念にたどり着こうとして、言葉がもがいているだけでなければの話だが」

「どんな観念かって。発作だよ。精神や魂の崇高な変容、あるいは何らかの現世的な動乱さ。我々はそれを求めてるんだ」

「我々がそれを求めているとあなたは思ってる」

「我々はそれを求めてるんだ。何らかの発作を」

彼はその言葉が好きだった。我々はその言葉を漂うままにした。

「考えてみろ。我々は存在するということについてほとんど忘れてしまっている。石だ。石が存在しはじめないかぎりは。深い神秘的な変化が起こって、石もまた存在しはじめないかぎりは」

(同)


『ポイント・オメガ』の訳者、都甲幸治は「訳者あとがき」で、次のように説明している。「これ(＝オメガ・ポイント)はフランス出身のイエズス会神父、テイヤール・ド・シャルダンの用語である。一八八一年に生まれ、古生物学者と宗教者という二つのキャリアを重ね、北京原人の発掘にも立ち会った彼は、『現象としての人間』(一九五五年)でこう語る。物質と精神は同じエネルギーの二つの現われにすぎない。無機物の支配、生物の誕生、人間の出現と進化を続けてきた世界はやがて人間を越え、すべてのエゴイズムを離脱した完全な一点にまで到達する。それを彼はオメガ・ポイント（終局の点）と呼んだ。すなわち、世界はアルファ・ポイント（始発の点）からオメガ・ポイントまで旅していくのだ。宇宙生命力に満ちたオメガ・ポイントには愛しかない。そしてここにおいて、キリスト教と現代の科学はついに一致する」。

この説明に続いて、作者ドン・デリーロの或るインタビュー記事での発言が紹介されている。テイヤール・ド・シャルダンのオメガ・ポイントとは「人類の意識は既に使い尽くされてしまい、この地点から後は、何らかの激動か、すさまじく崇高で想像を絶した何かが起こるのではないか、という考え」であると。

エルスターは言っていた。「更新世の砂漠、絶滅の法則」と。「更新世」とは「洪積世」ともいい、約二百五十八万年前から約一万年前までの期間を指す。更新世はおおよそ氷河期である。その後、温暖化が始まり、人類が地球上で大きな発展を遂げていったのが「完新世」である。そして更にその後、すでに完新世は終焉を迎えており、もっぱら人類の手によって、地球環境に不可逆的な変化が齎された結果、現在は新たな地質時代に入っているのだとする意見が提出された。「人新世」。アントロポセン。周知のように、こんにち、人新世をめぐっては多くの言葉が費やされている。だが『ポイント・オメガ』の作者は、むしろ問題にすべきは、人新世ではなく更新世なのだ、というのである。

オゾンホール研究でノーベル化学賞を受賞したパウル・クルッツェンが「人新世」を提唱し始めたのは二〇〇〇年のことであり、デリーロが『ポイント・オメガ』を著すよりもずっと前のことである。だがこの小説にはアントロポセンという語は出てこない。しかしデリーロがこの言葉を知らなかったとは到底思えない。人類の手によって蹂躙されることがなかった、人類の手が触れようもなかった砂漠には、更新世の痕跡が、今も刻印されている。そこでは人類とは完全に無関係な「絶滅の法則」が露わにされている。

三章の終わりで、遂に事件が起こる。ジェシーが消えたのだ。エルスターと「私」が遠く離れたスーパーまで買い物に行って戻ってみると彼女はいなくなっていた。何の前ぶれもなかったし、置き手紙やメッセージらしきものもない。ここへきて小説は俄に物語らしくなる。家出なのか失踪なのか、それとも誘拐か、もっと凶悪な事件なのか。四章は彼女の捜索の顚末に当てられる。やがて「衝突区域と呼ばれる広大な場所から遠くないところにある深い渓谷で、捜索隊がナイフを見つけたらしい」という知らせが入る。「衝突区域は立入禁止で、以前は爆撃の実験場だったせいで不発弾がごろごろしている」という。ナイフに血は付いていなかったようだが、「私」はそこまで行ってみることにする。「私は町に向かって車を走らせ、それから東に進路を変えてしばらく行くと、ついに問題の地域に近づいた。舗装道路を外れ、轍《わだち》の多い小道を走っていき、長く砂っぽい涸れ河に入った。すぐにひびの入った高い崖が両側から車に迫ってきて、それほど行かないうちに、もう車では進めない場所にたどり着いた」。

仕方なしに車を降りて「私」は歩き出す。携帯電話の電波は届いていない。「鉄砲水や地震で高いところから落ちてきた、ずんぐりとした巨大な岩の周りを歩いた。荒れた道は崩れた花崗岩のように見えたし、歩いていてもそう感じた。ときおり私は立ち止まり、空を見上げた。空は閉じ込められ、圧縮されているように見えた。長いあいだ空を見ていた。空は崖の縁のあいだにぴんと張られているようで、狭くて低かった。奇妙だと思った。空がすぐそこにあって、岩を覆い、すぐにでも触れられるなんて」。この「空」の描写は恐ろしい。恐ろしくて、崇高である。

「私は再び歩きはじめ、狭い小道の終わりまで来て、開けた場所に出た。地面は藪や岩石でびっしりと覆われていた。私は半ば這いながら石の小山を上っていくと、目の前に完全に焦げた世界が広がった」。

「私」はここまでずっと老人の繰り言、観念的な独語に近い延々と続くお喋りに付き合わされてきたが、いま目の前に在る風景は、まるでエルスターの思考がそのまま実体化したかのようだ。「絶滅の法則」をめぐる観念が現実世界を覆い尽くしたかのようだ。

私は目も眩むような光の潮と空を見上げた。眼下には銅のような色の不毛な丘がうねっていて、無垢な尾根の連なりは砂漠の底から盛り上がり、規則的に並んでいた。あそこで誰かが死んでいるなんてことがあるだろうか？　そんなこと想像もできなかった。左右対称に拡がる溝や突起はあまりに巨大で、現実とは思えなかった。その胸も張り裂けるような美しさ、その無関心に私は押しつぶされた。そしてその場に立ち、風景を眺めれば眺めるほど、我々には答えなど分からないだろうということがはっきりした。（同）

結局、生きているジェシーも、死んだジェシーも、見つかることはない。彼女の父親である老人と「私」は砂漠を後にすることになる。何も解決してはおらず、何が解決されるべきことだったのかも定かではない。帰りの車を運転しながら、助手席に座る今や見るも無残な状態に陥ったエルスターの存在を感じつつ、「私は物や存在に関する彼の意見について考えていた。デッキでのあの長い夜、半ば酔いながら、彼と私は話した。超越、発作、人間の意識の終わりについて。今となればそれは、死んだ木霊《こだま》のようだった。ポイント・オメガ。百万年先だ。オメガ・ポイントは今ここで縮小し、体に突き刺さるナイフの先端になる。人類の巨大な主題は小さくなり、この場の悲しみ、一つの体となり、どこかにある、あるいはない」。

　そしてこのさほど長くはない小説は、この後にふたたび「匿名の人物Ⅱ」と題された「彼」を視点人物とするエピローグ（？）が置かれ——それは一種の物語的な種明かし、もしくは仄めかしのような内容だ——複雑極まりない余韻を残して終わる。

『ポイント・オメガ』は、ドン・デリーロの長短さまざまな他の作品群と同様に、アクチュアルで生々しい哲学的寓話、奇妙な実感に満ちた幻想抜きの幻想譚、人間の実存と存在論をゆらゆらと行き来するリアルなファンタジーだ。オメガ・ポイントとは、ポイント・オメガとは、何なのか。「人類の意識は既に使い尽くされてしまい、この地点から後は、何らかの激動か、すさまじく崇高で想像を絶した何かが起こる」という、一個の極点。しかしこの「すさまじく崇高で想像を絶した何か」は、「私」の目の前に、砂漠の外れに、更新世の砂漠の果てに、「閉じ込められ、圧縮され」た「空」として、今ここに、確かに在ったのだ。オメガというポイントは、常にすでにいつでもいつまでも、ここにある。アルファからオメガへと旅するプロセスがあり、では現在はどこにあるのか、ということなのではない。オメガは、やがてまもなくやって来るのでも、とっくに来てしまったのでもなく、それは今、ここにあるのだ。

　マルクス・ガブリエルはグレアム・ハーマンによるインタビューに答えて、彼の「世界は存在しない」という主張と「意味の場」理論について、それがアラン・バディウのような「集合論のパラドックスを存在論／形而上学に応用したものではない」ことを強調していた。これに対してデイヴィッド・ルイスは集合論の哲学に対する寄与を認める。

集合には広大な階層があることを信じさえすればよく、そこにおいてわれわれは、数学の諸部門すべての要求を満たすに足るもろもろの存在者を見いだす。そして、集合論の非常に貧弱な原始的語彙が定義により拡張されるにしたがって、それが様々な数学的述語に必要とされるものを満たすに十分であることをわれわれは理解する。そしてまた、集合論の貧弱な諸公理は、このテーマの中身となる諸定理を生み出すのに十分な最初の原理となっていることも理解するのである。数学者は集合論により、ジャワ原人には未知であったような相当数の存在者を受け入れることと引き換えに、もろもろの原始概念や前提の多くを節約することができる。集合論は、存在論において代価を払いながらも、クワインがアイデオロジー（ideology）と呼んだものにおいてひとつの改善を与えた。こんなありがたいものを断るわけにはいかない。

（『世界の複数性について』）

『世界の複数性について』の訳注には、ここで触れられているウィラード・ヴァン・オーマン・クワインの「アイデオロジー」にかんする説明がある。「クワインは形而上学を二つの部分領域に分ける。すなわち、「存在論（オントロジー）」と「観念論（アイデオロジー）」である。オントロジーは何が存在するかを問う。（略）残る形而上学の部分領域がアイデオロジーであり、それは、当の理論においてどのような観念が表現可能かを問う」。乱暴に言ってしまえば、マルクス・ガブリエルは、クワイン以後の分析哲学においてアイデオロジーとして処理されてきたものの全てをオントロジーに収納しようと目論んでいる。ガブリエルの哲学は、いわば「反観念論」としての「汎存在論」である。彼が世界の存在を否定するのは、彼にとって世界とは「存在」ではなく「観念」であるからだ。世界の存在をひとつでも認めたら、無限に認めなくてはならなくなってしまう。

おそらく「世界の複数性テーゼ」と「世界の可変性テーゼ」というものがあり、両者は別個だが相互乗り入れしている部分もある。世界の複数性を認めることはそれらの間の変異を前提としているし、可変性の数だけ世界が存在すると考えれば複数性のテーゼが立ち現れる。こう考えると両者はほとんど同じことのようにも思えてくる。たとえばカンタン・メイヤスーによる、今となっては有名な断言。

> いかなるものであれ、しかじかに存在し、しかじかに存在し続け、別様にならない理由はない。世界の事物についても、世界の諸法則についてもそうである。まったく実在的に、すべては崩壊しうる。木々も星々も、星々も諸法則も、自然法則も論理法則も、である。これは、あらゆるものに滅びを運命づけるような高次の法則があるからではない。いかなるものであれ、それを滅びないように護ってくれる高次の法則が不在であるからなのである。
>
> （『有限性の後で』／千葉雅也／大橋完太郎／星野太訳）

メイヤスーは「世界の可変性テーゼ」を極限化する。その代わりに「世界の複数性テーゼ」はさしあたり無視しているように見える。このくだりは『ポイント・オメガ』でエルスターが言っていた「絶滅の法則」と微かに響応しているようにも思える。「いかなるものであれ、それを滅びないように護ってくれる高次の法則が不在である」ということ、それこそが「絶滅の法則」だ。だがしかし、絶滅可能性を、その一瞬後の実現の可能性を肯定することは、その可能性の実現を希求したり予言したりすることと同じではない。ポスト・ヒューマニティーズとアンチ・ヒューマニティーズは似て非なるものである。しかもメイヤスーは、「この世界」における「人類の絶滅」の可能性を論じているだけではなく、より端的に「この世界」それ自体の絶滅/消滅の可能性を言っているのだ。

この点で、メイヤスーはガブリエルが退けた「世界」の存在を前提にしているようにも見える。ガブリエルは、ある意味で「世界の複数性テーゼ」を極限化しているとも言える。それゆえに、彼は一個の全的な「世界」は論理的に否定せざるを得ない。しかし誰の目にも明らかなようにガブリエルはルイスのような意味で世界が複数だと信じているわけではない。むしろ真逆である。ガブリエルは「この世界」の複数性しか言っていない。いや、この世界は存在しないのだったか。

トーマス・ベルンハルトの最初の長編小説の一節。

「どこでもいいが、だれか初めてやってきた者が、ある土地になじむとしよう」と画家は言った「するとそこで彼がすぐに受け入れるひとつひとつの対象はそのままそっくり、彼にとっては歴史の幕開けを告げるものとなるのだ。年をとるにつれ、かつて新しく知った後に究明し、やがてそれにけりをつけたものごとの脈絡はたいした意味を持たなくなる。テーブルも雌牛も空も小川も石も木もすべて探求しつくされている。後は処理を待つだけだ。なのにどの対象も、フィクション間の調和もまるで不可解ときている……もはや枝分かれや凹凸《おうとつ》や微妙な陰影はどうでもいい。大きな脈絡だけに関心が向かう。突然、宇宙の大建築に目が向けられ、唯一無二の普遍的空間装飾が発見される。極小の比率と極大の複写から発見されるのは——われわれはつねに救いのない状況におかれているという事実だ。年をとると、思考は表層に触れるだけでおしまいの苦痛のメカニズムに変わってしまう。ほめられるようなものではない。私が木と言うとき、私の目には巨大な森が映っている。私が川と言うとき、私の目には全河川が映っている。私が家と言うとき、私の目には都会の家屋の海が映っている。だから私が雪と言えば、それは大洋なのだ。ひとつの考えがついにはあらゆる連鎖反応の引き金となる。大いなるものの中であれ小さなものの中であれ、均衡を崩すことなく、思考しつづけることこそ高度な芸術の根幹だ……」。

（『凍《いて》』／池田信雄訳）

これが世界の描写だ。これが世界の存在の描写だ。これが世界という存在の描写だ。「画家」は世界を数えない。

第三章 神を超えるもの

「しかし、どうやら私は神のようである」。劇作家・演出家で、劇団五反田団を主宰している前田司郎が二〇〇八年に刊行した小説『誰かが手を、握っているような気がしてならない』は、こんな一文から始まる。続きはこうだ。

時間は私にとってまるでとりとめもない。私はこの時間という見渡す限りの荒野に投げ出された子羊に過ぎない。何も摑まるところがない、何も基準にするところがない、拠り所がない。それらがあった事すらないから私は、私を哀れむ事も出来ない。私には孤独すらないのだ。

（『誰かが手を、握っているような気がしてならない』）

聞いて、というか読んでの通り、この神はどうにも存在感があやふやで、ふわふわしていて、なんだか威厳がない。だが、どうやらほんとうに「神」のようではある。しかしこの神は、自分が「神」だからといって、しかしいわゆる「造物主」ではないということを、早々に告白してしまう。

人は神を創りだした。神が人を創ったのではない、人が神を創ったのだ。人の造物主は、人自らが創りだした者であったのだ。私は人の事を「子」と呼び、人の中には私のことを「父」と呼ぶ者があるが、本当は逆だ。私は人の「子」である、ならば私も「人」なのだろうか。私は人になりたいと思っている節がある。私は暇なのだ。私も死んでみたい。人よ私に会いに来てくれ。さもないと私は狂ってしまう。私に許されたのはただ覗く事だけ。許す？　許すとは何かの権利を持った者の行為ではないか、私に対して何かの権利を持つものがいるとは考えられない。なのになぜ私は「許す」を私に対して使ったのか。私にも腑に落ちない事がある。たとえば、私は全知全能であるかも知れないが、全知であるという確信が果たして真であるか偽であるか、それを証明できるものは私しか居ない、私はそれを真であると確信するが、その確信の真偽を証明するのもまた私なのだ、つまり私は全知全能でありながら自身の全知全能を証明する第三者をもたないのだ。

（同）

読んでの通り、この神はやたらと理屈っぽい。たぶんあまりにもすることがないので、こんなことをつらつら考えてばかりいるらしい。だが、神の言っていることは理屈には適っている。「全知全能」であることの完全なる証明は非常に困難、というよりも不可能である。

こんなことをつらつら考えてたら面倒になってきたので、神は「下界」を覗いてみて、のちにナオと名付けられる女児の誕生を目撃する。このナオがこの小説のいわばヒロインになるのだが、その前に、この小説における「神」について、その「全知全能」のありようについて考えるうえで大変興味深いくだりがある。神は出産という「なんでもない人間の小さな営み」を覗くのをやめて「湖畔のベンチに座ってタバコに火をつける」。まったく人間の暇人そのものである。「少し屈んで、ベンチの近くに生えた草を掻き分け小指の先ほどの小石を拾って、湖の縁の杭に向かってそれを投げる。外れた。タバコを咥《くわ》えなおし、もう一度、今度はさっきの小石ほどの大きさのものが見つからず、ちょっと小さい石を拾って投げた。小さすぎて当たったか見えない。また石を探す。今度はもう少し大きいのを見つけないといけない」。

私はこの遊びに出来る限り集中してこれを楽しむように努める。ちょっとでも気を抜くと、この遊びのバカバカしさを、思ってしまう。そうなっては遊びが台無しになる。ちょっと面倒くさい話になるが、私には小石を見つけそれを拾い、投げて杭にあてる事など造作もない。私には小石を杭にあてる能力がある。そんなことは簡単に出来るのだ。しかし、すぐにそれが達成されては遊びとして成り立たない。だから私は、私で私を騙しながら私と遊ぶのだ。わからないかな？　私のこの遊びは本当は遊びとして成立しないんだ。だって本当にやったら１００発１００中だからね。だから私は遊ぶ前にまず私を騙さないといけない、つまり私は何でも出来るから、遊べないってことなんだよ。遊びを厳密に定義していくと、私は遊べないってことになる。つまり全知全能ゆえに全知全能ではない、ということになってしまうんだ。寂しいよね。

（同）

そして神は実際にアクロバティックな小石投げをやってみせて、「こういうことなんだよ。私は何でも出来てしまう。これほど不自由な事はないんだよ」と、誰かに話しかける。言葉遊びめくが、「全知全能ゆえに全知全能ではない」ということは「全知全能ゆえに全知全能ではない状態にだけはなれないから全知全能ではない」つまり「全知全能ゆえに出来ないことがあるから全知全能ではない」ということだ。「全知全能」であるしかない、という寂しさ。

ところでこのとき神がいつのまにか話しかけていた相手は、たまたま目の前に存在していた生まれたばかりのナオだった。タカシとミナコの娘であり二歳年上のリオの妹であるナオ。この家族のエピソードを神はかいつまんで述べる。そして神はこう言う。「誰かが私の手を握っているような気がしてならない」。神は芝生に倒れ込んで泣く。「両手で口を押さえてしくしく泣いた。地面が目のすぐ近くにある。草が生えている。草の上に涙が一滴、滑り落ちる」。

手を見る。なんでもないただの神の手だ。動かしてみる。それでも誰かが、私の手を握っているような気がしてならない。その感触だけがある。弱く、不確かではあるが、そんな感触がある。気味が悪い。得体の知れなさを感じる。しかし、私にとって、得体の知れないものがあるという事がどれだけ救いであるか。私はその気味の悪さを抱きしめたかった。私は少し落ち着いて泣き止んだ。空を見る。青い。細い雲が幾筋か浮かんでいる。ああ私は孤独に憧れている。お前は孤独だと言って欲しい。神よお前は孤独だ、と。だから一緒にいてやると言って欲しい。しかし神にそんなこと言える者はいない。私が死んだみたいに言いふらした人がいたけど、どっこい生きている。私だって出来れば死にたい。私はただ存在しているだけの状況に全然慣れないね、なんでだろう、いっこうに慣れない。無限の時間に囚われてそれでなんとなく存在している状況に慣れない。

（同）

そして神は、実は自殺したいと思っているのだと告白する。「私は自殺したい。私を殺したいのだ。私に死はないのだろうか？　しかし私は全能であるはずだ。ならば、自らを殺す事も可能なはずである」。それから神は、自殺のための、神自身による神殺しのための仰天アイデアを披露する。それは簡単に言うと「父殺し」だと神は宣う。長い長い屁理屈（？）が始まる。「私が死なないのは、私はどんどん作られるからだ。私の父は人だ。私の父である人を根絶やしにすれば、私が生まれてくることはない。供給を絶つのだ。これはいけると思う。だから私は今、人を根絶やしにしようかしまいか考えているのである。人なき所に神在らず。うーんジェノサイド。前人未到の本当の皆殺しだ。過去に例がない。例があったらおかしい。しかし人という種が永遠に生き続けるわけが無い。いつか消滅する。私の考えがもし正しければ、私はそのときになれば自然に死ぬわけだ。つまり私には死がある、というのが私の考えということになる。しかし私は神だ、神は死なない。結局どっちだ？　うーん、しかしあれだ、なんだ、死があって初めて生きているよね、やっぱり。死がないんじゃ生の意味が変わってくるよね。人とかは、生といってもそれは死に続けることと同義であるから、生というのはそのまんま死であるといえるわけだけど、もし私が不死者であるなら、私にとっての生は、人の生とは全然違ってくる。純粋な生を生きているわけか私は。人の生は死で作られたまがい物で、私の生は純粋な生。だけど、私も死ねるのだったら、結局、生というものは、死で出来ているのかなあ。そして私はいったいなんなんだろう？　神はいったいなんなのだ。人とともに滅ぶのが神であるならば、神は世界の内にいて、世界こそ神なのか？　しかし、神は世界を作ったのだから世界の外にいないと不自然だよなあ。世界を作った神が世界と共に滅ぶのであれば、神はなんなのか。そして世界が滅んだあとには何が残るのか。私はそれを言葉にすることが出来ない。私は全能であっても、言葉はそうではないのだ。あれ？　ごめん、つまんなかった？」と神がうろたえると、「ううん、神様の言ってることなんとなくわかる気がするよ」と誰かが、ナオが、いつの間にか成長していたナオが答える。

ここからこの小説は、ここまでの「神の一人称」をあっさりと踏み外し、神を含む何人かの「登場人物」による語りを自由気儘に転換させながら続いていく。演劇作家としての作者の才気と技術が遺憾なく発揮された、見事で、かつ感動的な話法の実験。しかし今したい話はそっちではなく、神である。納得せざるを得ないのは、この神がぐだぐだうだ言っていることは、しかしこの神の人格というか神格によるものではなく、むしろ頭でちゃんと考えてみたらこうなってしまうよね、といった類いのことだ、というのである。この神は自分が「神」であることを知っているが、「神」であるということがどういうことなのかをじゅうぶんにはわかっていない。神はなぜ自分が「神」なのかと問うことはないが、「神」である自分が何をどうしたらいいのか、何をどうしたいのか、何をどうするのが正しいのか、考えるほどにわからなくなってくる。「神」は「造物主」にして「全知全能」である（とされる）がゆえに、パラドックスが生じてしまう。

「神」は完全にして完璧な存在であるがゆえに、無数の矛盾に満ちている。

二番目の神は筒井康隆の『モナドの領域』に登場する神＝GODである。この小説では、神は老いた大学教授の姿で（その老人に乗り移ることによって）顕現する。神はまず自分が「全知」であることをさりげなく周囲に示すことから、その正体を現していく。近所の主婦たちの、他人の知るはずのないことを次々と言い当ててみせた老教授は、「まるで神様みたいね」と言われて「正確には、神様ではない」と答える。「まあ、それに近い存在ではあるがね」。つまりこの小説の神は精確には「神」ではなく「神に近い存在」なのだが、GODと呼ばれるようになることだし、その言動からも、それは「神」と呼ばれている何かに限りなく近い、というかそのものなので、以後も神と記すことにする。

神は自分は「遍在」しているのだと言う。「遍《あまね》く在《あ》る、という意味だよ。つまりこの世界のどこにでもいて、この世界の何でも知っているってことだ」。もっと後で神はこんなことも言う。「宇宙とは空間と時間のすべてだから、宇宙に遍在するということは、時間と空間のすべてに存在するということになる」。老教授の学生であり、そのままGODの弟子のような存在となる「高須美禰子」はこう思う。「そういう存在を人間が考えた神としてではなく、たんにそうした存在として考えることは信仰心のない彼女にとって、仮にそれまで信仰していた神や宗教があったとして、それを否定するよりはずっと容易なことだった」。

つまり、ここでの「神」は前田司郎の「神」とはかなり異なっている。前田の神は「全知全能」ではあるが人間たちによって創られたのだった。そしてその神は神として神なりに存在しているようだが（だって喋っているのだし）人間の目に見えるようなかたちで姿を現しはしない。

それに対して筒井康隆の神は老教授の姿形で動き話し人間たちとかかわる。神に家の中のこまごまとしたことを頼まれた美禰子は「全知全能の筈なのになんで掃除くらいできないのか」と一瞬考えるが「奇術じみた真似や魔術のような小手先の芸が嫌いなのだろうと思うことにした。教授が無理に神の仕業をせず、世の流れに沿うように行動していることがなんとなくわかりかけてもいたのだ。今までの彼の言動から類推して、奇蹟を起そうとすればいくらでも起せるにかかわらず、どうやら彼が世の流れをできるだけ自然に任せようとしているのではないかと思えたのである」。

このように、この神は、かなり世俗的というか人間的であり、それもあってか人々は彼の言動に戸惑い、彼を疑い、持て余し、遂には或る事件が起こり、神は法廷へと引っぱり出される。裁判長に「あなたは自分を神様だと主張しているように伺いましたが、神様または神と、そう呼ばなければならんのですかな」と問われると、神はこう答える。「神というのはお前さんたちが勝手に作って勝手に想像しているだけだからね。実際にはお前さんたちの想像している神とはだいぶ違うよ」。ならばあなたのことを何と呼べばいいのかと裁判長に再度問われると、神は次のように答える。

「トマス・アクィナス君などは『在るところのもの』なんてややこしい言い方をしておるが、これは名詞ではなくてむしろ説明だ。ダマスケス君は『在るところのもの』という名称は固有なしかたで神が何であるかを意味表示しているのではなく、実体の無限の広がりを示しているのだと言っている。しかし無限のものは把握できないし、だから名付けることもできず、知られざるものなんだから、この『在るところのもの』は神の名ではないなどと言っておる。だから別段『神』でもいいよ。実際にはわしは神などよりずっと上位の存在なんだが、『神』がいちばん実体に近いからね。しかしこんな人間みたいな姿かたちをしておる者に向かって『神』とか『神様』とかは呼びかけにくいだろうから『GOD』でいいんじゃないかな。これはキリスト教の神様のことだから同じ意味になるかもしれないが、日本語の不自由さを批判するためのメタ言語として外国語があるわけだからね。それに『GOD』は実力者や権力者や顔役を茶化したり揶揄したりする意図もこめてよく使われているから呼びやすいだろう」

（『モナドの領域』）

こうして神はこれ以後、GODと呼ばれ記されることとなる。検事はGODに、自分のことを「神以上の存在」だと思い始めたのはいつからかと問う。もちろんGODはそんな引っかけ問題には嵌まらない。「この宇宙というのは包括的なもんでな、お前さんたち一人ひとりは言うまでもなく、この国、地球、太陽系、銀河系、はるか遠くの星雲、その間にあるブラックホール、他の銀河、それらのすべてがこの宇宙の一部だ。この宇宙の一部にならないような遠くにあるものなんてひとつもない。つまり距離を持つものはすべてこの宇宙に含まれる。距離だけではないよ。宇宙というのは時間と空間からできておるから、時間だってそうだ。無限の過去から無限の未来までの時間はすべてこの宇宙に含まれる。ビッグバンもそうだ。宇宙が生成される以前だからといって、この宇宙に含まれないということはないし、星のすべてが命を失った未来にだって時間はあり、その時間もやはりこの宇宙の一部だ。わしはそうした宇宙のすべてに存在しているんだよ。遍在、ということになるね」。検事に「過去十年間にこの地球上で、災害によって死んだ人は何人になるか知っているかね」と問われると、GODは即答する。「百五万九千九十七人だ」。「ではなぜその人たちを救わなかったのかね」「モナドに組み込まれていることだが、この星の環境を維持するための災害だ。お前さんたちによる人災もあるがね。だいたいお前さんたちは誰ひとり、自分たちの生きていること自体を奇蹟だとは思わんのだ」。このあとの二人のやりとりは重要である。


「おやおや。われわれはあんたにただ生かしてもらっているだけでありがたいと思わなきゃならんのかな」

「まあ、その一方では盛大に死んでもおるじゃないか。そういう時はお前さんたちの創造した神を恨めばよろしい」

「災害はそうだろうけどね。でも戦争は違うだろう。災害のように環境を維持するためではない筈だ。なぜ戦争なんてものがあって、人が何百万人、何千万人と死ぬのかね」

「おいおい。戦争をやってるのはお前さんたちだろう」

「だから抛っておいていいと」

「そうだよ。無論これもモナドに組み込まれているが、わしがそうしたのは、戦争がなかったら今ごろはヒトが地上にあふれて共食いしてるからだよ」


（同）

三番目の神はアメリカの作家ロン・カリー・ジュニアの『神は死んだ』に登場する神である。原著出版は二〇〇七年。原題は「GOD IS DEAD」である。表題作はこう始まる。

若きディンカ族の女に姿を変え、神はスーダンの北ダルフール地方にある夕暮れ時の難民キャンプにやってきた。薄い緑色の綿のワンピースに身を包み、すり減った革のサンダルをはき、輪のイヤリングと、首周りには白と黒の長いビーズの飾りを着けていた。肩にかけた布の袋には、服の替えと、モロコシが一袋、プラスチックのコップが入っていた。神は右のふくらはぎに傷を顕現させていた。深くぎざぎざになった切り傷は化膿し、身をよじるウジ虫の群れに食われていた。

（『神は死んだ』／藤井光訳）

ダルフール紛争は、二〇〇三年に始まった内戦で、反政府勢力とスーダン国軍および政府に支援されたアラブ人民兵組織ジャンジャウィード（現地語で「馬に乗る武装した男」の意）の間の戦闘が、過激化、長期化し、大規模な村落破壊と民族浄化＝ジェノサイドに至ったものである。そこに神は忽然と御身を現す。この神は老いた日本人男性ではなく、南スーダンのナイル川流域のバハル・アル・ガザール地方に主に居住するディンカ族の若い女性に変身している。

神は「傷があることにより、ジャンジャウィードの襲撃者集団がふるった山刀で多くが傷を負った、難民キャンプの住民たちに紛れ込むことができた」。そして「燃えるような激しい痛みは、多神教の無慈悲な官僚制度のせいで神がまったく手を差し伸べてやれない、多くの難民たちの運命に対する罪悪感を和らげてくれた」。してみると、この神は特定の信仰(おそらくキリスト教)の対象となる神であるらしい。神はトマス・マウィエンという少年の行方を探し歩くうちに「完全に迷子になってしまった」。神はトマスの姉ソラの姿をしている。神が手に持った袋の中のモロコシは、食べても食べてもなくなることはない。だが「自らはモロコシを食べようとはせず、神は葉やアブクの根を食べた。人間とハイエナが漁ったあとのダチョウの死骸を口にしたことすらあった」。これ以上は考えられないほどの極限状況のもと、神は死に瀕している。

神は自らが創り出した太陽の下で苦しんだ。熱とコレラに冒され、ひょろ長い黄色の草が広がる大地に倒れ込んだ。ワンピースはみだらなほどめくれ上がったが、脱水状態で麻痺してしまった神は体を隠すこともかなわず、やってきた二匹の野犬が飢えた足取りで周囲をぐるぐると歩き回っても、体を動かして追い払うことはできなかった。

(同)

神は、ひとりの老婆から、アジャク、大男が、はるばるアメリカからこの難民キャンプに来ており、彼が滞在する明日まではジャンジャウィードはやってこないから安全だ、と言われる。神にはそれが誰のことかわかる。ここでいきなりこの小説は意想外の展開を見せる。アジャクとはコリン・パウエル、そう、ジョージ・H・W・ブッシュ大統領のもとでアフリカ系アメリカ人として初の合衆国軍統合参謀本部議長を務め、この頃にはジョージ・ウォーカー・ブッシュ大統領のもとでアフリカ系アメリカ人として初の国務長官を務めていた、元軍人の政治家、あのコリン・パウエルである。

この小説で描かれるパウエルは実に人間味に溢れている。彼は合衆国代表としてスーダン政府に軍事主義と非人道的抑圧を解除させるべくダルフールを訪れていたのだが、そこで「見たこともないほど美しい黒人女性」であるソラに直訴を受け、十年も前にジャンジャウィードに拉致されて奴隷の身となり、それきり行方知れずの彼女の弟トマス・マウィエンを探し出すことを約束する。もちろんパウエルはソラが神であることは知らない。彼はディンカ族でありながら何故か完璧な英語を話すソラに私的な打ち明け話をする。それはパウエルの幼馴染リタと、その兄でパウエルの友達だったキースの死についてのものだ。スーダンに向かう飛行機の中に、肝臓癌で余命いくばくもないリタから突然電話がかかってきたのだった。

パウエルの中では、いま目の前にあるスーダンの現実と、いま目の前にいるディンカ族の若い女の希望と、自分が黒人であることと、リタとキースへの思いは、全部繋がっている。一方、スーダン外相イスマイルはアメリカ国務長官がトマス・マウィエンが見つかるまでダルフールを去らないと言い出したので、身代わりを用意して誤魔化すことにする。「やつは満足して、出ていくさ。だが、やつの飛行機の車輪が滑走路を離れた瞬間、俺はジャンジャウィードに付けておいた首輪を外すからな。あのキャンプにいるディンカ族が一人残らず死ぬまでは、首輪を戻さんぞ」。その間にも神は弱っていく。「焼けつくように暑く澄みきった夜明けがキャンプに訪れ、記者会見テントの入口で背を丸めて軍支給品の毛布にくるまった神の姿を照らし出した。敗血症のために、血液は悲鳴を上げていた。神は高熱に震えながら、赤や緑の鮮やかな衣服を着た女たちが水を入れたプラスチックのバケツを頭に載せて行き来する姿を見守った」。

パウエルの肩越しに、十代の女の子に引かれている痩せこけた牛の姿が、神の目に入った。牛はどうにかついていこうとしていた。一歩ごとに、あばら骨が膨らみ、皮が突っ張っていた。牛の鼻孔には緑がかった泡が立ち、乳房は空っぽの手袋のように垂れ下がっていた。神が見守っていると、牛は半歩ほど前に進み、よろめいて戻り、立ったまま死んだ。ほんの一瞬、牛は立ったままだった。そして、恐ろしいほどゆっくりと倒れ始めた——重力を思い出しはしたが、すんなりと従う気にはなれない、とでもいうように。前脚は膝のところで畳まれ、臀部は片側に傾き、体全体がそれにつられて土埃のなかに崩れていった。

一瞬のうちに、蠅が牛の口と目に群がった。少女は強硬症患者のような唖然とした無関心さで死体を眺めていた。食料の列にいる女たちが唱和する歌と、くすくす笑う少年たちの声を貫き、甲高く一様な音が上がった——たった一つの、純化された悲しみの声。その音が少女から発せられたことは神もわかっていたが、体を投げ出し、死んだ牛を両腕で抱きしめていても、少女の顔に動きはなく、無表情のままだった。

くすくす笑いと歌声、水がはねる音と手拍子は、途切れることなく続いた。神は自らもまた死につつあると確信し、安堵の念を覚えた。

（同）

現実そのものである黙示録的光景。やがてイスマイルの手配によってトマスと名乗る少年が連れられてきて、簡易ベッドで点滴を受けつつ横たわるソラである神の傍らに来る。だが神には彼がトマスではないことがすぐにわかる。問い詰めると、少年は兵士たちに脅されて嘘をついていたことを告白する。だが、この少年とトマスに何の違いがあるだろう。「手首、足首、首。すべてに、生皮の紐で長時間にわたってきつく縛られたときにできる縞状の傷がついていた。重労働と栄養不足のために曲がってしまった背中には、さらに痛々しい鞭による傷が盛り上がっていた」。少年は、自分がどこで生まれたのか、誰であるのかさえわかっていない。「神の喉は罪悪感でつかえてしまった。突如として、神ははっきりと悟った。この少年だけでなく、老年になって突然独りになってしまった男たちや、夫が消えて、腹を空かせた子どもを抱えた若い女たち、キャンプにいる誰もが、トマスと同様に神から謝罪を受ける権利があり、神が怠慢の罪を告白して赦しを乞う祭壇を用意してくれるだろう」。

パウエルが偽のトマスを連れていった後神は点滴を外して外に出る。空に飛行機の姿が見える。その数は増えてゆき、やがて攻撃態勢を取る。キャンプに動揺が走る。「神は両足を抱えるように座り、肩周りに毛布をしっかりと巻き、待った」。そして最後の場面が始まる。

翼端に当たった日光がきらめいた。飛行機のすぐ後ろに上がる土埃の煙から、マシンガンの銃声が神の耳に届いた。地面はかすかに震え始めた。

まだ難民キャンプにいたディンカ族の人々は追い込まれたことを悟り、幾度となく、百もの方言で神に呼びかけた。神は笑い、同時に泣いた。実に多くの名が神にはあったが、そのどれにも応えることはできなかった。

飛行機が頭上を通過した。前方に降下し、爆弾を投下した。神は見上げはしなかった。土煙の嵐を見ていると、黒く大きな馬の群れが亡霊のように姿を現した。毛は泡汗で滑らかで、鼻孔は怒ったように膨らんでいた。馬にまたがった男たちは邪悪な剣を振り回し、ライフルで狙いをつけた。顔はチェックのスカーフで隠されていた。爆弾が空を切り裂いて落ちる、落ちる。大地が揺れる。神は目を閉じた。誰かに祈ることさえできたなら。

（同）

徹底して無力な神の肖像。この神は「自らにできる唯一のこと」は、ただ「同情し、憐れむこと」のみであると認めざるを得ない。こうして「神は死んだ」。

ところで『神は死んだ』は実は連作短編集であり、今しがた読み終えた表題作を冒頭に置き、その後は神亡き後の世界が、ユニークな視点とさまざまに趣向を凝らしたスタイルで物語られていく。神が不在となったことで人類はしばしば混乱するが、それからも時間は続いていく。ロン・カリー・ジュニアは、このデビュー作で高い評価を得た。だが、ここでは「神は死んだ」の続きを読むつもりはない。

重要なのはもちろん、とりあえず三つ並べてみた、小説の内なる神たちのことである。三人（?）の神は、同じく神であるからには似ているところもあるが、少しずつ違ってもいる。能力ではなく態度という点では、人間たちの営みに対して基本的に関与や介入をしようとしない（出来ない）という共通点が見られる。これはおそらく、三人の神がいずれも一種の擬人化を施されていることと関係がある。自らの意志を持っている、というか、あたかも個的な意志を持っているかのように受け取れる振る舞いをするということが、そもそも全知全能という「神」の属性とは、実のところ相容れないのだ。

　この点で興味深いのは、哲学者の青山拓央による『モナドの領域』論である。「幸福」を「哲学」的に論じた著書の最終章を、青山は同作の解釈に充てている。青山によると『モナドの領域』は「ライプニッツ由来の可能世界論をその発想の基礎に置いており、世界の創造主たる神と虚構の創造主たる作家――筒井氏本人――の並行性を暗示することで、諸可能世界の住人と諸虚構の読者たるあなたの並行性をも示す作品となっている」。つまりGODと小説内世界と、筒井康隆と『モナドの領域』とはパラレルな関係にあるということだが、これは端的に正しい。そしてこの点が『モナドの領域』を他の二作とは決定的に違えている。『モナドの領域』のGODは『モナドの領域』という「小説＝世界」の神なのであり、その中で「ライプニッツ由来の可能世界論」が語られるとしても、それはあくまでも小説内の諸可能世界のことなのだ。そうしないことも出来た筈だが、筒井康隆自身が、この方針を選んだのである。青山は「GODそのものは人格をもた」ないと述べる。

　GODはこの宇宙の全歴史を一挙に（時間眺望的に）見通しているが、それだけでなく、ライプニッツの描く神のようにすべての諸可能性をも一挙に（様相眺望的に）見通している。GODは世界の創造主であるが、ここでの「創造」との表現は比喩であり、GODは世界を時間的・因果的に――諸可能性を未来向きに選んで――創《つく》り上げたのではけっしてない。GODは同作における「現実」世界を、他の諸可能世界（そこには読者の「現実」世界も含まれる）とともに一挙に創ったのであり、この「一挙」は一瞬という意味を離れた無時間的／時間眺望的な「一挙」である。

だからGODは自由意志をもたないし、より正確には、自由意志をもつとかもたないとか言うこと自体が不可能な領域にいる。その領域こそが「モナドの領域」であり、そこでは何も「選択」されないし、何も「意図」されないし、厳密には何も「創造」されない。すべての諸可能世界は在るように在り、そこには時間推移がなく、変化もなく、消失もない。GODという主体が何かをしているというかたちで、つまり人間的「錯覚」のなかでわれわれはGODを人格として捉えるが、これは神の擬人化であり、この擬人化によって取り逃がされるものの存在を示す点にこそ、同作の著者の企みがある。

（『幸福はなぜ哲学の問題になるのか』）

むろん、それならばこそ尚更問題になるのは、GODはなぜ「わし」と言うのか、ということだろう。『モナドの領域』は、明らかに「神」が「擬人化」されること、どう見ても人格神としか思えないものをGODという名で提示することをフィクションとしての出発点に持つ小説である。それが「読者への一種のサービス」（青山）であるのだとしても、ではなぜ、そんなサービスを筒井は「わが最高傑作にして、おそらくは最後の長篇」（『モナドの領域』発表時に筒井自身がTwitterで記した惹句）として世に問うたのかを考える必要がある。

ひとつの見方は、『モナドの領域』のGODは、『神は死んだ』の何も出来ない神と、それほど変わらない、ほとんど同じなのだ、ということ、そしてまた『誰かが手を、握っているような気がしてならない』の、あのぼんやりした優しい神とも、ほとんど変わらないのだということである。神はひとりしかいないのだ。

青山拓央は、先に引用した部分に続けて、「こんなことをなぜ言い切れるかといえば、こうした読みを裏づける叙述が同作に散在しているからだ」と述べる。「存在するものはすべて美しく（略）、戦争さえもその例外でないのは（略）、そもそも存在すること自体が――1＋1＝2の真理性と同様の――目的なき真理性をもつためである」。青山の解釈によるGODは、ロン・カリー・ジュニアの『神は死んだ』に登場するあの無力な神と、一見すると全然違う、ほとんど正反対である。

> そしてGODは、ライプニッツによる神の描写と異なり、より美しく、より善なる世界を一つ「選択」して現実世界を創ったのではない。そうではなく、すべての諸可能世界はそれ自体として真理ゆえの美と善――人間にとっての美と善でなく――をともない、同じことだが、それらをともなうからこそ諸世界として存在する。これらの諸世界はどの世界から見てもそこが「現実」の世界であり（略）、同作にとっての「現実」にしろ、あなたのいる「現実」にしろ、より美しく、より善なるものとして「選択」されたからそこが「現実」なのではない。
> （同）

『モナドの領域』の「モナド」がライプニッツ由来であることは言うまでもない。ここでのそれは、一言でいえば「神（＝GOD）が作ったプログラム」のことである。或る登場人物から、ではモナドは変更されることはないのか、だとすると人間には現状を変えようとする自由もないことになってしまうのか、と問われてGODはこう答える。

「ライプニッツ君が人間の精神の自由について言っておる中で、事物についてのどのような完全性、実体性もすべて神によって連続的に生み出されているのに対して、制限や不完全性は被造物つまりは人間によって生み出されていると言っている。だがこれはわし、つまりGODに関しては間違っている。まず、わしはお前さんたちの神ではない。そして制限も不完全性も実はわしによって生み出されているんだ。そういうものも含めたモナドがわしには可能なんだよ。お前さんたちの、現状を変えようとする努力がいかに、いつ、どうやってなされるかも知っておる。その努力こそがわしのモナドには必要なんだ」

（『モナドの領域』）

だとすれば、やはりモナドは人間には変更不可能なのであって、たとえ現状を、世界を変えようと幾ら努力しても、それは全て無駄ということになってしまうのか。あなたには、それが無駄だということまで全部わかっているのか、どうしてそんなことがわかるのか、と質問者は再度問う。これに対してGODは、自分は「すべての情報の全体を保存している絶対的なモナド」であるからだと答える。「これが完全であるのは、部分的にはお前さんたちの精神のような不完全なモナドには現れない、お前さんたちが未来と呼んでいる時間に現れるものの情報をすべて含んでいるからだ。つまりわしの絶対的な記憶にとって、未来はすでに与えられているものなんだよ」。「すべて」を含む、というよりも「すべて」ということそれ自体であるモナド。

更に別の登場人物から、あなたのような「宗教がらみではない神」のことを、かつて或るSF作家が「神」とは言わず「宇宙意志」と呼んだことがある、あなたは宇宙の意志なのか、もしもそうなら、あなたの意志の究極の理由とは何か、と問われてGODは答える。「わしは宇宙の意志だし、その意志の理由はわしの知性だよ」。質問者は重ねて問う。「ではあなたの知性の究極の理由とは何ですか」「これは存在しない」。何故ならば「1＋1＝2というのは事象の本質やイデアに基づくもので、事象の本質は数みたいなものだからね。これに理由を与えることはできないんだよ」。

青山拓央の言う「目的なき真理性」とはこのことである。誤解してはならないのは、『モナドの領域』のGODは、ライプニッツが『モナドロジー』で語る「神」が実体化したものではない、ということである。もしも美や善という語をそのまま使うなら（使わなくてもいいのではとも思うが）もっとも美しくもっとも善である世界がこの世界であるわけではなく、この世界の他の世界のどれかがそうであるわけでもない。そもそも「もっとも美しくもっとも善である世界」とは相対的にしかあり得ないものなのだ。比較の前提となる「より美しくより善である世界」あるいはその逆の「より美しくなくより善でない世界」というもの自体が、個々の世界の内部の価値判断に依存しており、それらはそれぞれ異なっているし、正反対のことさえある。

しかし、それらの世界はすべて存在する。そしてそれらもすべてはモナドから構成されている以上、GODの掌中にある。GODがあらゆるモナドを作ったのだから。こうして『モナドの領域』は必然的に可能世界論を導き出すことになる。GODは様相実在論の提唱者である「デイヴィッド・ルイス君」にも言及する。「世界がそうであったかもしれないという可能世界は確かに存在する」ので、ルイスの言っていることは「ある程度正しい」とGODは言う。そして可能世界が存在する、ありとあらゆる可能世界が存在するのだとしたら、この世界もその一個ということになる。だがGODは、或る意味でそれ以上の真実を告げる。

「(略)それじゃまあ、ひとつだけ教えてあげようかね。わしやお前さんたちがここでこうして存在しているのもひとつの可能世界に過ぎないという証明だ。つまり、これが単に小説の中の世界だとしたらどうだい。読者にしてみればわしやお前さんたちのいるこの世界は可能世界のひとつに過ぎないだろ。お前さんたちだってわかっているじゃないか。これが小説の中の世界だってことが」

ああ、という顔で全員が不具合を感じ、身をよじらせる。あはは、と神経症的に笑う者もいた。SF評論家も顔を伏せ、小さな声で「パラフィクション」と呟く。(略)「逆に言えばだよ、われわれの世界から見れば、これを読んでいる読者の世界こそが可能世界のひとつだということにもなる」GODはなんだか面白がっているようでもある。しかしこの時にはすでに誰もが、ああこれでもう終りなんだということを感じ取っているようでもあったのだ。

(同)

ここで唐突に一度きり呟かれる「パラフィクション」なる語についてはここでは措く（興味のある方は『あなたは今、この文章を読んでいる。――パラフィクションの誕生』を参照）。ここでさしあたり確認しておくべきは、『モナドの領域』という小説に描かれている世界もまた可能世界の一個であるということだ。あらゆる「小説」、あらゆるフィクションは、それ自体がひとつひとつ異なった可能世界の提示である。その内側に複数の可能世界が格納されることもあるし、それらが入れ子状に重なることもある。つまり可能世界論とはメタフィクション論でもある。ところでGODは「デイヴィッド・ルイス君」は「ある程度正しい」と言っていたのだった。「ではどこが間違っているかというと、彼は可能世界はそれぞれ孤立していて、異なる世界に属するものの間にはどんな時空的関係もなくて、ひとつの世界で生じることが他の世界で生じることの原因となることもなく、また世界は互いに重なりあうものでもなく共通部分も持たないと言っているのだが、これが間違いだ」。

『モナドの領域』の物語は、ある町の河川敷と公園で女の片腕と片足が発見されるところから始まる。それは「この世界が他の世界と空間的に重なり合ってしまった」からだったのである。隣接する二つの世界の間に綻びが生じてしまった。GODがこの世界に現れたのは、その綻びを繕うためだったのだ。しかしそうすると、何故GODは綻びに気づかなかったのか、という当然の疑問が生じる。

「人間の言葉で説明するのは実に難しいが、その辺はライプニッツ君が近いところまで考察しておるよ。つまりわしは、ある世界に対して現実に存在すべしと決定する前に、その世界を可能的なものとしてまず考察する。そして何らかの形而上学的な、または自然学的必然性の決定や帰着は項の分解や自然法則から論証されると彼は言っておる。お前さんたちにとっての『未来の偶然的なものの真理は決定されている』と普通一般に言われているような意味で、偶然的なものに必然性を与えるのではなく、確実性と不可謬性を与えるような決定は決して『始まった』のではなく、常に『あった』のだ。わしは可能世界を考察して、そのすべての可能的なもの、『偶然的ではあるが、にもかかわらず誤ることなくすべての可能的なものと結びついたものとしての出来事』を完全に認識すると同時に、そのものの現実存在に伴うすべてのものを理解する。つまり完全に知るのだ。必然的真理がわしの知性だけを含んでおるのと同様に、偶然的真理はわしの意志の決定を含んでいる。無論わしは可能世界の他の法則、つまり他の原初的決定を選択すれば、それに従って事物の他の系列が現れることを知っている。しかしそれがあくまでも可能世界の中で起ることでしかないのは、わしが決定することをまだ定めていないからだ。そしてまたわしが可能世界の決定から、可能世界からこの世界へ移されるべき諸法則に関する決定を行う以上は、もうわかるだろう、わしが、自分がすることをまだ知らないようなことをする筈はないんだよ」

（同）

そう、これも当然ながら、綻びが生じることをGODは最初からわかっていたのだ。つまり「この世界」は「ある日ある時に隣の世界との間に綻びが生じたせいで女の片腕片足が出現し、それを修繕するためにGODが降臨する世界」なのである。ではその「修繕」とはいかなるものか。「すべての作業は論理的な計算だけで成立している。わしの言動のひとつひとつが計算式の通りに行われているわけで、その論理計算というのは神の数学に通じていなければ理解できないことなんだよ」とGODは言う。神の数学。それは人間の知力をはるかに超えた数学だが、しかし「1＋1＝2」の延長線上にある算数でもある。

こうしてGODはあっさりとこの世界とあの世界の間に生じた綻びを繕う。用事が済んだからにはあとは帰る（？）だけである。おそらく、この小説のクライマックスは、或る登場人物から「あなたが存在している理由って、いったい何ですか」と問われた時に、GODが返す思いがけない言葉である。「わしが存在している理由はね、愛するためだよ。わたしが創ったものすべてを愛するためだよ。当然だろう。すべてはわしが創ったんだ。これを愛さずにいられるもんかね」。この点について、青山拓央は次のように述べている。

小説のクライマックスでGODは「愛する」という言葉を用いるが、ここではGODの前面に作家としての筒井氏が現れている。そのことによって同作は物語的なカタルシスを得るが、これが「神の擬人化」であり、読者への一種のサービスであることを、著者は十分承知しているだろう。つまりこの「愛する」は比喩であり――「創造」と同様――それが比喩であらざるをえないことを、GODにこんな口癖を与えることで、著者は読者に示している。「祝福してあげたいが、あいにくわしは祝福ということをしない」（略）。諸世界における存在はどれも、それ自体としての真善美を併せ持ち、ある存在を他の諸可能性と比して「祝福」することはまったく意味をなさない。

さしあたり、二つの問題を切り分けて考えてみる必要があるだろう。「神」の問題と「作者」の問題である。見てきたように『モナドの領域』においては、この二つが重ね合わされているがゆえに話がややこしくなっている。とはいえしかし、この二つがほんとうに別々の問題であると言えるのかには疑問もある。結局同じことではないのか。そして「神」と「作者」が結局同じであるということは『モナドの領域』に限らず、ロン・カリー・ジュニアの『神は死んだ』でも、前田司郎の『誰かが手を、握っているような気がしてならない』でも、結局同じなのではないか。しかしとりあえず段階を追って進めよう。

まずは「神」から。『モナドの領域』で描かれる世界（この書き方がすでにかなり問題を孕んでいるわけだが）は、デイヴィッド・ルイス言うところの様相実在論、可能世界実在論、いわゆる可能主義が全面的に実現されている世界である。だがむしろそれゆえに、GODの言動をつぶさに追ってゆくと、幾つかの疑念、というか推測が生じてくる。GODが言うことをそのまま信じるとして、作中の世界が「ある日ある時に隣の世界との間に綻びが生じたせいで女の片腕片足が出現し、それを修繕するためにGODが降臨する世界」だとすると、このGODが自己申告している通りあらゆる可能世界のGODなのか、それともそうではなく「ある日ある時に隣の世界との間に綻びが生じたせいで女の片腕片足が出現し、それを修繕するためにGODが降臨する世界」にのみ出現してGODという役割を担う何ものかなのか、区別することが出来なくなってしまうのではないか。この世界に属する人々は、GODの主張を信じるか信じないかのどちらかを選ぶしかない。GODがGODであるということを、登場人物の多くは信じざるを得なくなっていくのだが、たとえそれが客観的な証拠証明に基づくものであったとしても、それがその世界で生じたことである限り、その世界がそのように決まって（作られて）いたからだ、という疑問を退け得ない。GODが真に万能の神なのか、それとも無数の可能世界の一個でしかないこの世界で「万能の神」であるとされるあくまでも「この世界」の内なる存在に過ぎないのか、判別することは出来ない。GODが「この世界」の外部にも存在し得ていることを証明することは不可能であるからだ。

つまりGODは実はGODではないのかもしれない、たまたま「この世界」に装塡されたプログラムに従って、ただGODと名乗り、幾つかの奇蹟を起こしてみせるだけの世界内存在に過ぎないのかもしれないのだ。

もうおわかりのように、この問題は明らかに可能主義を採用したせいで生じている。世界が「この世界」の一個しかなく、GODがその神であるというだけならば、このような決定不能は起こらない。GODが造物主であることも、全知全能であることも、問題なく首肯され得る。だがしかし可能主義を徹底しようとすると、GODという存在自体が「この世界」の内に回収されてしまう可能性が出てきてしまう。それればかりか、GODが「この世界」にやってきた理由とされる「世界の綻び」も、それが本当に「この世界」と「隣の世界」の間に生じた綻びなのか、そうではなく、たまたま「この世界」が「隣の世界との間に綻びが生じた世界」ということになっているだけなのか、判別不可能である。誰も「隣の世界」に行くことも覗き見ることも出来ないのだから。

このように、可能主義の徹底、モナドの領域を認めることは、一種のゲーデル的な矛盾を惹き起こさざるを得ない。「この世界」を超越する存在は、「この世界」の中でそう主張している限り（そうすることしか出来ないのだが）、自らの超越を証明してみせることは絶対に出来ない。この不可能性は、「この世界」の中で、どんな奇蹟を起こしてみせようと、けっして揺らぐことはない。言い換えると、つまり可能主義と「神」は相性がよくないのである。少なくとも可能主義の下では、神は自らがすべての可能な世界の神であることを証明することは出来ない。

だがしかし、GODがそうしてみせたように「この世界」の神であることなら幾らでも示してみせることが出来る。では「この世界の神」と「すべての可能な世界の神」は、どこがどう違うのか。違いがあることは明白だが、その違いがどのようなものであるのかさえ、ひとは知ることが出来ない。そこにいるのは、どこまでいっても「この世界において自分は「すべての可能な世界の神」だと宣う存在」でしかない。そしてそのような存在が、そのような存在が出現することになっているすべての世界それぞれに存在しており、それらは実は世界が別々であるように別々の存在でしかなく、たとえどれほど強力に「すべての可能な世界の神」としての自らを証明してみせようと、「この世界」が「すべての可能な世界」の一個でしかない以上、完全に証明することは不可能なのである。「すべての可能な世界」を作った神がいたとしても、それが個別の世界に降臨したその瞬間に、その神の神性は宙吊りにされてしまう。

つまり、やはり可能主義においては神は不可能、あるいは不在である。少なくともGODのような人格神（のように振る舞う存在）は、その存在自体が可能主義とは根本的に矛盾してしまうのだ。しかしそれでも、GODは現れる。青山拓央が「神の擬人化」を「読者への一種のサービス」と呼んでいたのは、このことだろう。青山は先の引用の後を、こう続けている。

九鬼周造は『偶然性の問題』（岩波書店）において、「神」という語を使用せずに、現実の形而上学的創造者を描いた。彼は的確にもその何かに理性や善性を付与することをせず、その偶然的創造を「遊戯」と呼ぶに留める。「それ」はGODと同じく、何かをしている主体ではなく、だからといって他の主体から何かをさせられる客体でもない。何かをしたり、させられたりするための、諸可能性の選択がそこにはない。ゆえに厳密には「それ」は偶然性とも無縁で、必然と偶然という対概念が――あるいは自由と不自由という対概念が――成立する以前の場所にいる。こうした「それ」の振る舞いを「遊戯」と呼んだのは美しい比喩であり、これを真似るなら、GODは筒井氏とともに「モナドの領域」でただ「遊戯」している。（同）

青山の見解は、先ほどの可能主義の神のゲーデル問題に照らすと、少々無理をして『モナドの領域』の「GOD＝神」を救おうとしているようにも思える。この小説自体が、可能主義的世界観、より精確に言うなら可能主義の下での絶対的な決定論を主張する作品であり、それをわかりやすく示すためにGODという登場人物が召喚され、彼を通して「読者への一種のサービス」をしつつ、この世界が無数に存在する世界の内の一個、無数の分岐から選択された結果としての一つきりの世界であり、そうであるがゆえに、それは倫理や正義、そして愛などといった人間の相対的な価値観によって評価や判断をされるようなものではそもそもなく、それはただ、そうなのであり、そうである（しかない）ことに究極的な理由は存在しない（「この世界」は「そうである世界」なのだから当然そうなる）。

　ＧＯＤが「わし」と言うのは、この真理を告知（託宣？）するための便宜的な振る舞いでしかなく、ＧＯＤは本当は「神」でさえなく、いわば「世界はこのようになっている」の「擬人化」なのである。それを青山拓央は九鬼周造に倣って「遊戯」と呼ぶ。青山は正しい。だがしかし『モナドの領域』には明らかに以上のこととはまた別（ではないのかもしれないのだが）の問題も存在している。それは他でもない、これが小説であり、フィクションであり、筒井康隆によって書かれたものだという事実が開示する「作者」の次元に属する問題である。

　ＧＯＤはこう言っていた。「これが単に小説の中の世界だとしたらどうだい。読者にしてみればわしやお前さんたちのいるこの世界は可能世界のひとつに過ぎないだろ。お前さんたちだってわかっているじゃないか。これが小説の中の世界だってことが」。こうも言っていた。「逆に言えばだよ、われわれの世界から見れば、これを読んでいる読者の世界こそが可能世界のひとつだということにもなる」。見逃してはならないのは、ここでＧＯＤが――ＧＯＤであるにもかかわらず――「作者」として発言していないということである。彼は明らかに『モナドの領域』という小説の世界内存在として語っている。ＧＯＤの言う「われわれの世界」とは何であるのかは複数の解釈が可能だが、先に示した読解に従うなら、この「われわれの世界」とは「ある日ある時に隣の世界との間に綻びが生じたせいで女の片腕片足が出現し、それを修繕するためにＧＯＤが降臨する世界」であり、またその前提として、可能主義が徹底された、すなわち「ありとあらゆる格納されていることになり、言うまでもなくそれは端的な事実である。という小説である。とするならば、ここで云々されている可能主義は丸ごと『モナドの領域』に格納されていることになり、言うまでもなくそれは端的な事実である。

従って、GODは単純な意味で「作者」の化身ではない。青山拓央が「GODの前面に作家としての筒井氏が現れ」ると注意深く書いていたのは、この点に懸かっている。GODは他の登場人物と同様かつ同等の存在に過ぎず、物語内では「神」だが、小説という世界の中では超越者ではない。この意味で、『モナドの領域』はいわゆるメタフィクションとは異なっている。それはむしろファンタジーや寓話に近い。ではGODと「作者」は完全に無関係なのかというと、そうとも言い切れない。筒井康隆が、自らが書き始め書き進め書き終えた一篇の小説である『モナドの領域』に「GOD」と名乗る（少なくとも「この世界」の）造物主であり全知全能の存在を登場させたことには、可能主義を披露するための「サービス」的な装置とはやはり別の意味もある。何故そう言えるのかといえば――逆説的になるが――GODが「愛」を口にするからである。というか「すべてはわしが創ったんだ。これを愛さずにいられるもんかね」と言った時だけ、GODは「作者」化している。青山拓央も言うように、明らかにGODはこんなことを口にする必要はない。だがしかし、それは「サービス」とも違う。何故そう言えるのかといえば、この世界に「作者」すなわち「神」が存在するのかどうかは結局のところ決定不能かもしれないが、この小説に「作者」が存在していることは自明であり、それを読む者のほとんど全員が、その「作者」とは「筒井康隆」であることを知っていることを作者である筒井康隆が知っているからである。

メタフィクションと呼ばれる小説には、その中に登場する人物が自らが虚構内存在すなわち作者によって書かれた文字でしかないことを疑ったり苦悩したりするパターンがあるが、それは要するに「作者」の勝手な趣向に過ぎず、より重要なこと、真に重要なことは、その事実を読者がはじめから知っているということの方なのだ。文字の集積、言葉の連結に過ぎない「小説」には、書かれたからには書いた誰かが常に必ず存在しており、それが「作者」という用語の意味だが、多くの場合、その名前を読者は知った上でそれを読む。そしてこの当たり前を作者自身も暗に意識して（あるいはあからさまに意識して）それを書き始め書き進め書き終えるのだ。

すでに見たように、GODが自己申告している通りの存在であるのかどうかは大いに疑問の余地がある。しかしGODが自分が拵えたと主張している世界が、筒井康隆が書いた『モナドの領域』という小説内世界であることだけは間違いない。だが、ここで極めて重要なのは、しかしだからといって、凡百のメタフィクションのように、そこに「作者」を登場させたり、もっと歴然と「筒井康隆」を登場させたとすると、その存在はすぐさま「小説内存在」「虚構内存在」「登場人物」になってしまうということである。

「小説」がフィクションであるということの困ったところは、三人称小説に「作者」と名乗る／呼ばれる存在を投入しようが、一人称小説の語り手に今まさに「私」がこの小説を書いているのだと語らせようが、それが「小説」である限り、そこでの「作者」性は現実のそれとは絶対に違ってきてしまうということである。そして、それゆえにこそ筒井康隆はGODに「愛」を口走らせたのだ。はっきり言えば、それはとても「らしくない」ことである。しかし思い出してみて欲しい。GODが「愛」を口にするのは、最後の最後に自らの存在理由を問われたときだった。

彼はこう言っていた。自分が存在するのは「わたしが創ったものすべてを愛するためだよ」。『モナドの領域』の作者は、これを言わせるためにＧＯＤを創造したのであり、「わたしが創ったものすべて」を表現するために可能主義を召喚したのだ。

「世界」の「神」であることと「小説」の「作者」であることの間には、もちろん少なからぬ違いがある、それはそうだろうと思われるかもしれないが、しかしこれはむしろ「作者」としての権能を、ひとは「神」にも見出しがち、というか見出したがるということなのではないか。「この世界」の「作者」が「神」なのだから、それはそうである。「作者」が「神」の隠喩なのではなく、「神」が「作者」の隠喩なのである。『モナドの領域』のＧＯＤ、『神は死んだ』の神、『誰かが手を、握っているような気がしてならない』の神様には、自分が「神」である世界に降臨しつつも、その世界で起こることに変化や変更を及ぼさないという共通点があることは先にも述べたが、可能主義を導入すると何故そうなのかを説明することが可能となる。

　ありとあらゆる可能性が実現した世界がすべて存在しているのだから、当然ながら或る世界で起きることは起こるべくして起こるのであり、そうならない可能性が選択された世界は、また別に存在することになる。よってＧＯＤが何度か、「モナドを壊すことになる」と言って言動を慎むのは、言う通りである可能性もあるが、その世界が「ＧＯＤがモナドを壊すことになるという理由でそれをしない世界」であるという可能性もある。

　では『神は死んだ』についてはどうなのか。神は目の前の悲惨と非道に対して何ひとつ出来ないばかりか、自分自身も傷つき、遂には死んでしまう。だがこれも可能主義によれば、それはそのような世界なのだということであり、そしてそれは、それがそのような小説なのだということと、ほとんど同じに見える。『神は死んだ』の神を殺したのがロン・カリー・ジュニアであることは疑いを入れない事実であるからだ。この小説の作者である彼は、他にどのようにも書けたかもしれない『神は死んだ』を、あのように書いた。これも一個の可能世界である。無力な、無能な神という設定は、世界の変え難さ、変更不可能性を表すためのものである。というよりも世界の変更不可能性こそが「神」の本質、神そのものなのであり、それを「擬人化」することによって物語が駆動されているのだが、ほんとうに大事なのはそこではない。青山拓央が『モナドの領域』から抽出しようとしていたのは、このことである。存在すること自体が目的なき真理性を持つ、ということ。つまり、すべては決定されている、ということ。「神」の存在を認めることは、運命論を認めることなのである。

入不二基義は、「運命論の運命」という副題が附された『あるようにあり、なるようになる』(二〇一五年)において、彼が「論理的運命論」と呼ぶ、極めて独創的な「運命論」を提示した。入不二の立場は、デイヴィッド・ルイスの可能主義とは対極の、いわば極限化された現実主義である。彼は可能世界の存在も世界の複数性も認めない。つまり存在するのは「この世界」だけということになる。『あるようにあり、なるようになる』の出版後、倫理学者の森岡正博と行なった公開対談を基にした書物の中で、入不二は森岡の問いに答えるかたちで彼が「絶対現実」と呼ぶものについて定義を試みている。森岡は入不二の運命論を哲学者のソール・クリプキが『名指しと必然性』(原著一九八〇年/邦訳一九八五年)で示した固有名論と関連づけるのだが、その説明の前に、まず入不二の返答を引く。

じゃあ絶対現実って何か。固有名詞と対比させて、あえて固有名詞とかけて言うならば、むしろ固有名でなくて唯一名だと言いたい。絶対現実というのは唯一名なんだと。あるいは超固有名だ、と言っても同じことですけど。あるいは絶対現実というのは、それがすべてでそれしかなくて、ただそうであるだけ。それは「神だ」って言っても同じことなんですね。神現実性こそ神だと。もちろんその場合の神というのは神学的決定論の神ではありません。神学的決定論の神は現実を超越する存在ですから。現実性という神はむしろ汎神論的で、絶対現実そのものが神なんです。現実の外に存在するのではなく、現実がイコール神です。だとすれば、絶対現実とは固有名というより神の名なんだと。だから私の方とすれば、固有名詞で固定される現実とは違うものとして、神のようなあり方をする絶対現実を考えていることになります。

（『運命論を哲学する』）

現実イコール神。入不二の言う「絶対現実」とは、この「現実」は、絶対的な、代替不可能なものであり、他にもあり得た／あり得る、などといった可能性、いや「可能」性ということ自体が、そもそも存在し得ない、とするものである。論理的運命論とあるからには、それはあくまでも論理の手続きによって証明される。それはどのようにして行なわれるのだろうか。それは他のさまざまな「運命論」と、どのような違いが、どのような優越性があるのか。そしてこの「絶対現実」という「神」は、「小説」の、フィクションの「作者」性と、いかなる関係を持つのだろうか。

入不二基義は、『あるようにあり、なるようになる』の冒頭で、「運命論」を「運命の存在を肯定しようとする議論」であると簡潔に定義した上で、次のように宣言する。

私はこれから、その運命論を少しずつ移動させて、書き換えることを試みる。「移動」「書き換え」とは、運命論をただ単にそのまま擁護することではないし、運命論を論駁して葬り去ることでもない。むしろ、移動先や書き換えられた姿は、両者の〈中間〉に位置することになるだろう。運命論も反・運命論もどちらも勝たないし、どちらも負けない。しかも引き分け終了もない。そのような特別な〈中間〉へと運命論を移動させて、書き換えていく。その新たな「運命」の姿は、運命論と反・運命論の闘い（議論の応酬）の中へと実際に身を投じ、その渦中に自ら巻き込まれることによってのみ、浮かび上がる。

（『あるようにあり、なるようになる』）

最初の定義と突き合わせるなら、これはつまり「運命」の存在を肯定も否定もしない両者の〈中間〉の議論を提出する、ということになるが、かといってそれは折衷的なものではないし、どっちつかずの中庸さに陥ることもない。入不二の哲学的野心は、むしろ「運命」という語＝概念それ自体の「移動」と「書き換え」であるということがすぐにわかってくる。

従って議論はまず「運命」を定義することから始められる。入不二は国木田独歩の小説「運命論者」を題材として、必然と偶然、運命と因果、自然と神秘、以上三項の組み合わせ（トリアーデ）、更に「過去の確定性・変更不可能性」といった「運命論」の「重要ポイント」を引き出していく。そして次に「数奇」と「神秘」の違いについて述べるのだが、その際、入不二はヴィトゲンシュタインの『論理哲学論考』から三つの節を引用する。

> 世界がいかにあるかが神秘なのではない、そうではなくて、世界があるということが、神秘なのである。
>
> 限界づけられた全体として世界を感じることが、神秘なのである。
>
> もちろん言い表しえないものが存在する。それは自らを示す。それが神秘なのである。
>
> （同、番号およびドイツ語原文を略した）

実のところ、ここにすでに入不二運命論の核心が示されているのだが、ひとまず話を進めると、彼はこう続ける。「数奇が中身（様態）に関わるのに対して、神秘は（中身や様態に関わりなく）ただ現にあることそれ自体である。数奇とは、「何」「どのように」という様態の一種――特異で奇抜な様態のこと――である。一方、何であるか・どのようであるかとは関係なく、ただ現にあること自体が、それだけで神秘なのである」。そして入不二は、おもむろにこう書きつける。「したがって、数奇は語り出せるが、神秘は語ることができない」。このような「神秘」こそ、入不二が『あるようにあり、なるようになる』で問題にしてゆく「運命」の別名である。すなわちこの「運命＝神秘」とは「ただ現にあること自体」のことである。そして／しかし、それは「語ることができない」。

ならば、どうすればいいのか。入不二は一足飛びにこの問いに答えることへは向かわず、議論の迂回路として「私は私である」という文の「三通りの読み方」を提示する。ひとつ目は、それを「同語反復（トートロジー）の無内容な形式的な文として読む」こと。ふたつ目は前とは正反対に「私は私である」に「内容の充実を読み取る」こと。つまり「私＝私」という実際には何も言っていない空虚な等式として受け取るか、それとも「私は私」という強調表現として受け取るか。しかし入不二は第三の読み方があるという。それは「「私は私である」を「私は（私として）現に存在する」「私こそが真に私だ」と受け取る」読み方である。一見、ふたつ目に近いように思えるが、むしろそれはひとつ目とふたつ目の中間領域に属している。それは「私は、ただ単に、私として、ある（ところの私である）」ということであるからだ。この「私」は「空虚」でありながら／あることで「充実」している。この「私」を「運命」あるいは「現実」に変換してみよう。「運命は、ただ単に、運命として、ある」「現実は、ただ単に、現実として、ある」。これが『あるようにあり、なるようになる』という題名の意味である。

続いて入不二は「解釈的運命論」と「因果的決定論」に話を進める。なぜなら彼が提出しようとする「運命論」は、「解釈的運命論」でも「因果的決定論」でもないからだ。「「運命」を解釈現象と考えるか自然現象と考えるか」が「解釈的運命論」と「因果的決定論」の違いである。「前者は、「運命」とは人間が編み出す固有の「物語」に他ならないと捉える。後者は、「運命」と呼ばれるものの実態とは、人間を超えた自然の秩序（因果法則）の決定性に過ぎないと捉える」。しかし入不二は、そのどちらでもない「運命」の捉え方があるのだと言う。彼はそれを

「論理的運命論」と名づけ、まず「簡易版」の「証明」を披露する。

　ある出来事は、起こるか起こらないかのどちらかである。もし起こったとすると、その出来事が起こったことは、もう変えられない。もし起こらなかったとすると、その出来事が起こらなかったことは、もう変えられない。どちらにしても変更不可能である。たとえ、そのどちらになるかは分からなくとも、どちらの場合であっても変更不可能なことに変わりはない。したがって、起こっても起こらなくてもいずれにしても、それぞれが必然的にそうなのである。ゆえに、どんな出来事であっても必然的にそうなのである。

（同）

もちろん入不二自身、すぐさま「この「証明」には、いくつもの問題点が含まれている」と書き添えている。そして『あるようにあり、なるようになる』という書物は、右の俄には信じ難い主張を、丁寧な、だが随所で途方もなく大胆でもある思考によって「証明」していくものとなっている。

　一冊の本を通して遂行される「証明」を最初から最後までトレースすることは出来ないが、同書の要点は、入不二が自らの「運命論」に「論理的」という三文字を冠している点にある。先の「証明」に「ある出来事は、起こるか起こらないかのどちらかである」とあったように、そこでは「排中律」という論理法則が中心的に使われている。だがしかし、それと同時に、入不二運命論は「論理」でのみ駆動されているわけでもない。そこには「「現実化（実際に起こる）」や「現実の変更不可能性」や「現実の必然性」等も含まれている。論理的運命論の「論理」は、いわゆる「論理」を超えて「現実」にまで触手を伸ばしており、現実へと巻き込まれる（あるいは現実を巻き込んでいる）」。つまり「神秘」の位相である。「その位置は、現実を巻き込んだ論理、論理を巻き込んだ現実のポジションであり、「論理的運命論」はその〈論理と現実〉という場で作動する」。すなわち「論理」と「現実」が相互嵌入し合う領域こそ「運命＝神秘」であるということになる。

　ならばそのような領域の導出に「排中律」がどのようにかかわってくるのだろうか。極力掻い摘んで述べるなら、以下のようになる。排中律は「ＰまたはＰではない」という論理式のことである。それは「Ｐ」と「Ｐ以外」を「または」で結んでいるので、そこで問題にされている「全ての可能性」をカバーしている。従って排中律は必ず真であり、且つ「或る全体を構成する形になっている」。なぜ、そうなるのかというと、排中律が「否定」を使用しているからだ。「否定と全体性には親和性がある」と入不二は言う。

　しかし、実のところ「ＰまたはＰではない」は何もかもの全体をカバーし得ているわけではない。なぜならば、そもそも「Ｐ」とは全く異なった審級にあるもの、すなわち「ＰでもＰ以外でもない」ものが考えられるからである。入不二は「あれは黒色でもなく、黒色でないのでもない」という一見矛盾した文の「あれ」は存在する、たとえば「偶数」がそうであると述べる。そもそもカテゴリが異なるものを代入するならば「ＰまたはＰではない」は意味を持たない。確かに「偶数」も「黒色」ではないが、「偶数は黒色でもなく、黒色でないのでもない」という文は意味を持たない。このことは、排中律が立ち上げる「全体」が、実は「限定された全体」であるということを示している。「その全体の外部には、肯定でも否定でもない第三の領域が広がっている」。

入不二は、この「限定された全体」を「議論領域（Domain of discourse）」と名付け「D」で表す。「議論領域Dの中では、「PまたはPではない」は必ず真になるが、そのDの外部では、そもそも「P」と言うことも「Pではない」と言うことも、適切ではない」。ここまでは至極常識的な議論と言えるが、ここから入不二の思考は、大方の読者が予想もしなかった方向へと飛躍していく。「それでは、排中律（PまたはPではない）は、常に議論領域D（＝限定された全体）の中でしか働くことができないのだろうか。排中律は、議論領域D（＝限定された全体）を超えて、もっと大きな全体を立ち上げることはできないのだろうか」と入不二は自問し、出来ると答える。なぜなら「排中律は、或る議論領域Dの中で働くだけではなく、その議論領域D自体に対しても適用できるからである」。

つまり或る「P」について「PまたはPではない」が真となる「限定された全体」としての或る「議論領域D」について「DまたはDではない」という排中律が成立する。そうして得られた新たな議論領域を「D′」と呼ぶ。無論これも「限定された全体」であることは確かだが、「原理的に言えば、その新たな「全体」は、D→D′→D″→……といくらでも拡大しうる」。このようにして「限定された全体」は、より大きな「限定された、だが前段階よりは限定されていない全体」へと、どこまでも成長していく。

そして、議論領域Dが無限にどこまでも拡張しうるということは、そのように拡張していくことを可能にする場が、排中律のための不可視の背景として働いていることを示唆する。その大背景は、常に潜在的なものに留まり続けて、限定され閉じることが訪れない全体である【潜在的な全体】。

排中律の反復適用が、無限に成長する全体や限定されない潜在的な全体をも引き連れてくるとするならば、「否定」について次のように考えることもできる。

（反復適用を待たずに）もう最初の「否定」が、一挙に（初めから）限定されない潜在的な全体にまで届いている。排中律（PまたはPではない）の中の「ではない」の否定の力は極めて強力であって、Pを可能にしている背景DやD′やD″……の全体に一挙に及んでいて、さらにその否定（限定）の働きが及ばない大背景（限定されない潜在的な全体）が在ることまで指し示す。「Pではない」は、或る議論領域内での二分割を超え出て、さらにその議論領域とその外という二分割をも超え出て、その一切の分割をその上で展開する不可視の背景をも浮かび上がらせる。

（同）

つまり「PまたはPではない」から「PまたはPではない」または「「PまたはPではない」ではない」に、更に「「PまたはPではない」ではない」または「「「PまたはPではない」ではない」ではない」に、と無限に拡大していけるのだから、最終的に（といっても実際には絶対に到達出来ないのだが）その果てに「限定されない潜在的な全体」が存在することが論理的に証明、とまでは言わないまでも直覚し得る、ということである。

こうして排中律は、その「ではない」の魔法によって「全体」を開示する。個々の議論領域は「閉じられた全体」でしかあり得ないが、この「全体」は「開かれた全体」である。入不二はそれを「全一性（それが全てでそれしかないこと）」と名づける。それはしかし「潜在的な全体」であって、つまりけっして顕在化することはない。そしてこの全一性としての「開かれた全体」から無数の「閉じられた全体」が生じてくる。「「開かれた全体」は、そこから「閉じられた全体」が顕在化してくる場であり、その場自体は決して顕在化しないような全体である」。そして入不二は次のように断言する。

> 排中律を介して透かし見える、この「全一的で潜在的でもある全体」とは、「現実」のことである。というのも、現実こそ、その外部が原理的にありえない「それが全てでそれしかない」ものであり、現実こそ、ありありと現れているもの（現前するもの）だけではなく、現に働いているが顕わにならない潜在的なものまで含む全体だからである。（同）

このような「現実」のありようを入不二は「完全なるベタ」と呼ぶ（入不二はこの「ベタ」は「ベタ塗り」などという際のベタだと言っているが「ネタとベタ」という時のベタでもいいような気もする）。「論理的運命論」が「極限化された現実主義」であるということ、彼の言う「神」としての「絶対現実」とはいかなるものであるのかが多少とも明らかになってきたのではないか。「絶対現実というのは唯一名」であり「神の名」でもあるという容易には受け入れ難い主張は、このような（特異と言ってよい）思考から出発している。

だがもちろん、これだけではまだあまり説得的とは言えないかもしれない。たとえば、このような主張において「時間」はどう処理されるのか。とりわけ「運命論」の「重要ポイント」のひとつだった「過去の確定性・変更不可能性」と、そこから必然的に導き出される「未来の確定性・変更不可能性」はどうなるのか。だが見てきたように入不二の言う「現実」は極限的に絶対的なものであり、それは「時間」にもそのまま適用される。彼は「現在も過去においては未来だったし、未来もやがて現在になり、過去になる」ということを「時間原理Ⅰ」と呼び、「この原理を受け入れるならば、未来は特別なものではなくなる。未来とは、やがて現在や過去になるものであり、また現在や過去とは、かつての未来なのだから、未来だけが決定的に特別なものではありえない。もちろん、未来と現在・過去のあいだに違いはある。しかし、それは時間が推移することによって生じる相対的な効果であって、未来自体の特異性などあるわけではない」と述べる。

こうして「未来」は「絶対現実」にあっさりと格納されてしまう。それはまだ「現在」にはなっていない「現実」の一部でしかない。当然ながら「過去」はかつて「現在」だった「現実」の一部なのである。こうして「過去・現在・未来」と区分けされた「時間」は「現実」に丸ごと呑み込まれる。

全一的な現実は、それが全てなので、自らを他なる背景から切り出して浮かび上がらせるわけにはいかない。また、全一的な現実は、それしかないので、他項との対比によって自らを輪郭づけることもできない。そしてさらに、全一的な現実は、「否定」を加えても、その否定を吸収して無力化してしまうので、有効な差異を産み出すこともできない。

それゆえ、全一的な現実は「無様相」である。現実の現実性は、他の様相（必然・偶然・可能・不可能）から孤絶していることによって様相になりえないだけでなく、それ自体が「完全なベタ」であり、「のっぺらぼう」であるために、そこでは様相や様態を可能にするようなネットワーク（相関的な差異）は働きようがない。　（同）

「時間原理Ⅰ」があるからには「時間原理Ⅱ」もあるわけだが、「現在も過去においては未来だったし、未来もやがて現在になり、過去になる」という、時間を一種の総体として捉え、その中の或る時点を「現在」として、その前が「過去」、その後が「未来」であると相対的に規定出来る「Ⅰ」に対して、時間を「現在」を最先端として刻々と延長されつつあるものとして捉え、それゆえ「未来」は想定不可能と考えるのが「時間原理Ⅱ」である。

「時間原理Ⅱ」には「未来」は存在していないと言ってもいい（入不二は「無としての未来」と呼んでいる）。そこでは「現在」しか存在しないのだ（「過去」は「かつての現在」でしかない）。入不二は「時間原理Ⅰ」を「時間推移の絶対性＋時制区分の相対性」、「Ⅱ」を「時間推移の相対性＋時制区分の絶対性」と整理している。二種類の「時間原理」は対照的である。端的に「現在」が相対的なのが「Ⅰ」で絶対的なのが「Ⅱ」だと言ってもいいだろう。そして入不二は、そのどちらを採用したとしても、常に既に「未来」は決定してしまっており、変更も不可能なのだと主張する。いずれにせよ「未来を創造する」ことは不可能なのである。その理由はもちろん「現実＝運命」の「絶対」性による。

時間原理Ⅰに基づくならば、「未来がやって来る」ことは、時間推移に晒されて、ただそうなるだけのことであり、能動性の入り込む余地はまったく無い。時間推移は、私たちの関与をまったく受け付けない（計ることも・制御することも・感じることも、一切できない）のだから、それに対して「創造する」という働きかけは、意味を持ちようがない。

また、時間原理Ⅱに基づくならば、「未来へ向かう」ことは、「無」へと直面することである。「創造する」「新たに創り出す」ためには、そのための素材になるものが必要であるが、端的な「無」とは、そのような素材さえも無いことである。そこで、「無」からは何も創り出せない。（同）

このように『あるようにあり、なるようになる』の議論を辿ってくると、あたかもその「運命論」は究極のニヒリズムでもあるかのように思われてくるかもしれない。あるようにあって、なるようになった結果としての「現実」だけがあるのであり、他のあらゆる「可能世界」の可能性は、徹底して排除されてしまっているからだ。「全一的」というのは「全き一」ということであり、入不二が「現実性こそ神」と言うのは、つまり完膚なきまでの無神論だと言っていい。全てにして唯一の「現実」、それが「運命」であり「神（と呼び得るもの）」でもあるのだとして、ならばそれは究極の決定論なのだろうか。

『あるようにあり、なるようになる』という書名にいま一度着目してみよう。この文の時制は、前半が現在形であり、後半が未来完了形である。そこには「あらかじめ何もかもが決まっていた」という意味は必ずしも含まれていない。確かに「なるようになる」にはそのようなニュアンスも感じられなくはないが、入不二の議論は「あらゆる出来事が決まっていた通りに起こる」という意味での「運命論＝決定論」とは根本的に違う部分があるように思われる。つまり「決定論＝運命論」には二種類あるのだ。「あらかじめ何もかもが決まっていた」という形式のそれと、もうひとつ「起こったことには他の可能性はなかった」とする「決定論＝運命論」が。

たとえば「写真」における「決定的瞬間」を考えてみればよい。すぐれたフォトグラファーは「決定的瞬間」を狙ってシャッターを切るのではない。自分がシャッターを切ることによって「瞬間」を「決定」するのである。それと同じように、入不二運命論における「現実」は、どこかに用意された進行表やシナリオを遂行しているわけではない。入不二的な「現実」は、ただ「現実」であることによって、あらゆる出来事を決定し、そのことによって、他のあらゆる可能性を排除するのである。それは極めて独特な現実至上主義＝リアリズムであり、現実一元論である。

しかしだとすると、これまであらゆる「運命論＝決定論」に向けられてきた問題、すなわち「自由意志」の問題はどうなるのだろうか。入不二の主張を受け入れるならば、当然、自由意志どころか自由そのものが、ある意味では存在しないことになりそうに思えるが、そうはならない。「運命と自由は両立不可能なのでもないし、運命と自由は単に両立可能というだけでもない。

むしろ、運命と自由は、(両立可能というよりも) 相即不離になろうとする。運命こそが自由に他ならないし、自由こそが運命に他ならないような地点へと向かっていく」。ここで入不二は「論理的運命論」と対になるものとして、新たに「解釈的運命論」を提示する。避け難い運命の桎梏《しっこく》を描いた『オイディプス王』を題材として、入不二は全一的で変更不可能な「現実=運命」を一種の物語として「解釈」することが「自由」の別称たりえることを示す。「解釈的運命論においては、運命も自由も解釈(物語)が与える意味現象となる。解釈(物語)においては、運命と自由は背反しないどころか、むしろ絶妙な仕方で絡み合う。自由の上にこそ運命が成立し、運命の中で自由が表現される」。

そしてここから入不二は、ここまで以上に驚くべき主張へと向かっていく。それは『あるようにあり、なるようになる』という書物のひとまずの結論でもある。そこに至る理路は敢えて省略し、核心のみ引く。

自由と運命の両者が共有する「拮抗と力の過剰」の関係は、サーフボードでビッグウェーブに乗ろうとする場面になぞらえることができる。うまく大波に乗れるときには、かろうじて乗る側(ボード側)と乗られる側(大波)の間に力の拮抗が成り立っている。その拮抗とは、微細に見るならば、波の側の力の絶えざる過剰と、それに対する乗る側のバランスの危うい回復や微調整の繰り返しであって、一つの恒常的な安定が堅牢に確立しているわけではない。拮抗は、堅固な安定の確立ではなくて、むしろ不安定を微調整しながら、完全なる破局をそのつど回避し続けることであり、逆に言えばいつも破局の一歩手前に居続けることである。

それゆえ、「(ビッグウェーブに) 乗る」ことは、主体性や能動性の強烈な発現（コントロール）ではないし、単に受動的に身を任せることでもない。大波を外から操作するのでもなければ、大波の一部に成り切ってしまうのでもない（それでは溺れてしまう）。それは、大波の表面においてのみ成立しうる危うい拮抗であり一体化である。

（同）

「運命は、大波に乗るように「乗る」ものであって、思い通りに使いこなすものでもなければ、黙々とただ従うものでもない」と入不二は言う。「運命」に「乗る」こと。それは「現実」に「乗る」ことでもある。「乗りこなす」でもなければ「乗せられる」でもない。ただ「乗る」こと。こうして意外にもサーフィンの比喩をもって『あるようにあり、なるようになる』は終幕へと向かうのだが、当然のことながら、素朴な疑問がすぐさま幾つか思い浮かぶ。

何よりもまず、入不二が提示した強力極まりない「現実」の姿は、いかにして実証されるのか、という問題がある。いや、それはどう考えても実証は不可能である。デイヴィッド・ルイス流の様相実在論、可能世界実在論、可能主義が（少なくとも現時点では）実証不可能であるのと同じく、入不二の現実一元論、現実主義もまた、科学的に証明することは出来ない。むしろ可能主義と現実主義を較べてみれば、まだしも可能主義のほうが将来的な実証可能性があるとさえ言えそうである（量子論やマルチバース理論によって、それはすでに「実証」されているという意見もあるかもしれない）。科学と哲学の違いといえばそれはそうだが、入不二は彼の現実主義が実証不可能であるからこそ、排中律を駆使して論理的運命論を唱える必要があったのだとも考えられる。極限的に言えば、現実主義を肯定し得るかどうかは――『あるようにあり、なるようになる』の綿密かつ周到な論述にもかかわらず――最終的には信憑の問題にならざるを得ないように思われる。論理的に証明されることと、そのものの実在は別の話になってしまうからである。

このことにかかわって、解釈的運命論にも問題がある。入不二的な「現実」は、全一的で変更不可能なのだった。それはもちろん「入不二基義」や「佐々木敦」といった存在すべてを含んでいる。たとえば「佐々木敦」が現実主義を受け入れたとして、実際にはそれを受け入れた途端に、受け入れる受け入れないではなく、それはそうなのだ、ということになる。自分自身という存在をも含む「現実」は全一的で変更不可能なのであり、ただ単にそうであるのだと。しかしそれでも「佐々木敦」は、その上で解釈的運命論を導入し、外部もなければ別様であり得る可能性もない、完全にして唯一の「現実」という現実をいわば心的に処理しなくてはならない。更には、乗るも乗らないもほんとうはありようがない筈の「現実」に「乗る」という、反能動的であり且つ反受動的でもある「中間」という「現実」への対処／対峙の方法を自らに実装しなくてはならない。

なぜ、そうなるのか。なぜ、ただ単にベタな「現実」のみが存在／実在するのであって、たとえば「佐々木敦」もその内の一項でしかない、というだけでは駄目なのか。言い換えれば、なぜ現実主義を採用しながら、それとは明白に矛盾する個的な「自由／意志」にも配慮しなくてはならないのか。ただ「現実」だけがあるということは「自由」も「意志」も存在しない、というわけにいかないのか。それで別段構わないのではないか。特に困ることはないのではないか。おそらくこの問題は、逆説的に、次のことに関係している。すなわち「神」はなぜしばしば人の姿を取って現れ、人格や感情さえ持っている（ように振る舞う）のか。

「佐々木敦」が自分は何ごとかを考えたり思ったりしていると考えたり思ったりしているのは「現実」の成せるわざなのであるから厳密（？）には「佐々木敦」が考えたり思ったりしているのではなく、というかそもそも誰であれ「考えたり思ったり」ということ自体が実はないのだ、という事実を真に認めることは「佐々木敦」にはどうしても出来ないのだということ。それは他でもない「佐々木敦」が自分は何ごとかを考えたり思ったりしていると考えたり思ったりしているからなのだが、たとえばこのすぐ後に自分が何を口にするか、このすぐ後に自分が何と書くか、といったことを「佐々木敦」はまだ知らないと思いつつ話したり書いたりしているのであって、たとえそれがただそう思っているだけ、そう思うことになっているからそう思うのだ、と考えようとしても、どうしてもうまくいかない。

しかしうまくいかないから間違っているということにもならない。繰り返すが、このパラドックスは「佐々木敦」が「自分は何ごとかを考えたり思ったりしていると考えたり思ったりしている」ことによる。そのことと入不二的な現実主義が矛盾を来しているのである。何故ならば「佐々木敦」は全一的にして変更不可能な「現実」を、そのような考え方として肯定し採用し受け入れることは出来ても、その「現実」を知っている、何もかも知悉しているわけではなく、そして、そのことが堪え難いから、である。

こうして「現実」それ自体が、人間の姿をした、あたかも「佐々木敦」と同じように何ごとかを考えたり思ったりしていると考えたり思ったりしている「神」として、当の「現実」に降臨することが要請されることになる。この「神＝現実」は、これから起こることを全て知っており、そこには他でもあり得る可能性がないということをよくわかっている。そして自分にはそれらを何も変えられないということも、よくよくわかっている。

「佐々木敦」は、二〇一一年末に出版された『未知との遭遇』という題名の書物の終わり近くに、こう書いていた。

僕たちは常に「現在」というものに繋ぎ留められています。いつだって「現在」の只中で、「過去」と「未来」について考えている。「過去」とは何なのかといえば、それは「どうなるかわからなかったが、ああなった」です。そして「未来」とは「決まっているのだが、まだわからない」です。このようにして「過去」は肯定すべきもの、肯定できるもの、になる。でも、その「肯定」は、ただ「現在」をそのまま受け入れて、その前提でのみ何ごとをもなしていくという意味ではありません。そうではなくて、起きてしまった出来事は、こちらが肯定しようがしまいが、そうなったからそうなった「過去」としてあり、これから起きることは、決まっているのだとしても、まだまるでわからない「未来」としてある。それは不確定ではないが不可知である。これが「未知」ということです。

「未来」というものは、決定されているのだけれど、僕たちひとりひとりにとって、自分にとっては「未知」のものである。これは「先読み」的なるものから、どうやって解放されるか、ということでもあります。どうなるのか自分は知らなかったが、そうなることが最初から決まっていた「過去」と、どうなるか決まっているが、それを知ることはできない、それゆえに「未知」としてあるしかない「未来」に挟み撃ちされた「現在」に、われわれは生きている。「現在」は常に「未来」に向かって流れている。つまり「未知なるもの」が不断にこちらにやってきている。そこで「未知との遭遇」という言葉が登場するわけです。

（『未知との遭遇』）

同書は『あるようにあり、なるようになる』よりも前に書かれたものだが、そこで「佐々木敦」が「最強の運命論」と呼んだ右のごとき考えを導き出すにあたって、入不二基義の時間論を参照している。現時点から顧みれば、ここでの「最強の運命論」は、入不二的な「現実」を全面的に受け入れつつ、その内部にある個でしかないがゆえの不可知論を「未知」なるものへのポジティヴな価値に転化させようとした、と言えるだろう。「最強の運命論」が「最強」であるのは、それが完全に無意味であり、因果性とは無関係に（因果性をも包含する無意味として）、いわば自然現象のように駆動する「運命」であるからである。

「あなたの人生の物語（Story of Your Life)」は、アメリカのSF作家テッド・チャンが一九九八年に発表した中編小説であり、二〇一六年にドゥニ・ヴィルヌーヴ監督によって『メッセージ』（原題は「Arrival」）として長編映画化された。映画は小説の設定とストーリーラインをほぼなぞっているが、幾つかの興味深い変更点がある。

この作品は、人類と地球外の未知の存在との最初の邂逅を描いたファーストコンタクトSFであり、非常によく考えられた言語SFであり、極めて斬新な時間SFでもある。まず原作に沿って物語を述べる。ある時とつぜん、地球の上空に異星人のものと思われる船隊がやってきて、全世界の百十二箇所、アメリカ合衆国内には九箇所に、その形状から「姿見（ルッキンググラス）」と呼ばれることになる謎の物体が出現する。それは双方向通信装置のようであり、エイリアンは地球人との接触を求めているものと判断される。実験言語学者のルイーズ・バンクスは、米軍から依頼され、秘密裡にエイリアンとのコミュニケーションに取り組むことになる。とはいえ、人類とはまったく異なる言語を使用していると思われるエイリアンとのコンタクトは困難を極める。ルッキンググラスはその中に３Ｄの映像（？）を映し出す。そこに現れたエイリアンの姿はこのようなものだ。

そのさまは、一個の樽が七本の肢に接合されて宙に持ちあげられているように見えた。放射相称の形態をなし、肢はいずれもが、腕としても脚としても用いることができる。わたしのまえにいる一体は四本脚で歩きまわり、あとの三本は腕として側方に巻きあげられていたが、隣りあっている腕はなかった。ゲーリーは〝それら〟を七本脚《ヘプタポッド》と呼んだ。

（「あなたの人生の物語」／公手成幸訳）

ゲーリーはルイーズとともに計画に参加した物理学者の名前である。ヘプタポッドが体の頂部の襞状になった開口部を振動させることで音＝声を発することが判明するが、言語としての手がかりは一向に得られない。そこでルイーズは話し言葉ではなく書き言葉に注目することを思いつく。「ヘプタポッドは文字を記す物理的な方法を持ちあわせているとするなら、その文字はきわめて規則的で、きわめて安定したものであるはずよね。音素ではなく、書記素を同定するようにしたほうが、わたしたちとしてはやりやすくなる。声に出して話された文を聞きとろうとするのではなく、記された文字を判別するということなの」。

　こうして書記言語＝文字を介した実験が開始される。ゲーリーの協力も得て、ルイーズの試みは徐々に実を結び始める。だが、そこでわかってきたのは、エイリアンの文字＝言語が、人類のそれとは大きく異なっているらしいということだった。ルイーズはエイリアンの音声言語をヘプタポッドA、書記言語をヘプタポッドBと呼ぶことにする。「〝それら〟の書記法は個々の語を並べるというやりかたじゃない。ひとつの文は、各表語文字が構成要素の語として結合されることによって書き表される。〝それら〟は各表語文字を回転し、修飾して結合するの」とルイーズは述べる。ゲーリーは、それはヘプタポッドの形態が放射相称であることと関係があるのではないかと推測する。「でも、これは、わたしたち自身の文を〝それら〟の文の形式で書くのは容易ではないってことも意味するの。〝それら〟の文は、たんに個々の語に切り分けて、結合しなおすってわけにはいかない。意味をなす文を書けるようになるには、そのまえに書記法の規則を習得しなくてはならないでしょう。これでは、適用の対象が文字であることが異なるだけで、発話されたものの断片をつなぎあわせなくてはどうにもならないという問題はそのまま引き継がれることになってしまうわ」。

　それでもやがてルイーズは「まったく文字には見えない。どちらかというと、複雑なグラフィックデザインの寄せ集めに見える。この表語文字の配置には、行や渦巻きといった線形《リニア》の様式はどこにもない」というヘプタポッドの書記言語、彼らが「必要となった多数の表語文字をくっつけあわせて巨大な集合物にしてしまう」文が、一種の「非線形書法体系」によるものであることを突き止める。それは音声とは無関係な、図示による「視覚的統語法」による言語である。

ルイーズは人間が使用しているのとは根本的に異なるヘプタポッドの言語を解析していく。

「つぎに提出した報告書のなかで、わたしは〝表語文字〟（引用者注：原文は「logogram」）という用語は誤称であると提起した。というのも、本来、表語というのは発話された語を表すことを意味するのに、実際には、この書記体《グラフ》は、われわれの概念にある発話された語にはまったくあてはまらないからだ。〝表意文字《イデオグラム》〟という用語も、それは過去において用いられてきた経緯があるから、用いたくなかった。そこで、わたしはそれに代えて、表義文字《セマグラム》なる用語を提案した」。ヘプタポッドB＝表義文字は、異様なものである。

〈ヘプタポッドB〉の文のサイズが相当に大きくなったとき、その視覚的効果は目覚ましいものになる。解読しようという意図なしに見た場合、その文字は、たがいに少しずつ方向のずれたおのおのの線がすべてからみあってエシャーの描く格子めいた様相を呈し、奇想天外な、走り書きで描かれた祈りをささげるカマキリのようなものに見える。最大の文がもたらす効果となると、目が潤んできたり頭が朦朧としてきたりと、サイケデリック調のポスター類に近い。
（同）

ルイーズたちの研究によって、音声言語であるらしいヘプタポッドAの解析も進む。そこでわかってきたのは、それもまた人類の言語とはまるで違っているということだった。それは語順が完全に自由、すなわちバラバラであるのみならず、文中への節の埋め込みも制限なしになされていた。それはヘプタポッドBと、どのように関係しているのか。ルイーズは、ヘプタポッドBを習得しようと思い立つ。

このように「あなたの人生の物語」は、言語をテーマとする秀抜なファーストコンタクトSFとして進行してゆくのだが、以上のような筋立てと並行して、合間合間にもうひとつのストーリーラインが挟み込まれている。それはルイーズが、彼女の娘である「あなた」に語りかけるパートだ。基本的に時系列に沿って叙述されているヘプタポッドのラインとは異なり、「あなた」のラインは断片的であり、かつ時間も前後する。読み進むうちに読者は、ルイーズが「あなた」の父親となった男性と離婚し、娘をひとりで育て上げ、しかし「あなた」は二十五歳で山岳事故で亡くなるということを知る。「わたし」は「あなた」とのさまざまなエピソードを、なかば取り留めなく、だが深い愛情をもって記していく。二つのストーリーライン、その叙述のあり方にこそ、この小説の驚くべき創意が隠されているのだが、今は物語に戻ろう。

ある時、ゲーリーがルイーズに、別チームの物理学者たちが、その専門分野でヘプタポッドとのコミュニケーションに成功したと話す。それは「フェルマーの最小時間の原理」にかんしてだった。ゲーリーが言うには、ヘプタポッドのフェルマーの原理の理解の仕方は、人間のそれとは違っているらしい。同原理を数学的に記述するためには微分法が必要なのだが、エイリアンはそれとは異なる把握をしているようなのだ。「フェルマーの最小時間の原理」は現在は「変分(variational) 原理」と呼ばれているもののひとつである。作者チャンは「あなたの人生の物語」

を表題作とする短編集の巻末に附された「作品覚え書き」において、「この話は、物理学の変分原理に対する興味から生まれた」と述べている。変分の数学的理解はややこしい数式の羅列を必要とするが、この小説を読むのにそれは必ずしも必須ではない。ともあれ、次のことが明らかになる。

ゲーリーによれば、ヘプタポッドの物理学体系は実際にわれわれのとはあべこべであったらしい。積分学を用いるものと人類が定義した種々の物理的属性は、ヘプタポッドにとっては基本的なものであるように思えた。ゲーリーは一例として、一見すると単純だが、物理学用語では〝時間で積分した、運動エネルギーと位置エネルギーとの差〟とかなんとかを意味するものを表す、〝作用《アクション》〟という名称の担う属性を説明した。これは、われわれにとっては複雑な計算を必要とするものであり、〝それら〟にとっては初歩的なものなのだと。

逆に、たとえば速度のような、人類は初歩的なものと考えている属性について、ヘプタポッドは、ゲーリーの断言したところによると、〝ぜんぜん変てこな〟数学を用いているそうだ。物理学者たちは最終的には、ヘプタポッドの数学と人類の数学の対応を確定することができるだろう。たとえアプローチの方向性はほぼ正反対ではあっても、どちらもこの同じ宇宙を記述する体系であることにちがいはないのだから。

（同）

ルイーズのヘプタポッドB習得は進んでいく。彼女は次第に、それを「書くまえに入念に構図を試さなくても、即座にすらすらと線を書きはじめることができる」ようになる。さて、ここからが重要だ。エイリアンの言語は「わたしのものの考えかたを変えていく」のである。「自分の思考が図表的にコード化されるようになってきたのだ。自分の思考が内なる声で表されるのに代わって、心の目に表義文字が窓ガラスに氷結がひろがるように生えのびていく」ようになる。そして遂には「意味図示文字の構図は、複雑な概念までも一挙に明示する、完全に形成された状態で現れてくる」までに至る。こうしてルイーズはヘプタポッドBを通して、人類とは真逆の、エイリアンの思考のあり方を学んでいく。それは人類の因果律的思考、時系列的思考とは正反対の世界把握、すなわち「原因が発生するまえに結果に関する知識が必要となる」思考法である。

ルイーズは、「わたし」は、こう問いかける。「未来を知ることは、ほんとうに可能なのか？たんに未来を推測するというのではない。さきになにが起こるかを、完全なる確信と明確な詳細をもって知ることは可能なのか？」。たとえ物理学の基本法則が時間対称的であり、ゆえに過去と未来は変わらない、等値であるのだとしても、現実世界においては、そう、あの厄介な「自由意志」の存在によって、右の問いに対する答えはノーになる、とされている。「わたし」は「ボルヘスふうの寓話」によって、この説を証明する。「あるひとが、過去と未来のすべての事象を記録した年代記、『三世《さんぜ》の書』のまえに立っていると考えよう」。

その本文は、原寸版から転写されたものではあっても、おそろしく大部だ。彼女が虫眼鏡を片手に、ティッシュのように薄いページをくっていくと、やがて彼女の人生の物語に行きあたる。自分が『三世の書』を読んでいるくだりを見つけた彼女がつぎの欄に進むと、そこでは、彼女がその日このあとになにをすることになっているかが詳述されている。その『書』で読んだ情報に基づいて行動し、競馬でデヴィルメイケアに百ドルを賭けたら、その二十倍の配当を得るだろう。
そうしようかという思いが心をよぎったが、あまのじゃくな彼女はそこで、馬に賭けるのはいっさい差し控えようと決心する。

（同）

「自由意志の存在は、われわれには未来は知りえないことを意味する。そして、われわれはその直接的経験があるからということで、自由意志は存在するだろうと確信している。意志作用は意識の本質的要素なのだと」。今やお馴染みとなった議論だ。だがもちろん、これにはお馴染みの反論がある。

この寓話は「彼女」が『三世の書』を読むことが可能であり、実際に読みもするという仮定のもとに語られている。そしてそれゆえに、そのとき「彼女」は、そこに書かれている自分の未来の行動とは違う振る舞いを選び取ることが可能となる。だがしかし当然ながら、このことは『三世の書』が存在し得ないこととイコールではない。『三世の書』には「彼女」であれ誰であれ、誰かがそれを読んだということは一切記されていないのかもしれない。むろん、そうなるとそもそも『三世の書』の存在自体が証明不可能になってしまうが、裏返せば要するにこの寓話自体が『三世の書』の存在の不可能を証明するためにのみ編み出されたものだ、ということになる。

この寓話は『三世の書』を一種の「予言書」として扱っているが、そのようなものが存在し得ることと、未来の出来事が確定されていることもイコールではない。どこにも記されてなどいなくとも、すべては決まっているのかもしれない。ひとが自由意志だと思っているものも、決まっていることの一部でしかないのかもしれない。問題は、それを知る術がないということなのであり、もしも『三世の書』が存在していて、それを読むことがかなうなら、答えは簡単なのだ。そして、そう、ほんとうの問題は、それでも尚、未来の何もかもを知る術があったらどうなのか、ということなのであり、それこそが「あなたの人生の物語」の真の主題なのである。

　物理という領域は、完璧に両義的な文法を持つ言語でなりたっている。あらゆる物理現象は、まったく異なる二とおりの方法で説明できる言辞であり、ひとつは因果律的で、いまひとつは目的論的だが、どちらも妥当であって、どれほど多数の文脈を動員しようが、どちらもその適格性を奪われることはない。

　人類の、そしてヘプタポッドの祖先がはじめて意識のきらめきを得たとき、両者は同じ物理世界を知覚したが、知覚したものの解析の仕方は異なっていた。最終的に生じてきた世界観の差は、その相違の究極的結果だ。人類は逐次的認識様式を発達させ、一方ヘプタポッドは同時的認識様式を発達させた。われわれは事象をある順序で経験し、因果関係としてそれを知覚する。〝それら〟はあらゆる事象を同時に経験し、その根源にひそむ目的を知覚する。

（同）

ルイーズはヘプタポッドBを学ぶことを通して、同時的認識様式の思考を脳内に発芽させてゆく。言うまでもなくこれは、いわゆる「サピア＝ウォーフ仮説（言語的相対論）」の極端な応用である。「〝それら〟にとって、会話というのは、語をひとつひとつ逐次的に並べることを要求されるから、支障をきたす。それにひきかえ文字のほうは、ひとつのページのすべての記号を同時に見てとれる。なぜ発話と同じ順序を求めるためのみに、文字を音声書写的拘束でもって縛りつけるのか？」。

こうしてルイーズは、人間のままヘプタポッド化していく。彼女はこう考える。「自由および束縛という語の概念に関するわたしたちの理解によれば、ヘプタポッドたちは自由でもなければ束縛されてもいない。〝それら〟は意志に従って行動するわけでもなければ、救いがたい自動機械でもない。ヘプタポッドたちの認識様式を特徴づけるものは、〝それら〟の行動《アクション》が歴史の事象と一致するということのみではない。〝それら〟の動機もまた、歴史の目的と一致するのだ。〝それら〟は未来を創出するため、年代記を実演するために、行動する」。

自由は幻想ではない。逐次的意識という文脈において、それは完璧な現実だ。同時的意識という文脈においては、自由は意味をなさないが、強制もまた意味をなさない。文脈が異なっているにすぎず、一方の妥当性が他方より優れているとか劣っているとかではない。錯覚を説明する有名な例に、鑑賞者から顔をそむけている優雅な若い女にも見えれば、あごが胸につくほどうつむいた団子鼻の老婆にも見えるという絵があるが、それに似たようなものだ。〝正しい〟解釈というものはなく、どちらも等しく妥当といえる。けれども、同時に両方を見ることはだれにもできない。

（同）

余談だが（だが余談などというものはない）、明らかに「あなたの人生の物語」およびテッド・チャンの諸作の影響の下で書かれたとおぼしきカナダのSF作家ピーター・ワッツが、二〇〇六年に発表した長編小説『ブラインドサイト』には、右に引かれた錯視画像（「妻と義母」）と並ぶあまりにも有名な「ネッカーキューブ」（二通りの見方が可能だが一度にどちらかしか見ることが出来ない立方図形）を同時に見ることが出来る登場人物＝吸血鬼（！）が登場する。排他的二者の両方であること。排中律の両方であること。How to Be Both.

だがひとまずは話を戻そう。

同様に、未来を知ることは自由意志を持つことと両立しない。選択の自由を行使することをわたしに可能とするものは、未来を知ることをわたしに不可能とするものでもある。逆に、未来を知っているいま、その未来に反する行動は、自分の知っていることを他者に語ることも含めて、わたしはけっしてしないだろう。未来を知る者は、そのことを語らない。『三世の書』を読んだ者は、そのことをけっして認めない。

（同）

未来のすべてを知っていながら、それをけっして語らず、認めることもない誰かは、いわば無言の神である。無言であるばかりでなく、その者は無力な神でもある。いや、この「神」は自分自身の未来も知っていながら為す術を持たない。そこでルイーズは、ジョン・ラングショー・オースティンの言語行為（スピーチ・アクト）理論を持ち出す。周知のようにオースティンは、言語行為を事実確認的（コンスタティヴ）と行為遂行的（パフォーマティヴ）に分類した。それでいうと「ヘプタポッドたちの場合、言葉はすべて遂行文だ。〝それら〟は伝達のために言語を用いるのではなく、現実化するために言語を用いる。どんな対話においてもそこで言われることをヘプタポッドたちがすでに知っているのはたしかだが、その知識が真実であるためには現に対話がなされなくてはならない」。

私見では、このあたりが「あなたの人生の物語」という物語においてもっともめざましく野心的な部分であり、それがゆえにいささか苦しい部分でもあるように思う。チャンはここで、ヘプタポッドの人類とは完全に真逆な思考を、ぎりぎりのところで人間性に回収してしまっているようにも思える。もちろんだからこそ、これは感動的な物語になっているのだが。「わたし」は「あなた」に絵本を読んであげている。悪戯心で「わたし」は物語を即興で変更してしまう。するとすぐさま「あなた」は気づき（すでに何度も読んでもらっているのだ）、母親に可愛らしく反撥する。「ちゃんと読んでくれなくちゃ！」「ここに書いてあるとおりに読んでるけど」「ううん、ちがうわ。このお話、そんなふうに進まないもん」「へえ、お話がどう進むかがとうにわかってるんだったら、なぜわたしが読んであげなきゃいけないのかしら？」「だって、聞きたいんだもん！」。ここには抗すことのむつかしい真理がある。ルイーズは同時的意識に完全に移行することはない。それは人類には不可能なのだ。「けれども、ときおり〈ヘプタポッドB〉が真の優位を占めるとき、わたしはひらめきを得て、過去と未来を一挙に経験する。わたしの意識は、時の外側で燃える半世紀の長さの燠《おき》となる。そして、ありとあらゆるできごとを――そのひらめきを得ているあいだは――同時に知覚する。それは、わたしの残りの人生を包含する期間であり、あなたの全人生を包含する期間でもある」。

おわかりのように、この小説の「あなた」のラインは回想ではない。いや、ある意味ではそうとも言える。それらはルイーズ＝「わたし」が同時的意識によって知った未来の出来事であり、彼女はこのあと、それからどうなるのかを全てわかったうえで、それでも「あなた」を産むのである。実に巧妙かつ繊細なことに、チャンはヘプタポッドのラインは過去形で、「あなた」のラインは現在形および未来形で書いている。二つのラインが組み合わされることによって、この小説は、語り手の立つ時点がいつなのかわからなくなっており、そのこと自体が、作品の主題と深いところで繋がっている。これから起こることを、すでに起きてしまったこととして思い出し、すでに起こってしまったことを、これから起きることとして予見する、「わたし」が「あなた」を産むことは、はじめ（とはどこか？）から決まっていたのだとしても、それでも「わたし」は、「わたし」が、そう決めたのだ。

ドゥニ・ヴィルヌーヴ監督の映画『メッセージ』では、ルイーズの娘はもっと幼くして病没することになっている。また、原作では娘の父親は明示されていないが、映画ではルイーズとともにヘプタポッドの研究を行なう物理学者との間に子を儲ける（精確を期せば小説でも二人は恋に落ちるのだが、その結果として「あなた」が生まれた／生まれるのかどうかははっきりとは書かれていない）。だが、小説と映画の最大の差異は、小説のような時制の明確な操作は映画では難しいということである。ヴィルヌーヴ監督はナレーションを用いることで原作の仕掛けをある程度踏襲しているが、映画では回想は「回想シーン」的なコノテーションとともに提示されるか、そうでなければアラン・レネやアラン・ロブ＝グリエ、あるいは近年のいわゆる「パズル・シネマ」のように、時間軸を完全にバラバラにして実質的に継起性を無化＝無時間化してしまうしかない。

だが、このことが却って『メッセージ』という映画を、テッド・チャンが語ろうとした「物語」に、ある意味ではチャンが書いた小説以上に忠実なものにしているようにも思われる。時制がいちいち明示出来ない（明示しないで済む）映画の方が、この極めてユニークな「運命論」の「物語」には、むしろ相応しいのだ。小説の現在形は、文字通り「現在」を定位する。そしてそれよりも以前が過去形で「過去」を、それより後が未来形で「未来」を表すことになる。多少の詐術は可能だが、この関係性は文法によって規定されており、むしろ（英語なら）動詞の変化によって、時間的な前後関係は必然的に導出されることになるし、そのことによって継起的な時間性それ自体が底支えされる。

だが映画には、このような意味での「現在形」は存在しない。逆に言えば、映画には「現在／形」しかない。別の見方をすれば、映画には「過去／形」しかない。つまり「上映の現在」と「撮影の過去」である。両者は「映画」というメカニズムにおいて表裏一体となっている。もちろん映画においても、あるプロセスを「現在」とすることによって、その前後に「過去」と「未来」を配置することは可能ではある。だがしかし、それはあくまでもナラティヴの次元で成されることであり、映像そのもの、ショットそれ自体には、そのような虚偽のタイムスタンプは捺されていない。繰り返すが、そこにあるのは、個々の映像／音響、すなわち映画の断片が記録された各々の過去と、それらが編成された上で映写され視聴される事々の現在だけである。

この意味で映画はそもそも運命論的な装置であると言っていい。一本の映画は、最初のフレームから最後のフレームまで基本的にあらかじめ全て決定されており、そこには変異のつけ入る隙間は存在していない。上映時間百十六分の『メッセージ』は百十六分で必ず終わる。その間に何が起こるのかもけっして変わらない（ところでドゥニ・ヴィルヌーヴはとりわけ「運命」に敏感な映画作家のひとりである。彼は他の作品――『静かなる叫び』（二〇〇九年）や『灼熱の魂』（二〇一〇年）や『プリズナーズ』（二〇一三年）や『ボーダーライン』（二〇一五年）や『ブレードランナー 2049』（二〇一七年）――でも運命の変更不可能性をテーマにしている）。

ただし問題は、原作小説を知らず、読むつもりもない映画の観客に、どのようにしてチャンが創出した驚くべき物語を伝えられるか、同時的意識という人間には備わっていない思考を、どうやって理解させるか、ではある。結局、ヴィルヌーヴは台詞＝言葉で説明するしかなかった。それは仕方のないことではある。もしそれをそのままやろうとしたら、無論、わけがわからない映画になってしまうからだ。映画も小説も、同時的ではなく逐次的であるしかないからである。少なくとも今のところは。

ところでしかし、同時的意識なるものは、ヘプタポッドB抜きには、ほんとうに人間には習得不可能なのだろうか。ひょっとしたら、それは或る仕方で人間（の思考）にも最初から備わっているとは言えないだろうか。それは要するに、たとえばこういうことだ。いま始まったばかりなのだから、これから何がどうしてどうなるのかなんてわからない、というのは大間違いで、いや間違いではないのかもしれないが、それでも時として、まだ始まったばかりだというのに、これから何がどうなっていくのかを、自分は知っている、確かによく知っている、全部わかっている、と思えることがあり、しかもそれは心地良い迷子の感覚や新鮮な驚きと共存している。それはデジャヴュとかではなく、記憶の作用ではなく、むろん事実として知っているということでもなく、ただ始まりが始まりでありながら、つまりそれは端緒であり入口であって、だからまだほんのごく僅かで微かな部分でしかないのだが、しかしそこにはすでに全体が、何もかもが、在る、潜在している、潜在どころかあからさまに姿を晒している、とりあえずのお終いまで、とりあえずではなく最後の最後の最後まで、もうとっくに全部ここに在り、それを自分はよくわかっているという、これは思い込みや錯覚ではなく、ほんとうにそうで、誰にとってもそうである筈だという確信が俄に立ち上がる、そんなことがある。同時というのは、両方というのは、全部ということ、全体ということだ。複数のことを、多数のことを、無数のことを、出来る限り一度に、可能な限り同時に、考えてみたい。何故ならば、ほんとうはいつもそうしているのだから。その方が普通で常態で、思考はもともと並列分散処理を常に行なっている。しかしひとたび、それ（ら）を外部に出力しようとすると、途端に実際的な困難が待ち受ける。書くのであれ話すのであれ、言葉は基本的に順序を必要とする。それを論理と呼ぶこともある。しかしその時しているのは、頭の中の空の上に浮かぶ、複雑な綾を成したまん丸いかたまりを、むりやりに解きほぐして一本の線にしてしまう、というようなことで、むりやりであるからにはそこには無理が生じ、いつのまにかもともと考えていた筈のこととは違う言い方になってしまったり、かなり違う話になってしまったり、時にはぜんぜん違う結論になってしまったりする。何故、一度に一つのことしか言えないのか。ほんとうに一度に一つしか言えないのか。言えないと思い込んでいるだけ、一度に幾つもは言ってはならないと決めつけ（られ）ているだけではないのか。一度に一つを一つずつ繋いでいって、それらが繋がっていること、それらが繋げられてあるということに、どうしてこうも意味や価値を認め（させられ）なくてはならないのか。話が繋がっているというのは、そんなにいいことなのか。話が繋がっていないというのは、そんなに悪いことなのか。そもそも「話が繋がっている」とは、どういう状態のことなのか。繋がっている／繋がっていない、ということではないのではないか。もっと重要なことがあるのではないか。もっと頭の中で起こっていることに、もっと思考の運動それ自体に近いやり方があるのではないか。考えている、という運動を丸ごと外に出すことは出来ないのか、等々。

神の話をしていたのだった。「作者」が「神」の隠喩なのではなく、「神」が「作者」の隠喩なのだということは確かだとしても、ではこの「神＝作者」は、逐次的意識と同時的意識のどちらを有しているのだろうか。後者だとするのは正解ではない。作者、ここでは「書くもの」と言い換えてもよいが、何かを、何ごとかを書き進めつつあるものは、同時的意識のもとにそれを遂行しているとは限らない。むしろ多くの場合、書くことは常に幾らかは逐次的なのであり、たとえ完成形を見据えて開始したのだとしても、予定外のベクトルがとつぜん生じる可能性が完全に排除されることはないし、しばしば事実としてそうなる。だがひとたび書き上げるやいなや、書くものは書いたものを同時的意識のもとに睥睨し得るようになる。そのとき、同時的意識を向けられる書かれたものは、書いている間は駆動していた筈の逐次的意識を雲散霧消させている。

もちろんそれをふたたび書き直し始めたらまた逐次的意識が回帰してくるのだが。ここで重要なのは、しかし何かを、何ごとかを書き進めつつあるとき、そこでは逐次的意識だけが働いているわけでもない、ということである。同時的意識の破片のようなもの、全体性の予感のようなものが、やはりそこにもぱらぱらと散らばっている。それらは意識的に摑み取れるとは限らないが、思わず知らず、拾う、拾えることもある。「わたし」が「あなた」に読み聞かせていた絵本のことを思い出そう。「だって、聞きたいんだもん！」。ではもしも「あなた」が物語の続きをまだ知らなかったとしたら、その絵本を一度も読んでもらったことがなかったとしたら、どうなのか。もちろん、それならば「わたし」は、書かれてあるのとは違う話をしたりはしないのだ、絶対に。

「しかし、どうやら私は神のようである」と語る『誰かが手を、握っているような気がしてならない』の神、「つまりこの世界のどこにでもいて、この世界の何でも知っているってことだ」と宣う『モナドの領域』のＧＯＤ＝神、「誰かに祈ることさえできたなら」と絶望する『神は死んだ』の神、これらの神々は、それぞれ前田司郎、筒井康隆、ロン・カリー・ジュニアと呼ばれる「作者」すなわち「書くもの」いや「書いたもの」たちの分身である。そんな単純なことじゃないだろう、と思われるかもしれないが、しかしそうなのだ。彼らの存在のありさまは、彼らの神性が及ぶ世界の外部をも指し示している。そしてそこには、いまだ名前を持たない、神を超えるものたちが蠢いている。

第四章　全体論と有限

一九六一年の末、建築家の磯崎新は、或る比較的短い文章を、次のように書き出した。「いま、私たちの空間概念は大きく変りつつある。いや、むしろこの具体的に活動する現実の都市から、逆に空間概念を変えさせられようとしているのだ、という方がいい」。

ここまで読んだだけでも、これが「空間論」「都市論」として著されたものであることがわかる。実際、この文章は「現代都市における空間の性格」と題されているのだ。後から振り返ってみれば一種のマニフェスト（あるいはマニフェストの前段）としての性格を強く帯びていたと思えるこの文章において磯崎はまず、更に十年ほど前、すなわち「一九五〇年頃」に「絵画の世界におきたひとつの事件」に言及する。ジャクソン・ポロックのいわゆる「ドリッピング」の技法についてである。

彼は絵具をたらしながら歩きまわり、つぎつぎと連続した痕跡をつくりだす。その過程では前にえがいたものを否定することはできない。垂れ落ちる絵具を制するいとまもなく、次の行為に移らねばならない。やにわの決意、そしてそれが無意識で生命的な行為の繰り返しとなりながら、無限につづいていく。彼は、いくつかの色彩をつみかさねて万華鏡のような世界をくりひろげる。彼がそこでえがくことのできた空間はいわばこれまでの絵画がうみだし得なかった新しい世界であり、現代そのものの直接的な表現ともいえるものであった。

（「現代都市における空間の性格」）

ここでの「現代」とは、言うまでもなく一九五〇年代初頭という「現代」のことだが、磯崎はポロックのドリッピングが切り拓いた「新しい世界」としての「現代」が、いま自分が文章を書き進めつつある十年後の現在に連続していると述べているわけだ。「彼の発見の重要性は、キャンバスに対して視点が定まることなく、いやキャンバスの外枠さえはずして、しかもひとつの強烈な空間の存在の可能性を実証したことである」と磯崎は続けている。彼によれば、ポロック以前の画家、ルネサンス以来の「近代絵画」の実践者たちは「やはり、キャンバスに立ちむかうひとつの作者の視点を失うことはなかった。キャンバスの外側にそれを視ているひとつの主体の位置がかならずあった」。

しかしながら、ポロックの空間にはむしろその固定した主体の位置がない。その主体はキャンバスの上をはいずりまわり、つみ重なり、無数の空間に分解され、からみあい、多様化したパノラマとなり、ひとつの宇宙のなかに解消している。

（同）

これより前の部分で、すでに磯崎は「この問題は建築の空間についても十分に適用できると考えられる」と記していた。これは「空間論＝建築論」なのだから、それは当然である。磯崎は、ここで言われる「ポロックの空間」が、そのまま「私たちにとって」の「現実の都市空間」でもあるのだと考える。「事実、私たちの住むこの都市には明確な秩序が存在しない。それは一見して混乱し、錯綜している」。磯崎はポロックのドリッピングに、いわばアクチュアルかつ論理的な必然性を見出す。従って「現代都市の空間をつくりだす方法を探索する場合、単一の視点を設定することはおそらく無意味であり、異った運動をする要因のつくりだす空間が重複し、からみあっていくことを問題にすることが重要な出発点になるだろうと私には考えられる」。

そこで登場するのが磯崎新の初期の代表的な建築理論である「プロセス・プランニング」である。まず磯崎は「プロセス」に先行する思考法としての「オープン・プランニング」について述べる。それは「対象を機能に分解し、それを再構成すること」である機能主義に立脚した「空間論＝建築論」であり「内部空間を等質化する意図」を持つ。それはル・コルビュジエやミース・ファン・デル・ローエのような建築家によって進化／深化させられてきた。

このようなオープン・プランニングを通じてみられる特徴は、解体し分解した建築を将棋のコマのように配列することに重点がおかれる。それは近代絵画が解体した対象をふたたびキャンバスの上で再構成しようとするのに似ている。その空間の捉えかたはまったく同一の意識に基づいているといってもいい。解体と構成をひとつの視点に基づいて進行させるという点では、その区別をつけることは不可能である。（同）

近代絵画と同様、近代建築もまた、あくまでも「視点」をひとつに固定することによって「オープン」たり得るのだということである。そこで磯崎は極めて彼らしい一文を書きつける。「ひと口に現代都市の空間の性格をいうならば、それは廃墟のようなものである」。もちろんこの「廃墟」とは、甘美で頽廃的なノスタルジーに支えられたものではなく「単純に物理的な崩壊過程を考えてみるときあらわれる性格」のことである。完成や成熟ではなく、崩壊の過程＝プロセスを現代の都市はひた走っている。「このうごき成長していく都市は、ある時点で截ってみると、ひとつの状態から次の状態へ移っていく過程であると考えていい」。

磯崎は対立する概念である筈の「成長」と「崩壊」を敢えて同一視してみせる。成長し続けるということは、すなわち崩壊し続けるということなのだ。「それゆえに、都市空間の全域にわたっての固定した空間の予測は放棄した方がいい」と磯崎は述べる。そして彼はこれまたいかにも彼らしい殺し文句を発する。「簡単にいおう。プロセスだけが具体的事実であり、プロセスだけが信じられるのである」。

私たちには固定化し動かし難い空間は必要がない。《うごき》《かさなりあい》《からみあい》《のび》ていくような空間こそが、求められるべきである。そのような性質をもった建築の形態はもうこれまでのような箱におさめられるといったものでなく、箱のような枠をはみだし、のびていき、からみあい、その特性はトポロジー空間に近づくと考えられる。同一の性格をもった機能をいれる空間が成長していくことは、位相幾何学の空間特性の問題であ

る。プロセスを問題にすることは、都市の空間においてトポロジーを問題にすることと同様なのである。　（同）

「そのような兆候はすでに無数に発生しつつあるのである」と、この文章を結んだ磯崎新は、それから一年余りが過ぎた一九六三年の春に、その名も「プロセス・プランニング論」という論考を発表する。これは「現代都市における空間の性格」で提出されたアイデアを発展させたものであり、より具体的で実践的な記述を含んでいる。興味深いのは、すでに「成長＝崩壊」「都市＝廃墟」という逆説的措定でも明らかだったように、これが一種の「終末論」でもあるということである。実際、最初の節は「建築における終末論」と題されているのだ。それは次のように始まる。

建築はいわば創造の同義語であり、その創造をつうじてはてしない未来とつらなっている。建築ほど未来の建設に結びついた概念はないかも知れない。そしてこの規定に疑問はない。にもかかわらず、建築が終末論を問題とせねばならなくなったのだ。建築の創造とは、未来へむかっての窓をひらくことであると同時に、つねに終末へのめり込んでいくことをも意味している。たとえばひとつの建設されおわった建築の運命を考えてみてもいい。あなたはそれが未来の建設へつらなったとみるだろうか、あるいは終末の破局を目ざしながら生きている姿を思いうかべるだろうか。

（「プロセス・プランニング論」）

これまたすこぶる磯崎新的な思考の志向が示された文章と言えるだろう。これはもはや「空間論」だけでなく「時間論」も含んでいる。それは一種の「運命論」でもあるだろう。「未来のイメージはその可能性の多様化によって、私たちに希望を与えるのだが、未来のイメージを設定するという行為自体に、あなたはいま存在させせようとする建築に終末を読みとることとなってしまう」。

これはほとんどテッド・チャンの「あなたの人生の物語」的な「時間論＝運命論」だと言ってしまいたくなる。あらかじめはじめからおわりまでのなにもかもがここにあるので、はじめるということはおわらせるということでもあるのだ。「終末論こそは有機体（ひいては文明にいたるまで）が創出される決定的瞬間においてそれをもっともダイナミックに把握するイメージなのである」と磯崎は言う。そして彼の仕事である建築の設計に、この考えをそのまま当て嵌めてみせる。

設計という行為はすなわち決断なのだ。その瞬間に未来のすべてが投影されている。その未来のすべての判定が現在というひとつの時点にかかわると考えるならば、現在から未来を通じて統括できる方法とイメージが発見されねばならない。その手がかりはたったひとつのコトバのなかにある。
《未来は終末なのだ》

（同）

「プロセス・プランニング論」は、その名の通り「プロセス＝過程」を重視する理論であるのにもかかわらず、磯崎はそれを「終末論」でもあるものとして提起しようとしている。これはアクロバティックな、倒錯的と言ってさえよいほどの離れ業だと言っていい。「終末＝終点」は否応なしに「目的」や「結論」を想起させるからだ。だが磯崎は、この矛盾をおそらくはじゅうぶんに承知しつつ、大胆にも論を進めていく。更に彼は、一見ますます「プロセス」とは相容れなさそうに思われる「全体性」を持ち出す。「創作される現段階と終末とを同時にとらえること、それが建築の創作への態度と方法を決定づけるのだが、私はこの時間的要因をふまえた建築の認識を《全体性》という概念で包括していいと考える」。

ここから急激にこの論考は、図書館建築という具体的で現実的な事案の検討に向かっていくのだが、そこは飛ばして、ふたたび議論が抽象化したところを見よう。「現代都市における空間の性格」においては「オープン・プランニング」から「プロセス・プランニング」へ、という整理だったが、ここであらためて磯崎は建築＝設計の三段階説を提示する。次にそれらを挙げる。

（1）クローズド・プランニング（閉ざされた建築）

あらかじめ欠損をつくり、順次これをうずめて行き、いつか完成する。建築のイメージとしては当初から完成された終末が予想されている。

（2）モデュラー・プランニングあるいは、オープン・プランニング（開かれた建築）
空間の内部での用途の変化、あるいは量的な拡張が当初から考えられ、これに対する処理として空間を均質化していく。ここでは建築の全体性のイメージは均質化された無限定空間と呼ばれるものとなり、時間的に変質していく内容を均質化という技術によって処理しようとするもので、時間的な各断面が終末であり、完成されているとみていい。

（3）プロセス・プランニング（プロセスの建築）
時間的な推移の各断面が、つねにその次の段階に移行するプロセスであると考える方法。それぞれの瞬間が未来の終末と常に対置される。現在の存在と終末を同時にとらえる、ということは逆にその状況下では、次に移行していく動的なオリエンテーションの決定にすべてが集約される。いわば成長あるいは滅亡の過程そのものが建築の全体性のイメージになるものだ。

（同、記述を一部略、編集した）

それから磯崎は、この三段階と、その最後に置かれた自らの方法論である「プロセス・プランニング」にかんして、ふたたび図書館建築を対象として論じていくのだが、そこも省略する。論考の終わり近くで、磯崎はこう述べる。建築を「成長の全過程の系列のなかでとらえること、その全過程がすなわち全体性を意味しているのだ。決して特定の段階に閉じてしまう形態が全体性とは考えない」。注目したいのは、磯崎新の、このような「全過程＝プロセス」と「全体性」の捉え方である。プロセスの全部がイコール全体というのは、ほとんどトートロジーである。しかしトートロジーがイコールナンセンスだとは限らないし、役に立つナンセンスというものだってあり得る。

磯崎は「プロセス・プランニング論」の二年後に「続プロセス・プランニング論」という副題の附された論考「媒体の発見」を発表する。そこで磯崎は「プロセス・プランニング論」を「時間のながれのなかで、不定形に運動する物質を、ある時点で切断したときの、その切断面がそのまま表現となるような建築を計画する方法を定式化してみた」と振り返り、「プロセス・プランニング」を「時間的要因による空間変質のスピードが、上昇していく状況下における計画概念」だと簡潔に再定義した上で、その具体的手法を十五に分かれた箇条書きに要約している。最後のパートのみを引用する。

15　ある時点で切断するということは、それぞれの系列の展開を予想した移行過程の総体からえらばれた特定の方向性をしめしている。その時点にふみこんでなされる決定は、《あらゆる方向に終末を意識することから獲得されるダイナミックス》にもとづいている。

（「媒体の発見——続プロセス・プランニング論」）

《あらゆる方向に終末を意識することから獲得されるダイナミックス》とは、いわば空間化された時間論である。建築論であり設計論である以上、磯崎新にとって、それは理論的／原理的であるだけではなく、自らの設計と現実の建築の実践のためのメモランダムであるべきものだった。

そして実際、かくのごとき「プロセス・プランニング論」は、それがそのままということではなかったにせよ、旧大分県立図書館（現アートプラザ）として実現したのだった。

ジャン＝リュック・ゴダール監督『イメージの本』（二〇一八年）のポスター／パンフレットには、奇妙な数式が記されている。「映画とは、「X＋3＝1」である」。これは同作が出品され、ほとんどJLGのためだけに新設された「スペシャル・パルムドール」を受賞することになった第七十一回カンヌ国際映画祭の記者会見のなかで、例によって唐突に持ち出された。JLGは会場に現れることはなく、前作『さらば、愛の言葉よ』（二〇一四年）に引き続き映画の技術面の全てを一人で担当したファブリス・アラーニョのスマートフォンのFaceTime経由で、世界各国の映画ジャーナリストたちはスイスの自宅で寛ぐJLGに次々と質問をした。謎の数式が口にされるのは以下の部分である。或る記者が今回の新作では、かつてJLG自身が述べたとされる「映画は初め、中間、終わりが必要である。しかし必ずしも、その順序である必要はない」という考え方に回帰したのではないかと問うと、JLGはこう答える。

JLG　そのような考え方に戻ってはいません。もし私がそのようなことを、昔言っていたのであれば、それは「映画には物語が必要であり、その物語には初め、中間、終わりがある」と考えていたスピルバーグやその取り巻きに、反対するためです。そのために私は、必ずしも順序立っている必要はないと言ったのでしょう。初め、中間、終わりの三つは常にあると言えます。その三つを、どのような順序にすればいいのかは、私にはわかりません。かと言って、通常ならば成功だと言われるようなチュートン騎士団のような秩序（＝順序）

に、執着はありません。それでも、一度だけ、全く成功しなかった方程式を作ったことがあります。映画とは「X＋3＝1」である。学校教育を始めたばかりの子供からウンチのにおいがするようにして、容易に理解できるはずです。もしX＋3＝1ならば、この「X」は「-2」です。過去、現在、未来のいかなるイメージであれ、真の音や真のイメージが存在し始める第三のものを見い出すためには、消去することが必要です。X＋3＝1は、映画の鍵です。そこに鍵が存在するのであれば、錠の存在も忘れてはいけません。

（「E・サイードに導かれて」久保宏樹訳／週刊読書人ウェブ（https://dokushojin.com/article.html?i=3660））

X＋3＝1。この数式が、ずっと気になっていた。本人に聞くまでもなく、Xはマイナス2である。だが、だから何だというのか。記者会見のなかで、この話題はこれきりで終わりである。質問した記者も、他の者たちも、さぞや煙に巻かれた気がしたことだろう。だがそれもまあ、いつもの意地悪で悪戯なJLGの振る舞いだと思ってやり過ごしてしまったのかもしれない。そしてそれは実際のところ、その通りなのだ。けれども、この数式には間違いなく、何らかの意味が隠されている。JLGの映画に、JLGの言葉に、意味がなかったことなど一度もないのだから。『さらば、愛の言葉よ』にかんして、そのことを可能な限り証明したことがあるからには（「ジャン＝リュック・ゴダール、3、2、1、」）、これにも挑戦しなくてはならない。

『イメージの本』とは、いかなる映画なのか。上映時間は八十四分。『さらば、愛の言葉よ』よりも十数分長い。全体は五つの章に分かれており（その前にプロローグのようなパートがある）、それぞれ「1。リメイク」「2。ペテルブルク夜話」「3。線路の間の花々は旅の迷い風に揺れて」「4。法の精神」「5。中央地帯」と題されている。各章の間の連続性、一貫性は著しく希薄に思えるが、まったく断絶しているわけでもない。つまり、いつものといえばいつものJLG映画であるということだ。

だがこの作品にはひとつ大きな特徴がある。ほとんど全ての映像／音響が、既存の素材から成っているということだ。この映画は「A：古今東西の映画からの引用」と「B：JLG自身の過去の映画からの引用」そして「C：インターネットの動画サイトからの引用」が全体の九割以上を占めている。もちろん、こうした「引用」はJLGの近作ではお馴染みのものではあるが、この作品ではそれはかつてないほどの比率になっている。だが、では完全に全部が何らかの意味での引用であって、この映画のために新たに撮られた映像はまったくないのかというと、どうもそうとも言い切れない、というのが厄介なところなのである。

ともあれ「A」、そして「B」については過去にほぼ同様の作られ方をした作品が存在している。『ゴダールの映画史』（一九八八年－一九九八年）である。全八章、トータルで四時間半に及ぶ大作である。原題は「Histoire (s) du cinéma」。JLGは題名通り、彼が観てきた映画の膨大なフッテージを編集して、この「（複数の）映画史」を編み上げた。そしてその中にはJLG自身の旧作群も入っていた。『イメージの本』を観た者の多くが『映画史』との類似を感じたことだろう。このことは非常に重要である。

そもそも『映画史』でJLGは何をしていたのか。それは単なる「歴史記述」ではない。一言でいえば、それは「歴史の圧縮」である。忘れてはならないことは、「映画」というものがたかだかまだ百数十年の歴史しか持っていないということであり、そしてまた、すでに百数十年もの歴史を持っているということである。この短さと長さの両方にＪＬＧは対峙しようと試みた。絵画や美術、言語芸術や身体芸術、あるいは音楽、などといった他の諸芸術に対して、映画は比較にならないほど短い歴史しか有していない。この意味で、映画は今なお若い芸術である。だがそれでも、映画の歴史はひとりの人間の寿命をとうに超えている。これまでに撮られた映画の、その上映時間の総和は、すでにして途方もない長さになっている。だから「映画史」を語ろうとしたら、やろうと思えば幾らだって長くなってしまうだろうし、だがそういうわけにもいかないのだから、どうにかして圧縮しなければならない。無限にも思える（だが無限ではない、無限などない）途方もない長さの時間を、有限の時間のなかに、何とかして綴じ込まなければならないのだ。

そうしてＪＬＧは十年を掛けて『映画史』を完成させたのだった。しかもその上、二〇〇二年には更にそれを再編集した『映画史特別編　選ばれた瞬間』も製作している。上映時間は八十四分、『イメージの本』と同じである。或る意味で『イメージの本』は『映画史』の更なる「リメイク」なのである。だが、どのような意味でそうなのかは一通りではない。

まず注目すべきは、『映画史』が二十世紀の終わりに完成されているということである。二年の猶予を得て、ゴダールの『映画史』は新世紀よりも前に全編が発表された。このことは間違いなく、映画が二十世紀の芸術であることに関係している。「映画」とはすぐれて二十世紀的なものである、少なくともＪＬＧはそう思っている。もちろん精確にいえば映画が発明されたのは十九世紀末である。しかしそれでも映画は「二十世紀」と切り離し得ない芸術なのだ。それは二十一世紀に入って二十年近くが過ぎた現在も変わっていない。ことによると、映画は二十世紀の内に終わっているべきだったとJLGは考えているのかもしれない。言い換えればそれは、一九三〇年生まれのジャン＝リュック・ゴダールが、二十一世紀に入っても自分は生きているべきではなかったと考えているのかもしれないということでもある。

この意味で、二〇〇一年以後のJLGの映画は全てが遺作である。長編だけでも、『愛の世紀』(二〇〇一年)、『アワーミュージック』(二〇〇四年)、『ゴダール・ソシアリスム』(二〇一〇年)、『さらば、愛の言葉よ』、そして『イメージの本』、これらはどれも「最後の映画」、いや、余計な映画なのだ。なぜなら、本当は二十世紀の終わりをもって映画とJLGはともに死すべきだったのだから。だが当然のように、そうはならなかった。私は、私たち(彼と映画)は、長く生き過ぎてしまった、これがこの二十年ほどJLGが繰り返し発している嘆きである。

実際、とりわけ『ソシアリスム』と『言葉』のラストは、あからさまに「最後の映画」としての音調を有していたのだった。だが、それでもJLGは生き存えており、それならいっそ映画の方が逝ってくれたらいいのだが、そんなことは望むべくもない。そしてそれゆえに、JLGは『イメージの本』を拵えたのである。この映画の「A」と「B」は一部が重なっている。なぜなら『映画史』と同じ素材が混じっているからだ。『映画史』とは別の作品で引用されていた「A」の再引用もある。これらを解きほぐすことで何か見えてくるものもあるのかもしれないが、今回はそちらには行かない。ただ言っておくべきは、「A」と「B」の比率が、もちろん前者の方がずっと多いのだが、それでも「B」の要素がこれまでになく目立つということである。つまりJLGはこの映画のなかで自作の引用をかなり頻繁に行なっている。それはさながらゴダールの

「ゴダールの映画」史の趣きさえある。このことには、おそらく意味がある。

さて、「二十世紀の映画」と「二十一世紀の映画」の違いとは何だろうか。それはもちろん、フィルムとビデオ、アナログとデジタルの違いである。二十世紀の映画は、その誕生からそうであったように、フィルムで撮られていた。だが、二十一世紀の映画のほとんどはデジタルビデオで撮影され、DCP（デジタルシネマパッケージ）で上映されている。むろん、ビデオは二十世紀からあったし、デジタル以前から存在していた。そして最近ふたたび、敢えてフィルムで撮影する映画作家も登場している。しかしそれでも、フィルムの映画とビデオの映画が二つの世紀の違いを端的に示しているということに異議を唱えるものはまず居ないだろう。

かつてJLGは『勝手に逃げろ／人生』（一九八〇年）の中で「カインとアベル、映画とビデオ」と述べた。にもかかわらず、一方でJLGはビデオ映画に非常に熱心に取り組んできた。『パート2』（一九七五年）や『ヒア&ゼア　こことよそ』（一九七六年）、テレビシリーズとして撮られた『6×2』（同）や『二人の子どもフランス漫遊記』（一九七七年‐七八年）といった作品は、カインとアベルの相克を政治的・社会的テーマと見事に縒《よ》り合わせた傑作である。一九九九年に撮影は終わっていたが二〇〇一年に公開された『愛の世紀』は、第一部が白黒フィルムで、後半がカラーのHDビデオで撮影されていた。JLGは極めて意識的なのである。

以後、二十一世紀のJLG映画はいずれもデジタルビデオで製作されており、その事実をあからさまに喧伝するかのような過激で過剰な映像処理や加工が頻繁に施されることとなった。それはデジタル美学などでは全くない。JLGはむしろデジタル映像の汚さや醜さを露骨なまでに強調してみせる（『ソシアリスム』のあの豪華客船の場面！）。『イメージの本』も例外ではない。

「A」も「B」も「C」もデジタルビデオである。「A」や「B」には当然ながら元はフィルムだった素材も多いが、最終的にはビデオに変換されている。ここで思い出すべきは、あの『映画史』が、すでにそもそも映画史上の無数のフィルムを編集してビデオで仕上げた作品であったということだ。F・アラーニョによると、デジタル3D作品だった『言葉』は、ビデオで撮影された素材をいったん16ミリフィルムに変換し、JLGがビュワー（フィルム用の編集機）を使ってモンタージュを行なった上で、デジタルでそれをトレースして完成したのだという。『イメージの本』が同様のプロセスを経たのかどうかはわからないが、重要なのは、JLGにとって「映画」のひとつ目の別称と言っても差し支えないだろうモンタージュ＝編集という作業が、フィルムという物質、その切り貼りという手作業と、固く結びついたものであったということである。『イメージの本』では、これらのことが逆説的に主題化されている。無数の映像の断片のコラージュから成るこの映画を観る者は、しかしやがて少なくとも二種類の形象が頻出することに気づくだろう。「列車」と「手」である。さまざまな映画の「列車」の場面の引用と「手」を捉えたショットが、この映画にはやたらと出てくるのだ。

端的に述べよう。「列車」はフィルムの、「手」はモンタージュの隠喩である。誰にでもわかることだ。それはつまり「二十世紀の映画」への郷愁なのである。フィクション／ドキュメンタリーの別を問わず、世界の断片がフィルムで撮影され、一秒を二十四個に分割したコマを切断したり接合したりすることで、一本の映画が出来上がっていた前世紀への、ずいぶん経ってからの、何度目かの、愛惜と決別の儀式、それが『イメージの本』なのだ。

こう考えてみると、例の数式と並ぶこの映画のもうひとつの謎、サイズチェンジの謎にも答えを与えられる。『イメージの本』では、「A」に属する映像において、ショットの途中で突然画面のサイズが変わるということが何度となく起きる。最初は見間違いかと思ったが、明らかに故意に為されている。一体どういうつもりなのかと頭を抱える観客も多かったに違いない。つまりあれもまた、フィルムではなくビデオ、アナログではなくデジタルであるからこそ、こんなことが簡単にやれてしまうとJLGは言っているのだ。すでにフィルムの時代に、映画はスタンダードから始まり、ビスタ、シネマスコープと画面サイズを変化、拡張させてきた。だがフィルムであれば、一旦決められたサイズは（映写技師のミスや特殊な上映形態を除けば）変更されない。JLGはデジタルビデオが「映画」に何を齎し（何を可能にし）、何を奪い去っていった（何を不可能にした）のかという点にかんして、どこまでも意識的なのである。

そして「二十一世紀の映画」は、デジタル3Dを経て、4Dやら何やら、あるいはVRへと、ひたすらに突き進んでいく過程にある。なぜ『言葉』を3Dで撮ったのかという理由も、むろんここにある。JLGにとって、映画とは、シネマとは、フィルムで撮られて作業で編集され、二次元の矩形のスクリーンに映し出される、そのような芸術であり、メカニズムである。ところがもうすでに映画はそこから遠く離れており、これからもどこまでも遠ざかっていくことだろう。つまり映画はシネマではなくなっていきつつあるのだ。ならば自分は、自分だけは、映画をすっかり変えてしまった新しいデジタル・テクノロジーを用いつつ、しかしシネマとしか呼びようのないものを拵えてみせよう、JLGはそう言っている。或る意味で、『イメージの本』は一種のデスクトップ・ムービーだが、それと同時に、紛れもないシネマなのだ。

では、シネマとは何なのか。ここでようやく、あの数式、すなわち「X＋3＝1」に戻ることが出来る。つい字面に幻惑されてしまうが、Xがマイナス2であるということは、要するに、三つあるものから二個をマイナスする、ということである。だから「三つ」が何と何と何であり、そこから何と何を引いて、何が残るのか、ということが、この式の意味するところなのだ。簡単な話だ。ここでＪＬＧによる「映画」のふたつ目の別称が召喚される。それは、ソニマージュである。「SON＝音」と「IMAGE＝映像」を繋げて一語にしてしまった、ＪＬＧとアンヌ＝マリー・ミエヴィルによる造語。映画とは、シネマとは、ソニマージュである、とＪＬＧはもっぱらその作品自体によって、繰り返し語ってきた。でも映画は最初、サイレントだったではないかと言われるかもしれない。だが、それはたかだか事実に過ぎない。あらゆる映画が本質的にはサイレント映画の一形式だなどというのは戯言に過ぎない。視覚と聴覚、その掛け合わせこそが、シネマの体験の本質である。少なくともＪＬＧにとってはそうだ。

ＪＬＧとＡＭＭは、SON et IMAGEではなく、SONIMAGEと言った。「Ｘ＋３＝１」のひとつ目の解釈は、こうである。「音＝SON」「と＝et」「映像＝IMAGE」の三つから「音＝SON」と「映像＝IMAGE」の二つを引く、すると残った一は「et」、すなわち「と」である。なんてことだ。ＪＬＧは映像も音響もシネマには不要だと言っているのだろうか？　しかも結局の所、この「と」は消去されてしまっている。ソニマージュ。これは何を意味するのか？

文章ほど便利なものはない
文章の言葉ほど便利なものはない
本に持ち込むものは本しかなかった

でも　本の中に現実を持ち込むときはどうなるのか？
第2段階として現実の中に現実を持ち込むときは？
何が起きるだろう

（『イメージの本』）

ソニマージュ、それはシネマの第二の別称である。「音＝SON」「と＝et」「映像＝IMAGE」＝SONIMAGE。だが、誰もが知るように、「音と映像」は世界とイコールではない。人間には視覚と聴覚以外の感覚器も備わっているし、世界は映像と音響だけによって構成＝再現されるものではない。映画はそもそも世界を記録＝記憶するためには、あまりにも多くのものを欠いている。「映画史」は、どこまで十全さを期したとしても「二十世紀史」には成り得ない。せいぜいが、或る場面を、或る行為を、或る出来事を、或る言葉のやりとり、或る言葉以外のやりとりを、音と映像を用いて刻み、残すくらいのことしか、映画には出来ない。

しかしそれでも、いやそれゆえにこそ、幾人もの映画作家たちが、世界それ自体に漸近するべく、果敢な試行を続けてきたのだし、フィクションなのかドキュメンタリーなのかという表面上の違いを超えて、それは或る種のシネアストにとって、ひとつの使命となっている。そして言うまでもなくＪＬＧこそ、その筆頭に挙げられるべき存在だ。

1秒の歴史を作るには1日かかる
1分の歴史を作るには1年かかる

1時間の歴史を作るには一生かかる
1日の歴史を作るには永遠の時が

（同）

ここでの「歴史」は「映画＝史」のことであり、映画が誕生して以後の「歴史」のことでもある。ならば映画の百年以上の歴史を作るには、まさに悠久の時が必要であることになるだろう。しかし重要なことは、だからといって、けっしてＪＬＧは断念しようとはしなかった、ということである。ここにあるのはアイロニーではない。戦闘的な諦念である。ＪＬＧは、それでも私はやるだけのことはやった、と言っているのだ。有限のもので無限に近いものを表現すること、無限を有限に内包すること。ＪＬＧにとってそれは不可能な欲望であり、彼の映画の駆動因でもある。

期待とは
時間は余計にあるのに
時間に時間が足りないことだ
期待の中で
期待によりよく応えるため
持てる時間は失われる
時の中に生じる期待は

待つ必要のない時間の不在に向かって開く
5本の指がある
贖罪は成就するだろう
手…
それは　ずっと後のことだ
なぜなら　語られる物語は
行為が成就する速度よりも遅いからだ

（同）

『イメージの本』は、それ自体が、ＪＬＧがこれまで撮ったすべての映画に、ＪＬＧの映画を含むすべての映画に、映画に撮られてきたすべての世界の有様に、映画に撮られることのなかったすべての世界の出来事に、或る特異な仕方で相当するように、撮られている。確かにそこには、映像と音しか、ソニマージュしか存在していない。しかしこう考えてみてはどうだろう。ここにあるものはすべて、et、「と」、接続詞なのだと。イマージュと何か、ソンと何か、ソニマージュと何か、何かと何か、と、と、と。

かつてＪＬＧは言った。正しい映像などない、複数の映像があるだけだ。「と＝et」は何かと何かを接続するだけではない。それは「と＝et」の前と後を指し示す。そこに何と何が代入されるのかが問題だとも言えるし、そこに何と何が代入されても構わないのだとも言える。『イメージの本』のポスター／パンフレットにあしらわれ、映画では終わり近くに映し出されるあの手、あの指、レオナルド・ダ・ヴィンチの「洗礼者ヨハネ」から抜いたのだと思われるあの手と指は「と＝et」のシンボルである。だから「X＋3＝1」のXは、何かと何かがあり、それらを接続する「と＝et」があり、真に重要なのは先行する「何か」でも後続する「何か」でもなく、「何かと何か」の「と」なのだ、それなくしては、何ものであれ、ただ孤独にあるしかないのだと言っているのである。

それは世界を表現する映画の機構のことだけではない。世界に対峙する映画の倫理のことでもある。「と＝et」は連帯を、共闘をも意味する。ここから「X＋3＝1」のふたつ目の解釈が導き出される。かつて「第三世界」という呼称が存在した。今でもあるかもしれない。『イメージの本』の後半では、アルベール・コスリーの小説（Une ambition dans le désert）の引用というかたちで、中東の小国ドーファにおける、（未遂に終わる）陰謀譚めいた物語が語られる。中東、アラブ、アラビアも、かつては「第三世界」と呼ばれていた。今でも呼ばれているかもしれない。「X＋3＝1」の「X＝-2」は、「第一世界」と「第二世界」をマイナスする、残った世界こそが希望なのだ、と言っているのだ。

たとえ何ひとつ　望みどおりにならなくても
我々の希望は変わらない
希望は夢であり続け　必要なものだ
その先も　希望は強敵に封じられた
多くの声に火をつけ

常に涌き上がる
希望の領地は今よりも広大になり
全大陸に及ぶだろう
異論と抵抗の欲求が減ることはない
過去が不変であり　希望が不変であるのと同じだ

（同）

終盤のこの言葉は『ゴダール・ソシアリスム』の終盤によく似ている（先の「文章ほど便利なものはない」から始まる引用も『ソシアリスム』にすでに登場していた）。だがJLGはあの時からでさえ、更に十歳近くも年を取っている。多くの観客を驚かせ、ショックを与え、あるいは失笑させもするだろう、あの唐突な咳き込みは、たとえ下手な演技だとしても、JLGの本気を疑うことは出来ない。

『イメージの本』の最後の一言は「たとえ何ひとつ望み通りにならなくても希望は生き続ける」である。しかし映像はというと、マックス・オフュルス監督の『快楽』（一九五二年）から、ご機嫌に踊りまくる仮面の男が突如力尽きて床に昏倒する場面が引かれている。これは何を意味するのか？　徒労と消耗だろうか。一心不乱の滑稽さか。そうかもしれない。しかしそれでも、JLGの本気を疑うことは出来ない。どうすれば、たった八十四分の映画によって、世界の歴史を、世界の現実を、丸ごと含み持つことが出来るのだろう？　どうすれば映画は世界と等価になるのか？

（ＪＬＧは、およそありとあらゆる意味で、二十世紀ヨーロッパという時間的空間的条件、歴史的地理的条件のもとに登場した、映画作家、芸術家、文化人である。彼は前世紀のフランス語文化圏が生んだ最高の知性のひとりであり、このことはＪＬＧのアドバンテージであるとともに、一種の限界でもあるのだと思われる。彼にとって「言語」とはまず第一にフランス語のことなのであり、それが常に極めてアンビヴァレントな扱いを受けてきたことは確かだとしても、彼の映画の最良の鑑賞者がフランス語を完璧に解する観客であることは間違いない。しばしば画面横のみならず縦位置にも同時に出ることのある翻訳字幕を一切見ずに彼の映画を観ることが出来る観客は幸いである。英語という帝国主義的言語に対して敢然と反旗を翻すＪＬＧの映画は、しかしフランス語というマイナー言語を特権視することによって、他のマイナー言語へのエリート主義的優越を背後に隠している。ＪＬＧのヨーロッパ人知識人としての限界（？）は、彼の政治的シンパシーの対象の変遷からも見て取れる。むろんＪＬＧだけではなかったとはいえ、『中国女』（一九六七年）の監督は、今日の視点から見れば、毛沢東主義＝中国共産党に現実とは大きく異なる理想主義的ファンタジーを見出していたと批判されても仕方がないだろう。この点とも深くかかわるヴェトナムへのこだわりも、植民地主義的なフィルターが掛かっている。その後はもちろんパレスチナであり、東欧である。ＪＬＧの世界への眼差しは明らかに偏向している。端的に言って彼にはアジアという場所がほとんど存在していない。ＪＬＧにとって「日本」とはミゾグチやオヅの国でしかないのだ。）

素粒子物理学における「ひも理論（弦理論、ストリング理論）」の創始者のひとりであるレオナルド・サスキンドは、「ホログラフィック原理」の提唱者としても知られている。一言でいえばそれは、この宇宙が一種のホログラム（三次元像の記録再生技術）であるとする説のことである。

絵や写真や絵画は、そこに描かれた実際の世界とは違う。それらは平面で、実物のような三次元の奥行きはない。真横から見てみよう。すると、実物をある角度から見た場合とまったく違うものが見える。要するに、絵や写真や絵画は二次元で、本物の世界は三次元である。芸術家は、知覚のトリックを使って鑑賞者の脳の中に三次元のイメージを生み出す。しかしその三次元モデルの元になった情報は、もともと存在しないものなのだ。あの人物像が遠くの巨人なのか近くの小人なのか、知りようがない。それが漆喰でできているのか、血と内臓がつまっているのか、見分ける方法もない。脳がつくり出す情報は、カンバス上のストロークや銀塩フィルムの感光粒子には実際には存在していない。

（『宇宙のランドスケープ』／林田陽子訳）

サスキンドはまず、ホログラフィーの説明を行う。「コンピュータの画面は、画素が並ぶ二次元の面である。一枚の画像に貯えられた実際のデータは、画素ごとの色の種類と強さを表すデジタル情報の形をしている。つまり、画素ごとにひとまとまりのビットの集まりがある。絵画や写真と同じように、コンピュータの画面も実際には三次元の場面のたいへん貧弱な表現でしかない」。この世界は三次元のように思われるが、芸術は、テクノロジーは、長らくそれを表現するのに二次元の方法しか持ち得ていなかった。では「物の奥行きの情報や、「血と内臓」のデータといった物体の内部に関する完全な三次元データを格納するには、どうすればよいのだろうか？答えは明白である。つまり、二次元に並ぶ画素の集まりではなく、三次元空間を埋めつくす「ボクセル」（空間のボリュームを小さな立方体に分割したもの）の集まりが必要だ」。

ピクセルではなくボクセル。しかし当然ながら「ボクセルで三次元空間を埋めつくすのは、画素で二次元の面を並べつくすよりもずっと手間がかかる。たとえば、あなたのコンピュータの画面の一辺に千個の画素があるとすると、画素の合計は千の二乗だから百万画素である。しかし一辺に千個のボクセルがある立方体に対しては、必要なボクセルの数は千の三乗つまり十億個にもなってしまう」。そんなことは不可能である。「ホログラムが驚異的なのはそのためである。ホログラムは二次元の画像（一枚のフィルム上の画像）だが、本物のような三次元画像をつくり出すことができる。つくり出されたホログラフィー（ホログラフィック画像）のイメージのまわりを歩いて、あらゆる側面から見ることができる。ホログラム中のどの物体が遠くて、どれが近いかを判断することができる。実際、見ている人が移動すれば、遠くにあった物体と近くにあった物体の順序が入れ代わることだってある。ホログラムは二次元のイメージであるが、しかし三次元の場面として完全な情報を持っている。だが、この情報が貯えられた二次元のフィルムを実際に詳しく見ても、認識できるものは何もない。フィルムの画像は徹底的にかき混ぜられている」。これだけなら特に驚くことはない。サスキンドは、ここから途方もない跳躍を見せる。

現代物理学のもっとも奇妙な発見の一つは、世界は一種のホログラフィック画像だということである。しかしもっと驚くべき点は、ホログラムを構成する画素の数が、対象とする領域の体積ではなく面積にのみ比例することである。あたかも、ある領域の三次元の中味、すなわち体積にして十億ボクセルが、わずか百万画素しかないコンピュータの画面上に表現できるのと同じなのだ！　壁と天井と床で囲まれた巨大な部屋の中に自分がいると考えてほしい。大きな球面に取り囲まれていると考えればもっとよい。ホログラフィック原理によれば、あなたの鼻先を飛ぶハエは、実際には部屋の二次元の境界の中に格納されたデータの一種のホログラフィック画像である。実際、部屋の中のあなたやあなた以外のすべてのものは、境界に置かれた量子ホログラムに格納されたデータの画像である。そのホログラムはボクセルではなく、小さな画素の二次元配列で、それぞれがプランク長（引用者注：ドイツの物理学者マックス・プランクが導出した物理的存在の単位であるプランク定数の内、長さを示すもの。およそ1・616×10のマイナス35乗メートル）と同じ大きさである！　もちろん、量子ホログラムの性質と三次元のデータを符号化する方法は、普通のホログラムの方法とはまったく違う。しかし、三次元の世界が完全に混ぜられているという点は共通している。

（同）

「ホログラフィック原理」とは「ホログラムを構成する画素の数が、対象とする領域の体積ではなく面積にのみ比例する」ということはつまり、この宇宙＝世界もホログラフィーなのではないか、とする仮説のことである。俄には信じ難いが、サスキンドは「私自身はホログラフィック原理は正しいと考えていたが、ホログラフィック原理を精密に確証できるほど量子力学と重力を深く理解するには、数十年かかるだろうと考えていた」。しかし、一九九七年に「若き理論物理学者ジュアン・マルダセナ」が「ある世界の完全に明示的なホログラフィックな表し方を発見した。その世界は、私たちの世界とまったく同じではないがよく似ていて、ホログラフィック原理に説得力を与えることになった」というのである。

マルダセナの証明はアメリカの理論物理学者ブライアン・グリーンの『隠れていた宇宙』に、やや専門的な説明がある。グリーンによるとマルダセナは「特定の仮説のもとでホログラフィック原理をはっきりした形にし、そうするなかで〈ホログラフィック多宇宙〉を初めて数学的に例証した」。その証明の内容は省略するが、重要なことは、マルダセナが「特定の宇宙のなかで起こることはすべて、境界面上に現れる法則と過程が映った影であると、説得力をもって主張した」ということである。

　マルダセナの結果と、それから数年のあいだに生まれた多くの成果は、憶測と見なされている。数学がおそろしく難しいため、すきのない論理を組み立てることがいまだにできていないのだ。しかしホログラフィーの概念は、数多くの厳しい数学的検証を受け、それを無傷で切り抜けてきたため、自然法則の深い根源を探し求めている物理学者のあいだで主流になりつつある。

（『隠れていた宇宙』／竹内薫監修、大田直子訳）

『隠れていた宇宙』の結論部分で、グリーンはこう述べる。「私たちは時間にして何十年にも及ぶ曲がりくねった道をたどり、複雑にからみ合う結果を詳しく考察してきた。この旅は注目すべき洞察に満ちていて、私たちを新しい統一の考えに導いた――それがホログラフィック原理である。これまで見てきたようにこの原理は、私たちが目撃する現象は、遠くにあるペラペラの境界表面に映し出されていると主張するものだ。将来的なことを言えば、二一世紀半ば近くにはホログラフィック原理が物理学者にとっての灯台になると、私は考えている」。

ここでは差し当たり、この主張の真偽は問わない（問えない、と言ってもいい）。考えたいのは、この宇宙、この世界が、どこかから映写されているホログラフィーなのかどうか、ではない。そうであるのか否かは、いずれであったとしても、実のところ大した問題ではない。ここが、この今が、このこれが、ほんとうはホログラフィーであったとしても、何を困ることがあるだろうか？　何も変わりはしない。だからそうではなくて、この世界、この宇宙を一個のホログラフィーとして表現するというアイデア、そのような思弁、その可能性が、何を齎してくれるのか、を考えたいのだ。

年上の親友であるホルヘ・ルイス・ボルヘスによって、「これは完璧な小説である。この評言は誇張でもなければ、不正確でもないと私は思っている」とまで言わしめた、アドルフォ・ビオイ＝カサーレスの『モレルの発明』の中で、マッド・サイエンティストのモレルは言う。「ごく最近まで、科学の探究は、聴覚および視覚に関して、空間的かつ時間的不在を超越することに限られていました」。聴覚については、無線電話、蓄音機、電話が、視覚にかんしては、テレビ受像機、映画、写真が挙げられる。「かなり以前から、音声に関してはすでに、死を克服したとはっきり断言できるようになっていたのです。ところが、視覚像に関して言えば、これまでのところ、写真と映画はきわめて不完全なかたちでそれを保存することしかできなかった」とモレルは続ける。彼の「発明」は三つの部分から成る。

私のつくった機械のまえに置かれた人物、動物、物体は、ラジオから流れてくる音楽を送り出している放送局になぞらえることができましょう。嗅覚に訴える波動のスイッチをひねれば、マドレーヌの胸飾りのジャスミンの香りが、たとえ彼女の姿自体は見えなくとも、漂ってくるでしょう。触覚の波動の電源《セクター》を開けば、彼女の柔らかい髪を、眼には見えないまま触わることができる。盲人のように、手だけで物を理解することができるわけです。ところで、スイッチのすべてを作動させると、マドレーヌが完全に再生されて、本物そっくりに現われてくるのです。これは鏡に映った像を抽き出したものであって、音声も、触わったときの抵抗感も、味も、匂いも、温度も、すべて完全に、同時的なものとして現出させるといううことをご記憶頂きたい。これを見たひとは、映像だと言っても、だれひとりけっして認めないでしょう。かりにわれわれ自身の映像がいまここに現われても、皆さんは私の言葉をけっして信じないでしょう。私が、皆さんひとりひとりと瓜ふたつの役者たちの一座を雇ってきたのだ、皆さんはそう考えなければ安心できないということになりましょう。

(『モレルの発明』/清水徹、牛島信明訳)

これが機械の第一の部分である。そしてモレル曰く「第二の部分はそういう像を記録にとどめ、第三の部分では映写をする。スクリーンも紙も必要としません。昼夜を問わず、あらゆる空間に写し出すことができるのです」。これは一種のホログラフィーではないか。だが、重要なのはこの後である。「実際のところ、ものの再現はそれ自体ものではあるが——たとえばある家の写真が別のものを表わすものであるように——、再現された動物や植物は、動物でもなければ植物でもない、私はそう思っていました。私のつくりだした人間の模擬像には、明らかに、（映画の登場人物と同じように）その人自身の意識は欠けているであろう、と私は確信していました」。至って当然のことである。

ところが思いがけぬ事態に出会いました。いろいろ苦労を重ねたのちのことですが、個々の機械の性能がうまく調和するように組合せているうちに、私は再構成された人間そのものに遭遇したのです。しかもその人間は、映写機のスイッチを切れば姿を消すのですが、そのままにしておくと、撮影された過去の情景に対応する時間だけ生きていて、その時間が過ぎてしまうと、同じ情景が最初から繰り返される。まるで、終ればはじめに戻るレコードやフィルムのような感じなのです。その上、再構成された人間は、現に生きている人間とまったく区別ができないほどです（彼らは別の世界を——たまたまわれわれの世界と隣接してしまった別の世界を動きまわっているように見えるのです）。もしわれわれが、われわれの周囲の人間に対し、意識とか、人間をものから区別する一切の所有を認めるとすれば、私の装置がつくりだした人間たちにはそれがないと断定することができましょうか。いかなる有効かつ精緻をきわめた論理をもってしても、それは不可能なはずです。

（同）

「さまざまの感覚を整合的に集めると、魂を出現させることができます」とモレルは断言する。「視覚にとってマドレーヌがいる、聴覚にとってもマドレーヌがいる、味覚にとってもマドレーヌがいる、嗅覚にとってもマドレーヌがいる、触覚にとってもマドレーヌがいる。このすべてがそろったとき、そこにはマドレーヌそのひとがいるのです」。ここで「マドレーヌそのひと」と呼ばれているものが、真にマドレーヌそのひとであるのかどうかは、もはや問われない。モレルは問う。「レコードに潜在的にひそんでいるもの、私がスイッチを入れ、蓄音機が作動すれば現われ出るもの、それを生命体と呼ぶことはできないでしょうか?」。

この小説の面白いところは、このように自らの夢想的とも荒唐無稽とも言えるだろう発明について とうとうと述べるモレルが、その一方で、その機械を製作するにあたって協力を得た企業への感謝を口にするなど、妙に現実的な部分を持っていることだ。それに語り手の「私」は、彼の言うことを、そのまま真に受けるわけではない。「私と私の仲間は外観にすぎない、われわれは新しい種類の写真なのである、そんなことを言う奴に対し疑心を抱かない者があるだろうか?」。しかしそれでも、物語の舞台である島では、モレルを含む人々の一週間の出来事が、ひたすら繰り返されている。確かにモレルは何らかの「発明」をしたのだ。彼が書き残した紙片には、次のようなことも書かれていた。

皆さんにはっきりと申し上げる時が来たようです。この島、そしてここにある建物は、われわれだけの楽園です。この楽園を守るために、私はいくつかの予防措置——物理的および心理的な面で——をとりました。それらの措置は万全のものであると確信しております。われわれは永遠にここに留まるのです——明日、出発するにもかかわらず——、そうして、この一週間の出来事をひとつまたひとつと、果てしもなく繰り返し、しかもその一週間の一刻一刻に抱いた意識から逸脱することはけっしてありえないのです、なぜなら機械はそのようにわれわれを撮影したのですから。おかげでわれわれは、たえず新たな人生を生きていると感じることができるでしょう。なぜなら、映写が行われるたびに、われわれはただ撮影されたときにもっていた記憶だけをもって生きるわけですし、未来は何度でも後退を繰り返し、いつまでも未来としての性質を保ちつづけるからです。（同）

繰り返しを何度となく目の当たりにしつつも、語り手は「論理的に考えれば、モレルの期待が実現されたと見なすのは無理である」と言う。しかしこの機械をプロトタイプとしてヴァージョンアップしていけば、いつか「より完全な機械が現われるだろう。生きているあいだに——あるいは機械が撮影しているあいだに——われわれが考えたことや感じたことが、いわばアルファベットのようなものとなり、これを手掛りにして映像がすべてを理解しつづける、そういうことがありうるかもしれぬ（われわれがアルファベット文字によって、あらゆる言葉を理解したり、組み立てたりできるのと同じように）。そのとき、生きることが、死に備えるための貯蔵所となるだろう。しかしそのときでさえ、映像が生きているとは言えない。本質的に新しいものは、映像にとっては存在しないも同然なのだから。映像が知ることができるのは、すでに考えたことや感じたこと、あるいはかつて考えたことや感じたことの組合せ、ただそれだけのはずである」。

そう、そこには「過去」しかない。だが、こうも言える。過去があるだけで十分ではないか？

　この小説の中で映画は未だ不完全な技術として扱われているが、しかしモレルの発明が「映画」の隠喩であることは間違いない。『モレルの発明』は、スタニスワフ・レムの『ソラリス』と並ぶ、映画を直接出さずにシネマの本質を描いた、稀有な文学作品である。「映画」においては、記録と再生という技術が、記憶と想起という行為の代替物、それも限りなく等値に近い代替物として存在している。語り手は「映像がすべてを理解しつづける」と述べていた。「映像」を目的語ではなく主語として考えることで開かれる境位があるのだ。この場合の「映像」は視覚的な像だけではない。モレルが言っていたように、それはその実在のすべてを含んでいる。つまり、ホログラフィーである。

　だがしかし、ホログラフィーは平面＝二次元でもある。３ＤやＶＲなどといった映画のなれの果ては、どれもこれもシネマの本質を捉え損ねている。映画は、ただそれだけで、すなわち矩形のスクリーンに投影される矩形のイメージと、それとシンクロした（あるいはシンクロしない）サウンドだけで、すでにしてホログラフィーなのだ。そして、レオナルド・サスキンド―ジュアン・マルダセナ―ブライアン・グリーンが主張するように、この宇宙、この世界、このすべてが、ホログラフィー＝モレルの発明なのだとしたら？

　１つの世紀が次の世紀の中へ溶けていくとき
旧来の〝生き抜く術〟は新しいものに作り変えられる
後者を我々は芸術と呼んでいる

1つの時代より長く生きるのは
芸術が作った〝形式〟だ
いかなる活動も芸術になるのは
その時代が終わってからだ
その後　その芸術は消え去る

（『イメージの本』）

有限のもので無限に近いものを表現すること、無限を有限に内包すること。それはたとえば、次のようなことだ。

川はまだ見えない、そろそろのはずだ、歩けばいつか川に出る、ここらでは必ず、そこが砂漠と違うところ、砂漠へ行ったことはない、小さな川の話じゃない、大きな、もうすぐそこ、坂がはじまっていたのに気がついていない、坂にいるのに、かすかな坂だ、それだ、そこ、それがはじまり、気がつかない、風が吹いて来た、冷たい、川かもしれない、ほら、坂、そこ、

（「月の客」）

あらゆる小説には始まりがある。あらゆる小説には終わりがある。たとえ中途から始まっているように見えたとしても、それはただ、そのように書かれているということなのだから、それは

やはりそこが「始まり」なのだし、たとえ未完であったとしても、終わっていないように見えたとしても、それはそれ自体が、やはりひとつの「終わり」として読まれざるを得ない。最初の一文、最初の一語から始められた小説は、最後の一語、最後の一文で終わりを迎えるというのが必定なのであり、そこに如何なる仕掛けや条件や事情が持ち込まれたとしても、それは現にそのときそこで読まれる小説とはまた別の次元に属する付帯事項に過ぎない。

この意味で、あらゆる小説は常に必ず有限なのであり、だから「終わりなき小説」などというものは絶対に存在せず、無論「始まりのない小説」も存在しない。とはいえ小説にだってやれることはある。しかしそれは誰にでも可能というわけではない。それには覚悟が必要なのだ。

向かう先の景色の気配が変わった、変わっていた、見えていた建物たちが消えて、空になった、道の境の上には空、青い、昼だ、景色が光にあたり慣れている

間もなく、川が見えるぞ、立ち止まって振り返る、歩いて来たおぼえがない、景色を見ていた、道を見ていない、川へ向き戻り、歩く、ほら見えた、見えた、やっと、着いた、川

(同)

山下澄人の「月の客」は、はじめて登場したときから現在まで一貫して或る途方もなさに敢然と挑んできたこの作家が、遂に立ち至った荒野である。これは紛れもなく小説なのだが、絵のようにも、音楽のようにも、それ以外の何かのようにも感じる。

今や人称などまったく問題ではない。誰が語っているのかは、まったく問題ではない。ただ、

確かにそこで、ここで、語られており、そこに、ここに、書かれてあり、その言葉は誰かに読まれる。「対岸を見ている、風景が少し複雑だ、視界の中央の上を橋、見えているのはその裏、橋の裏、その両側に空、大きな月はその丸のはしを橋の両側の空に見せている、橋の下には川、橋の影がかかっている、こっちじゃない」。誰が見ているのかはまったく問題ではない。ただ、誰かが見ている。見られている。

これは、これまでの山下澄人の全部の小説と同じく、誰かが生まれて生きて死ぬ話だ。いや、話なんて語は相応しくない。いわば動詞としての「誰かが生まれて生きて死ぬ」が、つまり「生まれて生きて死ぬ」が、そこに、ここに、ある。さしあたり、トシと名付けられる。トシという、子ども、少年、男、老人。「生まれたときを、生まれる前を、トシは知らない、生まれたときには、気がついたときには、もうトシはいた」。当たり前のことが書いてある。だが、こんな当たり前のことでさえ、当たり前であるがゆえに、ひとはうまく書けないし、だから書かない。

だが山下澄人は書く。これまで何度も書いてきた。トシはもう何度も生まれて生きて死んだ。また始まった。同じことが。だが同じでありながら、それは毎回違う。違ってしまう。

森から簡単にトシは下りた、ポーン、ポーン、ポーン、のぼるのはそうはいかない、からだを上へ、引き、上げていかねばならない、枝を摑み、手をかけ、引く、枝はびくともしない、結果、トシのからだが枝へ向かう、上がる、
森は森と呼ばれていたけど一本の大きな木だった
山へ入ってすぐの、てら、にあった、てら、と呼ばれていたが小さな神社で、ほこらを仕

みかにする背中の曲がった男がいた、
せむしの仏さん
とも
せむしの神さん
とも呼ばれて、子どもは石を投げた、トシは投げなかった、トシはてらを、てら、と最初に呼んだのがこの男だと知っていた、男がそういった、
トシは森の上によくいた、
写真を撮っても全体は写せない、はなれて撮ろうとしたら他の木が邪魔をする、森は写真には写せない、写せても一部でしかない、絵になら描ける、字にならできる
男がいった、

（同）

木で森で山だ。その全体は、大き過ぎるか小さ過ぎるかして、写真には写せない。撮ることは出来る。何だって撮れる。だがそれは山で森で木と言えるか。いま、目の前にある、この木、森、山、あるいはあのとき、そこにあった、木、森、山を、写真に撮ることは出来ても、そこに全体は写らない。そこに、ここに、あるのに、あったのに。ではどうすればいいのか。これを、この木、森、山を残すためには、どうしたら？　書いてある。「絵になら描ける、字にならできる」。

ポール・セザンヌは同じ山を何度も何度も何度も描いた。有名な話だ。サント・ヴィクトワー

ル山。百三十年も昔の、フランスでのこと。持田季未子の『セザンヌの地質学』に面白いことが書いてある。これも有名なジョワシャン・ガスケの『セザンヌ』によると、画家は友人に「あの石の塊は火だったのだ。まだ中に火を秘めている」と語ったという。だが、サント・ヴィクトワール山は火山ではない。しかし「サント・ヴィクトワールの山麓は地質学的に宝庫で、調査すると旧石器時代の人骨や遺物、恐竜その他の古生物の化石に交じって貝殻の化石も発掘され、恐竜が跋扈《ばっこ》した時代以前の新生代第三紀（六五〇〇万～二三〇〇万年）には地域一帯が海底深く沈んでいたことが立証されるという」と持田は書いている。セザンヌはガスケにこうも言ったという。「私は、全宇宙の赤々とした炭火の上にあるこの存在の煙、それを自分のものにしたい」。

一八七〇年代に入ると、三十代のセザンヌはパリ郊外ポントワーズ在住のピサロをはじめとする印象派と交流を深め、自然尊重の原則を学び、色彩が明るくなり以前の暗鬱さをやっと脱した。その後もセザンヌが生涯基本的に自然から直接来る感覚を離れなかったことは確かだが、印象派たちと異なるのは、かれらのように事物の表層に移ろう光と色に限定されず、深さ、すなわち表面の下にがっしり横たわる土台を問題としたことであった。興味深いのはそれを彼が明瞭に「地質学的土台」と形容している点である。構造的とか構成的などという形容詞ではなく、土や泥や岩に関わる言葉を使っている。しかも彼のいう土台はけっして静止したものではなく、創成時代の記憶を反復し、なお密かに地殻変動を継続するかのように、早朝の涼しい空気に触れながら目に見えにくい遅さで動いているのであった。

（『セザンヌの地質学』）

持田は、この「地質学的土台」という観点から、セザンヌの絵画の秘密に迫ろうとする。周知のように、セザンヌの絵、とりわけ風景画は変である。遠近法が明らかに狂っていたり、現実にはあり得ない視点から描かれていたりする。それは彼の描いた場所に実際に行ってみたり、写真を見れば立ちどころにわかることだ。有名な話だ。いわば手垢のつきまくった話を、持田は「地質学」という方向から蒸し返す。『ビベミュスから見たサント・ヴィクトワール山』（一八九七年）に描かれた風景の奇怪さについて詳細に記したあとで、次のように書く。「このようなことはルネサンス以来の遠近法ではあり得ない。伝統的遠近法は画家のいる一点を出発点とした世界像である。石切り場のテラスがほぼ水平に見えているので一応その高さに画家の視点があるのは確かだが、その高さのどこか一点から全体を見渡しているのではない。こちら側にある特定の高所から展望した写実的な風景ではなく、むしろ空中を飛び回りながら複数のポイントをそのつど正面からとらえているような、ほとんど架空の、構想された世界である」。

ここで重要なのは、しかしセザンヌは想像で描いたわけではない、ということである。「ほとんど架空」ではあっても、サント・ヴィクトワール山は実在し、画家はある時、ビベミュスからそれを見たに違いないのである。このことを忘れてはならない。では、こんなことが起きたのは、記憶の作用に、忘却の仕業によるというのだろうか。そうではない。たとえ今、そこに、ここに、確かにある山を描こうとしても、それをそのまま描くことは出来ないのだ。どうしても出来ない。セザンヌにはそれがわかっていた。

いつのことかはわからないが、画家はある時、このことを知ってしまったのだ。だから何とかしなくてはならなかった。「セザンヌは感覚や季節の移り変わりの下にあって変わらない大地の構造に到達したかった。彼が遠近法を無視し奥行きを一向気に掛けなかったのは、ルネサンスに確立した遠近法が抽象的すぎ抑圧として感じられたというだけではなく、所詮画家のたまたま立っていた位置に左右される、いわば世界の「見かけ」を映すだけのものであり、それに従う限り絵画はある任意の一点から世界がどう見えるかを記述する感覚的な限界を超えることができず、事物の本質には関与できないと考えていたからではなかったろうか」。

これが「セザンヌの地質学」である。そこにあるがまま、ということと、そこに見えているまま、ということと、そこに見えていたまま、ということは、たとえ全て同じ時空間の対象を指していたのだとしても、全て違う。違ってしまう。だから何とかしなくてはならない。だからセザンヌはあのように描いたのだ。ああ描くしかなかった。彼は自分に可能なことの極限まで赴いた。それがサント・ヴィクトワール山を描いた一連の絵だった。「まだ中に火を秘めている」あの山。

セザンヌが、サント・ヴィクトワール山が「まだ火の山だった」世界の始まりの時を根の下に求めるとともに、家も岩も植物も崩壊する世界の終わりの時をも見ていたスパンの長さに驚く。より正確には、遠い昔に始まって遠い将来に消えるだろう世界を時間の流れにおいて見ていたと言うよりは、画架を立てて山に向かい合っている現在という時の中に始まりと終わりが共存しており、だからこそ山は静止しているように見えて実は常に少しずつ動いているということを認識していた。

山にせよ山麓の風景にせよ、セザンヌの絵は宇宙的エネルギーに満ちている。彼は、今の瞬間に死にかつ生まれる世界を、なんとかしてつかまえようとしていた。世界のそういう実相を認識した上で調和を見つけ、秩序を見つけ、最も適切な表現を与えようと努めていたのだ。セザンヌの芸術は、自然が持続しているということの戦慄を見る者に与える。それは自然を永遠なものとして味わわせてくれるのである。（同）

自然が持続しているということの戦慄。「それが、今、ここに、ある」と「それは、かつて、ここに、あった」が、一直線になってこちらに突き通ってくるような。

ジョナ・レーラー『プルーストの記憶、セザンヌの眼』は、主に脳科学の観点から、邦題にあるマルセル・プルーストとポール・セザンヌの他、ウォルト・ホイットマン、イーゴリ・ストラヴィンスキー、ガートルード・スタイン、ヴァージニア・ウルフなど計八名の芸術家を取り上げた本である。レーラーの主張は至ってシンプルであり、或る種の偉大な芸術家は、脳科学の種々の発見よりもはるか以前に「脳」の働きをよくわかっていた、というものだ。セザンヌについても同様の観点から論じられている。レーラーは言う。

彼（＝セザンヌ）の絵が問題にしたのは、視覚の主観性、すなわち事物の表層に対する錯覚だった。セザンヌがポスト印象主義を創始したのは、印象主義ではまだ生ぬるかったからである。「私が伝えようとしているのは、もっと神秘的なものだ。それは存在の根っこに繋がっている」とセザンヌは言った。モネやルノアールやドガは、風景はたんに光の総計だと信じていた。彼らは、自分たちの描く美しい絵の中に、眼から吸収された、はかなく消える光子《フォトン》を表現し、その照明のみによって自然を表現しようとした。だがセザンヌは、光は見ることの始まりにすぎないと考えた。彼は断言する。「眼だけでは足りない。考えることも必要だ」。セザンヌが直観的に悟ったのは、私たちが抱く印象は解釈を必要とするということだった。見るということは、見えているものを創造することだ。

（『プルーストの記憶、セザンヌの眼』）

「現実は脳によって作られる」。これも今となっては新奇な説では全然ない。むしろ常識と言ってよいだろう。持田季未子の「地質学」に代わって、レーラーは「脳科学」によってセザンヌの秘密を解こうと試みる。見えているものを写し取ることの困難以前に、見えていると思っているもの、とは果たして何なのか、在るものを見る、とはどういうことなのか、という問いがセザンヌにはあったのだと。

セザンヌの絵は視覚のプロセスを明るみに出す。彼の絵は不必要に抽象的だとけなされた。印象派の画家たちですら、彼の技法を嘲笑した。だがじつはセザンヌの絵は、脳に最初に現れる世界を描いている。セザンヌの絵には境界線、すなわちある物と他の物を区切る黒い輪郭線がない。その代わりにあるのは絵筆の跡だけであり、表面のあちこちで色と色が結び合わされ、一つの色が別の色に変わっていくように見える。これが眼に映る像の始まり

だ。脳によって解析される前の現実はこんなふうに見えるのだ。この段階では、光はまだ形になっていない。（同）

「だが、セザンヌはそこでやめなかった」とレーラーは述べる。それはそうだ。「セザンヌは必要最低限の情報を脳に与えるので、見る者は彼の描いたものが判別でき、その絵が意味不明になる寸前のところで救っている」。つまりセザンヌの絵は「ちゃんと深皿に盛られた桃や、花崗岩の山や、自画像に見える」。これはいささか微妙な言い方だが、そこに描かれてあるものが「意味不明」に、すなわち何であるのか、何であったのか、それを見る誰にもわからないほど抽象化が進んでしまったら、それは文字通り、単なる抽象画になってしまう。

それの何がいけないのかという考え方もあるだろうが、セザンヌはそうするわけにはいかなかった。「ここが、セザンヌが天才であるゆえんだ。彼は同じ一枚の静物画の中に、私たちの見る光景の最初と最後を見せる。抽象的な色のモザイクとして始まったものが、写実的な描写になる。その絵は、絵の具や光の中からではなく、私たちの脳の中のどこからか現れる。私たちはその芸術作品の中に入ってしまったのだ。その作品が奇妙なのは、私たち自身が奇妙だからである」。レーラーが言うのは、セザンヌが絵に描いたもの以上に、セザンヌの絵を見る者の脳内で生成されるイメージが重要なのだということだ。

つまり、ここには少なくとも以下の複数のイメージがあることになる。「実在」↑「セザンヌが見たイメージ」↑「セザンヌが見たと思ったイメージ」↑「セザンヌが描いたイメージ」↑

「観者が見たイメージ」↑「観者が見たと思ったイメージ」。これで合っているのだろうか？　まるでマルクス・ガブリエルだ。それはともかく、ならばセザンヌにとって、見るとは、どういうことだったのか？

セザンヌはよく、自分の筆使いをじっと見つめながら何時間も過ごした。戸外に出たときは、凝視によって対象がぼやけて消え、あらゆるものの形が混沌とした状態に崩れていくまで、対象をじっと見続けた。セザンヌは眼に映る像を崩壊させることで、視覚の出発点へと戻り、「感度のいい記録板」になりきろうとした。この方法は時間がかかるため、歪んだ四角のテーブルに置かれた数個の赤いリンゴとか、遠くから眺めたたった一つの山といった、単純なものに焦点を当てざるをえなかった。（同）

セザンヌにとって、何かを見ることは、凝視への集中と持続によって、その何かが崩壊する、それを崩壊させる、ということだった。レーラーはこの語を使っていないが、これは一種のゲシュタルト崩壊だろう。しかし崩壊したそれをどう描けばいいというのか。肝心なのはそこではないのか。「セザンヌは、印象派のように何もかもを光の表層に還元してしまうことには興味がなかった。彼はカメラと論争することはやめてしまっていた。セザンヌがそのポスト印象主義の絵で明らかにしたかったのは、一瞬の時間はその光以上のものだということだった。印象派が眼を反映しているとしたら、セザンヌの芸術は脳に向けてかざされた鏡だった。／その鏡の中に何が見えたのか。眼に見える形、つまり静物画のリンゴとか風景の中の山は、脳が作り上げたものにすぎず、私たちは無意識のうちにそれを感覚に押しつけているのだということに、セザンヌは気づいた」。

　こうして「セザンヌの脳科学」が提示される。眼に映ったものを脳が認識したとき、それはもうそれとは違ってしまっている。その変異の過程それ自体を一枚の絵の中に畳み込むこと。「セザンヌの絵画は、視覚野が感じとった線が織りなす秘密の幾何学を忠実に写している。まるで彼は脳をばらばらに分解し、視覚のプロセスを自分の眼でたしかめたかのようだ」。そんなことは不可能なのだが、だからセザンヌはそんなことをしていないのだが、しかし次のことは正しい。「セザンヌは空や岩や木々を描こうとしているのではない。彼はこれら個々の要素を感覚の部品に分解し、風景を脱構築して、脳がどうやってそれを再構築するかを私たちに教えているのだ」。先の羅列の一番最初、すなわち「実在」もまたイメージである、と考えざるを得ない、利口な考え方に従うのであれば。だがその一方で、実在は実在する、と言ってしまいたくもなる。そもそも、何もかもがイメージである、とする考え方と、確かに何かが実在している、という考え方は、それほどまでに対立するものなのだろうか。実はそれほど変わらないのではないだろうか。だがレーラーはあくまで真面目である。

> セザンヌの絵の表層が示しているように、私たちの感覚は、その最も基本的レベルでは、矛盾と混乱に満ちている。光の騒音で溢れかえった視覚野の細胞は、いろいろな線がありとあらゆる方向に伸びているのを見る。さまざまな角度が交差し、筆使いは衝突し合い、画面は

絶望的なほどぼやける。世界はいまだ形をなしておらず、色のついた断片の集合にすぎない。だが、この不明確さは、私たちの見るプロセスにとって欠かせない部分である。というのも、これが私たちに主観的解釈の余地を与えるからだ。人間の脳は、現実がみずからを決定できないように作られている。セザンヌの抽象的な風景画を理解するには、脳が介入する必要があるのだ。（同）

従って、次の主張が導き出される。「セザンヌが自然を抽象化したのは、私たちが見るすべてのものが抽象物であることに気づいていたからだ」。レーラーの立場は持田季未子とはほとんど正反対のようにも思える。しかし繰り返すが、実在と抽象、自然とイメージは、ほんとうはそれほど違わないのではないか。要はどちらから見るか、ということでしかない。山と同じだ。

しかしあらためて、見えている／見えていたはずの何かを、そのまま描くなどということは、ほとんど不可能であるがゆえに、そこには異様なまでの集中が必要とされる。「どうしてセザンヌにとって、絵を描くことはそれほどの苦闘だったのか。それは、たった一回でも筆使いを誤れば絵の全体が台無しになってしまうことが、わかっていたからだ」とレーラーは書いている。彼は脳科学が明らかにした人間の視覚的な認知のプロセスの特性について述べてから、次のように結論づけている。

こうしたすべての解剖学的知見がもたらした教訓は何か。それは、脳はカメラではないということだ。セザンヌが理解していたように、見ることは想像することである。問題は、私たちが見えると思っているものを定量化する方法はないということだ。私たちは誰しも、自分だけの視野の内部に閉じ込められている。もし私たちがこの世から自己意識を取り除き、眼球の人間味のない正直さでものを見たなら、混沌とした空間にきらきら輝く孤立した光の点以外には何も見えないだろう。そこに山はないだろう。カンヴァスには空白しかないだろう。　（同）

セザンヌという画家は、実在と抽象、自然とイメージの、そのどちら側に与したわけでもなかった。彼はそのあいだを、あるいは両方をやろうとした。それはつまり「世界」に誠実かつ真摯に、命懸けで対峙しようとしたということだ。世界に対して、絵画には、芸術には、何が出来るのか？　「セザンヌの絵は絵画批判であり、絵そのものが非現実的なのだという事実に注意を向けさせる。セザンヌの絵は、風景が負の空間からなっていることを認め、果物を盛った鉢が筆使いの集合体であることを認めている。すべてのものがカンヴァスにうまくはまるように曲げられている。三次元は二次元へと平板化され、光は絵の具に交換され、風景全体が意図的に構成されている」。

山を、森を、木を、今ここにある、その時そこにあったそれを、ただ描こうとするだけなのに、描くことで残そうとしているだけなのに、どうしてこれほどむつかしいのか。なぜ、そんなことがしたいのか、などと問うてみても仕方がない。ただ、そうしたいのだ。だがそれは、欲望よりも使命に似ている。ここにはおそらく、さしあたり芸術と呼ばれている営み／試みが、いったいなんで存在するのか、という身も蓋もない疑問への、ひとつの答え方が、ある。「私たちが脳の中で見ているものを表現する方法は、芸術であって科学ではない。この点で、絵画は現実に最も近い。絵画は私たちを自分の経験に最も接近させてくれる。セザンヌのリンゴの絵を見つめるとき、私たちは彼の脳の内部にいる。（中略）リンゴはそれまでずっとそうであったもの、すなわち脳が創り出した絵、あまりに抽象的なために本物のように見える視覚像になったのだ」。

セザンヌのリンゴ、セザンヌのサント・ヴィクトワール山。それは時としてリンゴには見えず、それはしばしば山に見えない。だがそれはリンゴであり、そのリンゴであり、山であり、この山なのだ。このこれ。

トシはどの犬にも、いぬ、と名前をつけた、だからいつもいた、
いぬ、はどれも穴から来た

（「月の客」）

カラスヤサトシの四コマ漫画に、田舎の犬には名前がない、そしていつのまにか死んでいる、しかしすぐまた別の犬がいて、それにも名前がない、というようなのがあった。あれには感動した。いぬ、という名前の犬。ねこ、という名前の猫。そのとき、この犬やこの猫は、この犬でありこの猫であると同時に、他ならぬこのこれ、であると同時に、「いぬ」であり「ねこ」でもある。それは、この世界に生まれてきて生きて死んだ、この世界に生まれてきて生きていていつか

必ず死ぬだろうすべての犬と猫のことでもあり、そしてまた、犬という存在や概念、猫という存在や概念のことでもある。山下澄人が書いているのはそういうことだ。そしてそれを言うのなら、ほんとうは「トシ」も「ひと」とか「にんげん」でもいいのだ。そういうことだ。かけがえのない、と、ありとあらゆる、の、その両方。

山下澄人の『壁抜けの谷』には、次のような一節がある。

わたし、ぼく、わし、俺、自分、何でもいい。このこれ、このからだを自分とし、それをそのどれかで、ぼくは、ぼくを、「ぼく」もしくは「わたし」と呼ぶ。
そうしなければ、その話は、体験は、誰のものだかわからない、からだ。それが誰のものか誰かが知りたがっているかどうかはその際関係がない。そんなこととは関係なくそういうものとされている、からだ。わからなければ混乱する、とされている、からだ。なぜ混乱するのかの説明もされてないのに、混乱するのだろうとされているから、そうしている、からだ。

（『壁抜けの谷』）

「月の客」は、山下澄人がこれまでに書いた小説の中でもっともシンプルだ。ここまで装飾を削ぎ落とした、そっけない、乱暴な、と言ってもよい筆致で、こんなことが書ける、書けてしまうのだということに、慄然とするような、しかし清々しくもある驚きを感じる。そこでは『壁抜けの谷』で徹底的に突き詰められた「私」と「世界」にかかわる思考が、そして『ほしのこ』で、ぐるりと――内側が外側に／外側が内側に――反転され開かれた、このこれと、全体との関係が、より研ぎ澄まされた、より深められた、そしてより悲愴でより勇壮な意志のもとで、問われている。これはほとんど神話である。だがそれは実にみみっちくみっともなく酷い、酷過ぎる、にんげんどもの神話だ。だから「神」話ではないのかもしれない。

いいや、そうではない。そもそも「神話」とはそういうものなのではないか。

明け方、大きな地震が来た、

トシはいぬとほら穴にいた、

いぬは年が明けてから、動かなくなっていた、横になり舌を出し、呼びかけても尻尾も振らなくなっていた、小さな息が、続いていた、呼べばこたえた、眉をあげて、トシを見た、いぬの目玉にうつるトシは、子どもじゃもうない、見上げた時の高さも違う、においも違っていた、しかしそれがトシのにおいだ、間違えたりはしない、

しかしこの日死ぬのは最初のいぬじゃない、

最初のいぬはもっとずいぶん前に死んだ、ほら穴で死んだ、

トシはほら穴の前で最初のいぬを焼いた、ランドセルと一緒に、骨になるまで焼いて、かけらを食べて、あとは山にまいた、

そのいぬじゃない、今死にかけているのはそのいぬじゃない、

それでもいぬは子どものトシを知っていた、

いぬは全部知っていた、

いぬ、としてあらわれたすべての犬は、トシの全部を知っていた
いぬは子どものトシを見ながら夢で走っていた、

（「月の客」）

生まれて生きて死ぬ、という動詞を繋ぎ目にすれば、みんな一緒になる。固有性と普遍性の通底。ポール・セザンヌは、生まれて生きて死んだ。山下澄人は生まれて生きていて、いつか必ず死ぬ。「佐々木敦」も生まれて生きていていつか必ず死ぬ。この当たり前に愕然とし、陶然とする。

絵画と写真と映画を較べてみよう。三つを二つと一つに分ける仕方には三種類ある。まず、わかりやすいのは「絵画＋写真」と「映画」だろう。出来上がったものが静止しているものと動いているもの。それから「絵画」と「写真＋映画」は、手仕事と撮影機械の違い、描かれたものと写し取られたものの違い。「絵画＋映画」と「写真」は、イメージが定着されるまでに要する時間による分け方である。絵画しかなかった時代には、何かを写す／描くときに、筆と紙を使うしかなかった。やがて写真が発明され、目の前の風景を枠取って静止した像として残すことが出来るようになった。だが写真が生まれたからといって、にんげんは絵を描くことをやめてしまったわけではなかった（セザンヌは写真を用いて絵を描いた）。

同様に、映画が誕生しても、写真が用済みになることはなかった。とりあえずその時々、にんげんは使えるものを使うしかなかったのだが、使えるものが増えてからも、前から使っていたものは用済みとはならなかった。それはむしろ、次のやり方が出てきてから気づかれていったこと

なのかもしれないが、それまでは出来なかったことが出来るようになったり、足りなかった部分が補われたりするようになると、そうしたことが不可能や不足だと思えていたときには見えていなかった可能性や豊かさが、浮き上がってきたりもしたのだった。同じ何かに向かい合ったときに、絵画と写真と映画はそれぞれの仕方でそれを摑まえようとして、成功とか失敗とかではなく、それぞれのやれる範囲でやれるだけのことをやって、そうして得られたものが残っていく。そうやって数百年が過ぎた。

絵画や写真や映画が、写し取ろうと、描き上げようとしたものが、何であるのかも重要なことだった。たとえばごく簡単に、動いているものと動いていないもの、という二分を考えてみる。一見、動いてないように見えるものだって、よくよく見れば、微細に、極微に見れば、必ずどこかが（すべてが）動いている、というのはむろん真実だが、ここではそれは措いて、そこに在る現実の断片／断面、イメージとして残そうとしているそのそれが、一見不動であるならば、こちらはじゅうぶんに時間を掛けて、それを写し描くことが出来る。しかし向こうが不断に動き、刻々と変化していようものなら、映画はその長さの間だけの変異変動をとりあえず収めることが出来るが、絵画と写真には何かしら対応が求められる。逆にいつまでもただ静止しているだけのものを映画に撮る、撮り続けることに何かの意味や意義を見出すには、それなりの理屈が必要となる。

動いているもののもっともわかりやすい例は生きているものである。生き物。生物。もちろん絵画のモデルは大抵の場合、じっとしているのだが、絵筆が止まればそれは動き出す。写真であれば機械的に静止させることが出来るが、その静止の瞬間はどこにも存在していない／存在していなかった、ある意味では奇跡的な、またある意味では不気味な時間である。持続の中に瞬間を、瞬間の中に変化を、変化の中に同一を、同一の中に差異を、差異の中に反復を、反復の中に持続を見出そうとして、それに成功する（こともある）。じっさいには世界は片時も静止していないので、ならば映画がもっとも有利なのかといえば、そうでもない。写そうとするもの、描こうとするものが、動いている、ということ以前に、こちらが動いている。絵筆を動かすのもカメラを構えるのもシャッターを切るのもにんげんで、そのにんげんは動いている。つまりそのにんげんは生きている。生まれて生きて、そして死ぬ。

サイレンが遠くで鳴っていた、

しばらくしてあちこちから火の上がるのが見えた、小さな火に見えた、それが広がっていった、

しばらくすると火の中から、火のないところから、ぼんやりとした丸い、白い、風船、光る、風船、のようなものが、空へ向かってゆっくりと、あちこちから、ゆっくりと上がっていくのが見えた、それらは街のいたるところから上がり、最初は少しずつ、それからだんだん増えて、空の、大きな月に向かってゆっくりと、

いぬが横にいた、座って、トシと同じように光が月へ向かって飛んでいくのを見ていた

いぬは光っていた、

いぬは、昇っていくたくさんの光と同じように、白く、ぼんやりと、光っていた

部屋のあったアパートは崩れ落ちていた、
大きな家も崩れていた、女がその中で死んでいた、トシは知らない
母の住む家へ向かった、母はいた、潰れた家の前で、しゃがんで、何か書いていた、近づくと、顔を上げ、笑った
サナの家も潰れていた

（「月の客」）

とつぜん「サナ」の二文字が穿たれ、おもむろに彼女が「やっとわたし／わたしの番やね」と話し出すところが大好きだ。「月の客」には、山下澄人の他の小説と同じく、土地や場所の名前が出て来ない。だが、これも山下澄人の他の小説と同じく、そこはけっして抽象的な空間というわけではない。むしろほんとうは、はっきりと、どこ、が、それから、いつ、が、その言葉の端々に刻み込まれている。

ドーン、地鳴りがして、日に何度も下から突き上げて来た
ドーン
ドーン
地面が、石の裏が、暴れていた
横になってその音をトシは聞いていた、母も聞いていた、

トシは起き上がり、暗い階段を上がって校舎の屋上に出た
三階建ての上、
空が、赤い、あれは海の方だ、
浜で何かが燃えている、瓦礫だろう、
大きな月、は出ていただろうか、出ていない
下をのぞくと、暗くて何も見えない
目の前には木の先、鳥には見慣れた木のかたちだ、鳥はこの角度でいつも木を見る、下から見上げることはほとんどない、まったくないわけじゃない

（同）

どこでいつのことなのか記す必要はないだろう。これはあのとき、あそこでのこと。それだけではない。あの日あの場所だけのことではない、これも確かなことだ。時空間の或る一点、時空間に散らばる無数の点々、時空間そのもの。せかい、しんせかい、ちきゅう、うちゅう。そういえばこれは「月の客」という題名だった。つき。大きな月。

真っ暗の、真っ暗だ、これは、宇宙、うちゅう、そこに浮かんでいる、呼吸はできている、透明の膜に覆われている、裸で浮かんでいる、どこを見ても黒、遠くに、近くに、近いといっても遠い、星、ちかり、ともせずに、点、白や赤や黄や青、自由だ、何からも、ここには誰もいない、何もない、見えているものは、星と、黒、見えない力、見ているのか、ここ

から、膜から、出ることはできない、出ることができない、どこか息のできる星、いた星、薄い膜に覆われた星、そこへ降りなければこの膜の外へは出られない、膜から膜へ、息をしなければならない、胸が、腹が、膨らんでは、縮む、繰り返している、何をしていても、寝ていても、気を失っていても、生きている限り、これを繰り返さなければならない、風船が、膨らんでは縮む、膨らんでは縮む、繰り返す、ずっと、繰り返す、繰り返し続けなければならない、このこれ

（同）

このこれ。この四文字は山下澄人の小説＝世界の最重要ワードだ。このこれ、と、この全部。トシ、サナ、ラザロ、まっさん。男、女、子ども、人間。にんげん。誰かが言う。「わかる、何だか少し、わかる、薄く光がさしたように思える、思える、思う、何が、わたしが、わたし、このこれ、息を吸い、吐き、膨らんでしぼむ、これ、それを行っているあいだ、あれやこれやとうるさいこれ」。このこれわたし。

アルフレッド・ノース・ホワイトヘッドは一八六一年二月十五日に生まれ、八十六年生きて、一九四七年十二月三十日に死んだ。晩年に著された『思考の諸様態』（一九三八年）の末尾に置かれた、邦訳では四頁しかない「哲学の目的」の最後に、ホワイトヘッドは次のように書く。

もし、そういいたければ、哲学は神秘的である。なにしろ、神秘主義とは、まだ語られていない深みをじかに洞察することなのだから。だが、哲学がめざすのは、神秘主義を合理的

に説明することだ。ただ、その説明によって、神秘主義がなくなるわけではない。合理的に整理された、あらたなことばづかいによって生まれ変わるのである。

哲学は詩に近い。いずれも、文明と呼ばれる最高の良識を表現しようとし、ことばのそのままの意味を超えた形式にかかわっている。詩は韻律に、哲学は数学的パターンに結びつく。

(『思考の諸様態』/藤川吉美、伊藤重行訳（但し右の引用は中村昇著『ホワイトヘッドの哲学』の訳文を使った）)

ホワイトヘッドの哲学はよく「難解」だと言われる。日本語で書かれた彼についての書物や紹介（それほど数は多くないが）のほとんどにそう書いてある。そうなのかもしれない。確かに主著『過程と実在』（一九二九年）は用語法も体系化も一種独特だから、二種類ある日本語訳を引き比べてみてもその全体を理解することは難しい（たぶん最初から英語で読んだほうがまだ解る）。それでも無理矢理読んでみれば、何かを得ることは出来る。わかったわからないはどうでもいいと思えば、そこには沢山のわかることが書かれてある。

『過程と実在』には「コスモロジーについてのエッセイ」という副題が付いている。コスモロジーは宇宙論という意味だ。これも厄介な言葉だが、でもこれは「哲学は詩に近い」と言う人が書いた本だ。詩として読んで構わないということだ。詩の定義もまちまちだが。「哲学は驚きの産物だ。われわれをとりまく世界を一般的に性格づけようとする努力は、人間の思考のロマンである」。『思考の諸様態』はホワイトヘッドによるホワイトヘッド入門の趣きがある。たとえば「創造的衝動」と題された第一部の第二講「表現」には、こうある。「表現とは、環境のなかで、表現者の経験において最初に心に抱かれた何かを伝え広げることである。そこでは、いかなる意識的な決定も、もちろん、含まれてはいないのであって、ただ拡散させようとする衝動だけが認められるのである。こうした衝動は動物の本性にみられる最も単純な特徴の一つであって、外の世界（the world without）についてわれわれが抱く前提の最も基本的な証拠となるものである」。

実際、超えてある世界（the world beyond）はわれわれ自身の本性と非常に親密にからみあっているので、われわれは無意識的に、その世界の生きいきしたパースペクティブをわれわれ自身と同一視するのである。たとえば、われわれの身体はわれわれ自身の個的存在を超えて位置している。けれども、そのわれわれの身体は個的存在の一部なのである。われわれは自分たちのことをこう思っている。つまり、人間は身体で営む生活と非常に親密にからみあっているわけだから、人間は精神と身体との複合体であると。だが、身体は外界の一部なのであって、外界と連続しているのである。実際、身体は自然の他の何らかのもの、たとえば、川とか、山とか、雲とかいったようなものと同じように、まさに自然の一部なのである。また、もしわれわれがこと細かに厳密であろうとしても、身体はどこからはじまり、外部の自然はどこで終わるか、といったことを定義することはできない。

（同／藤川、伊藤訳、以下も同じ）

そしてホワイトヘッドは次のように定義する。「人間の身体というのは、人間の表現の基本的領域であるような世界の境域なのである」。では、そこに「過程」という概念はどうかかわってくるのだろうか。同書第二部「活動」の第五講「過程の形式」の中で、ホワイトヘッドは「数」を例に挙げて説明している。「すべての数学的概念には混ぜ合わせの過程との関連が認められる。数という概念は、まさに、個体的な統一から複合されたグループへの過程にあてはまるのである。最後にくる数は、そうした統一のいずれにも属してはいない。それは、グループの統一性が達成されたやり方を特徴づけるにすぎないのである。従って、「六は六に等しい」という言明でさえも、たんなるトートロジーと解釈されてはならない。ある特殊な組み合わせ形式を支配している六は、それ以上の過程を示す与件の性格としての六となるのだ、と解釈されうるのである。たんなる静的な数であるような実質なるものは存在しない。世界過程（world-process）から抽象化して考えられるさまざまな過程において、役割を演じる数だけがあるのである」。じゅうぶんわかる、それに目覚ましく刺激的ではないか。

世界過程という概念は、それゆえに、過程の全体性という概念と考えられるべきである。至高の存在という概念（引用者註：この少し前に「ギリシア哲学でいわれる「至高の存在」は、能動的精神をもったギリシア人たちがエジプト人の思想と接触をもつようになったとき、その当時の新しい数学上の発達に影響された思想家たちによって考えられたものであった。彼らは数学的諸概念の関連を誤解していたのである」とある）は、構成過程における現実態、つまり、歴史の場におけるある特別の時代の与件に限定されないような現実態に適用すべきなのである。その現実態は、その概念的欲求の無限性に基づいており、また、その過

> 程形式は、世界過程から受容する与件とこの欲求との融合から導かれるのである。世界におけるその機能は、生きいきした経験という目標を支えている、ということである。それは潜勢態の貯蔵所であり、また、成就の調整者でもある。その過程形式は、そこから過程がはじまる与件と関連している。その結末は、その機能を未来の歴史的世界において働く与件として仮定されている統一化された構成体なのである。
>
> （同）

訳文の硬さのせいもあって、やや「難解」に感じられるかもしれないが、ここでの「世界過程」とは、「世界」は「過程」であり「過程」が「世界」なのだ、ということだと理解しておけばよいだろう。「現実態（actuality）」と「潜勢態（potentiality）」はアリストテレス由来の用語である。ホワイトヘッドによれば「過程＝プロセス」はその両方の土台を成している。「世界を全体的に理解するということは、そこに含まれている個体の同一性と差異性とによって過程を分析するということに存する。個体の特有性は、それと相互関係にある共通の過程の特有性に反映されるものである。われわれはどちらの極からも研究を開始することができる。つまり、われわれはまず過程を理解し、それから個体の特徴づけを検討することができる。あるいは、まず個体を特徴づけ、それから当該過程を形成するものとして、その個体を念頭に浮かべることができる。事実、その区別は力点の置き方の違いでしかない」。「個体」と「過程」は、どちらの向きにも主客の関係にあるのではなく、ひとつの事象の裏表として互いに影響し合っている。

過程という概念が容認されると、ただちに、潜勢態という概念が存在を理解するための基本的な概念になる。もし、宇宙が静的現実態によって解釈されるとすれば、潜勢態は消失する。その時にはどのようなものであれ、まさにあるがままのものである。継起というのはたんなる外見であり、知覚の制限から生じてくるのである。だが、もしわれわれが過程を基本的なものとして出発するならば、現在のその現実態は過程からその性格を引き出し、その性格を未来へと引き渡すことになる。直接性とは過去の潜勢態を実現することであり、そして、それは未来の可能性の宝庫である。希望と恐怖、喜びと幻滅は、事物の本性に不可欠の潜勢態から、その意味を得るのである。われわれは希望に燃えてあとを追っかけるか、あるいは、恐怖におののいて遂行から手をひくかである。直接的な事実のなかにある潜勢態は、過程の推進力になっているのである。（同）

中村昇は、『ホワイトヘッドの哲学』では「なぜかくも難解なのか」と書きつけながらも、すこぶる明快かつ親切にホワイトヘッドの哲学を整理整頓してくれている。そこで中村は、二十世紀前半を生きた哲学者であるホワイトヘッドが科学の発見／発展から強い影響を受けつつ自らの思考を展開、追求したということについて一節を割いている。

具体的には、相対性理論と量子論である。後者にかんして、中村は『科学と近代世界』（一九二五年）における量子論への言及を引きつつ、「この宇宙をつくりあげている最小の材料は、連続的に存在しているのではない。根本からして非連続なのだ。ミクロの領域では、なんとも不思議なことがおこっているらしい。このような非連続なあり方も、ホワイトヘッドは、自分の哲学体系の基礎にすえた」と書き、次のくだりを引用する。

量子論の導入した非連続性は、これに応じるために物理学の諸概念を修正するよう要求する。特に、すでに指摘されたように、非連続の存在を説くなんらかの理論が要求される。そのような理論の要請にしたがえば、電子の軌道を連続線ではなく、離ればなれにある位置の系列とみなすことができるのだ。

（『科学と近代世界』（『ホワイトヘッドの哲学』より））

ホワイトヘッドの哲学は、「過程」の哲学であると同時に、「非連続」の哲学でもある。つまり「過程」は「非連続」であり、また「非連続」の「過程」こそが問題なのだという。それが「世界」のありようなのだと。もう一点、中村はホワイトヘッドの「具体的なものをとりちがえる間違い（fallacy of misplaced concreteness）」を紹介している。

当然のことながら、この世界には、具体的なものが満ちあふれている。われわれをとりかこんでいるのは、具体的なものばかりだ。たとえば、あるひとりの人間がいて、ほかのひとと話している。その近くには、植え込みがある。とても具体的な状況だ。

ところが、そのひとたちの関係を「友人」と表現したり、植え込みを「自然保護の一環」などといったりすると、とたんに抽象的なものになる。眼で見ているものとはちがう「観念」だからだ。たんなることばといってもいいだろう。「友人」や「自然保護の一環」というのは、ただのことばにすぎない。実際に視覚でとらえるひとや植物にくらべれば、はるかに具体的ではない。

（『ホワイトヘッドの哲学』）

しかし、と中村は続ける。だがそれを言うなら、そもそも「ひと」だって思いきり抽象的なのではないか。「「ひと」と呼ばれる対象は、実に複雑でわけのわからない状態にすぎない」。具体的でもなんでもない。すでにして観念ではないか。「だから、「われわれのまわりには、具体的なものがいっぱいだ」といっても、その「具体的なもの」というのは、すでに抽象化されているのである。〈具体的なもの〉を具体的なまま把握するのは、誰にもできない」。

ホワイトヘッドは、こうした具体的な状態を、いったん抽象化して把握しているにもかかわらず、抽象化したことを忘れ、その結果の方を、〈具体的なもの〉だと、われわれは思いこんでしまうという。このような錯誤を、「具体的なものをとりちがえる間違い」と呼んだのだ。

（同）

カントの「物自体」みたいな話だが（というかほとんど同じに思えるが）、実際、ホワイトヘッドは、「具体的なものをとりちがえる間違い」を克服するのはにんげんには不可能なのであり、むしろそのことを潔く認めつつ、しかしいけるところまではいってみる、という難儀に取り組むために、「〈具体性〉に漸近線的に近づく」ために、その哲学を構築していったのだと中村は述べている。そのために編み出された概念が「活動的存在（actual entity）」である。『過程と実在』でも詳述される、ホワイトヘッドの最重要概念である。山本誠作訳で「活動的存在」の定義を引く。

「活動的存在」――「活動的生起」とも呼ばれる――は、世界を構成する究極の実在的事物だ。なにかもっと実在的なものを見いだそうとして、活動的存在の背後をさがしてもなにもない。それらは、互いにちがう。神は、ひとつの活動的存在である。そして、はるか彼方の空虚な空間における最も瑣末な一吹きの存在も、そうなのだ。重要さに段階があり、機能もさまざまだが、現実が示す原理において、すべては同一レベルにある。究極的事実は、一様にみな活動的存在なのだ。そして、この活動的存在は、複合的で相互依存している経験のしずくである。

（『過程と実在』（『ホワイトヘッドの哲学』より））

「「活動的存在」は、最もリアル（実在的）な〈もの〉である。いいかえれば、最も具体的なものなのだ」と中村は書いている。ますますカントみたいだが、「この「活動的存在」という経験は、ホワイトヘッドによれば、人間の経験に限られているわけではない。どんな存在（「神」から、「瑣末な一吹きの存在」にいたるまで）も、それが経験として生成すれば、まさに「活動的存在」なのである」。中村は、F・ブラッドフォード・ワラックによるホワイトヘッドの研究書から、ホワイトヘッドが「活動的存在」の例として挙げた諸々の事物の長いリストを引用している。

神、瑣末な一吹きの存在、一羽の鳥、一匹の野獣、一本の木、一本の草、一枚の葉、一羽の鳥、一頭の羊、一粒の砂、母親についての子供の観念、太陽、ソクラテス、可死的生起、アテネ的生起、シーザー、ルビコン川、シーザーのルビコン川の渡河、ハンニバル、電子的生起、陽子的生起、エネルギー量子、人間身体の諸器官、神経細胞、エディンバラの城岩、古代ローマ帝国、ヨーロッパ、北米におけるヨーロッパ諸人種の歴史、スペインのカリフォルニア支配の失敗、スペインのイングランド支配の失敗、地質学で論じられる事柄、シェイクスピアのソネット、バッハのフーガ、講堂、ビルディング、マサチューセッツ州のケンブリッジ、地球の表面、地球、太陽系、星雲、星雲系、生きる生起、聞き手、究極の知覚者、直前の過去のわれわれ自身、われわれの直接の現在、自我、霊魂、心、ギリシア語についてのある人間の知識、人間の知っている生起、人間の知らない生起、人間的経験、下級の有機体、いわゆる「空虚な空間」における生起、存続する生きていない対象の生起、原始的有機体、動物の生起、植物の生起、細胞の生起、大規模な無機的自然の生起、分子以下の出来事

(『ホワイトヘッドの哲学』)

この世界に「生起」する/した何もかもと言いたくなってくる。マルクス・ガブリエルの「世

界」みたいだ。ホワイトヘッド哲学の重要な用語には「抱握（prehension）」というものもある。中村による引用から定義を見ておこう。

知覚（理解）する（perceive）ということばには、日常の用法では、認識的把握という観念が、どうしても入りこんでいる。把握（apprehension）ということばも同様であり、認識的（cognitive）という形容詞がついていないときでさえそうである。わたしは、非認識的把握（uncognitive apprehension）にたいして、抱握（prehension）ということばを使いたい。このことばでわたしが意味しているのは、認識的でもあり、またそうでもないこともありうる把握だ。

（『科学と近代世界』（『ホワイトヘッドの哲学』より））

平倉圭は、芸術論集『かたちは思考する』の序論「布置を解《ほど》く」において、ホワイトヘッドの「抱握」を援用している。そこで平倉は「思考」の定義を行っているのだが、その内の一つとして「集合的」であることを挙げる。「紙の上に鉛筆で計算をおこなうとき、計算の記号過程は、紙の繊維とグラファイトの粒子の間で生じる物的過程からいわば「隔離」されている。つまり線のかすれは計算結果に影響しない。対してカンヴァスに絵具で描くとき、絵具と画布の繊維の間で起こる物的過程は、絵画の思考の内的な一部をなしている。だが絵具と繊維の間で生じる出来事の細部を、画家が全的に意識できるわけではない。絵画の思考は部分的に非意識的であり、画家の生物学的身体の外で起こる物質的過程に開かれている」。

そして平倉は、『科学と近代世界』でホワイトヘッドが十七世紀の哲学者フランシス・ベイコンの『森の森、または自然誌』から「物的対象の「知覚」」を論じた部分を引用し、非意識的な物体の知覚をホワイトヘッドは「抱握」と呼び換えたのだと述べる。

物体は互いを知覚＝抱握する。絵画で言えば、画家は、画布上の事物たちの知覚＝抱握過程と協働しながら、思考している。非生命的な物体どうしの作用もまた、集合的な思考過程の一部をなすのだ。

(『かたちは思考する』)

抱握し、抱握される、活動的存在、過程、実在、世界。「月の客」のサナだか誰だかは「続かない」「もう続けられない」と言い出す。弱音だ。「もう境目が、ない」「わたしは、わたしではなくなる」「みんなそうだ」「誰か続けて」。そして誰かが続けるが、それはサナかもしれない。山下澄人は、はじめからそうだったといえばそうだが、ますますもってベケットに似てきた。サミュエル・ベケット。モロイやマロウンや名無しや名無しでさえないものたちが「月の客」のトシやサナに転生しているとさえ思える。いや、違う。路上のベケットだ、正真正銘本物のウラジーミルとエストラゴン。小汚い、のたれ死にの、聖なる、ベケット。

病院を出て、駅まで歩いて、電車に乗った、終点まで乗って、また別の電車に乗った、海が見えて、そこで降りた、砂浜だった、夏だったから、夏のはじめ、人がいた、水着でいた人もいた、はまを歩いた、だんだん人がいなくなった、岩場になった、ござをひろった、それを敷いてそこに横になった　子どもが石を投げてきた、こじきといっていた、せむしの男を思い出した、毎日海を見ていた、海に飽きた、海は、動かない、川へ歩いた、何日も歩いた、見おぼえのある山のかたちが左の遠くに見えた、あの山の下、坂の上に、ほら穴は、ある、街は変わっていた、空き地、草がはえている、新しい建物、人も変わった、知らない街だ、変わらないのは山のかたち、それから海、いずれずっともっと先に、山のかたちも変わる、海も変わる、何だけ変わらない、何だけ、変わらない、足を引きずり歩く男が見えた、それは、おれ、だ、窓ガラスにうつっていた、大きな建物、人がたくさんいた、若い人、家族づれ、年寄りもいた、おれも年をとっていた、最初はそれがおれとわからなかった、髪は白い、肩まで長い、背中は曲がり、着ているものはボロボロだ、いぬがいれば、いぬがいれば、警察に捕まらないように、警察はすぐにおれを見つける、見つけられたところで何もしていない、しかしそんなことは関係ない、警察がおれを見つければ警察はおれに声をかける、それから子ども、今もそうだ、窓ガラスの向こうから子どもがおれを見ている、隣に立っているのは母親だろう、母親は背中を見せている、間もなく子どもは母親の手を引いて、あれ見て、とおれを指す、赤い自動車がおれの横を通った、きれいな赤だ、夜寝て昼歩いていた、しかしすぐに夜歩いて昼寝ることにした、川へ出た、大きな川、水が動いていた、汚れた青いシートを見つけた、地震のあとよくみた、これを屋根にする、少しずつ、河原を歩けばものは落ちていた、それをひろって使った、いつも川の音がしていた、夜になると向こう岸を見ていた、花火をする人がいた、大きな音をたててオートバイが走った、川にはいろんな鳥が来た、穴には来ないものもいた、白い大きな鳥、大人のふとももぐらいのこいがいた、こいはなんびきもいた、なかなかつかまえられなかった、はだかになって川へ入って、ゆっくりちかづいて、抱くと静かにこいはつかまえられた、入る前にたき火をしてからだをあたためたら、もっとかんたんにつかまえられた、つかまえたこいは食べた、あゆもいた、うなぎもいた、うなぎはつかまえられない、川からはなれると川の音が消えて、ものたりない気持ちになった、子どもが、中学生、青い家に火をつけられた、集めていたものがぜんぶ焼けた、またひろい集めた、寝ているときに誰か人間に頭を殴られた、きぜつした、たぶんそう

（「月の客」）

長い長い引用。どこにも「略」を入れられない、一息で読まれるべき文。にほん語で、漢字とひらがなで書かれたモロイ、ベケット。ここには何もかもが書かれている、という錯覚と確信。このこれ、と、この全部。有限のもので無限に近いものを表現すること、無限を有限に内包すること。ホーリズム。全体論。世界過程。非連続。有機体。抱握し、抱握される。続かない。もう続けられない。境目が、ない。わたしは、わたしではなくなる。みんなそうだ。誰か続けて。誰が喚《よ》んで、誰が答える／答えたのか。誰？

わたし
は母から出て来る時、母の中にいた時、母の細胞と父の細胞が

わたし
になる時、
わたし
になった時、その全部を見ていたかった、見ていた、わかっている、すべて見ていた、だけど
わたし
がいいたいのはそうじゃない、そんな、
わたし
の外、
わたし
が
わたし
というこれの見たり聞いたりしたものの外、の話じゃない、
わたし
が、見ていたかった

わたし

いつまでわたしは、わたし

（同）

わたし、わ、た、し、私は、今もまだ「月の客」を読んでいる。まだ読んでいる。まだ読み終わらない。もうしばらくは、このまま、続く。続けられない。続けよう。読み終わった。まだ読んでいる。読み終わらない。続ける。続く。続かない。読み終える。私は、私が、これを、このこれを、書いている。まだ書いている。書き終わらない。書き終えよう。書き終わった。まだ書いている。書いている。書いている。書いている。待ちながら。このこれ、を待ちながら。小説？　待っている。それが来るのを待っている。

第五章

小説の準備

テクストの楽しみ、それは私の身体がそれ自身の思念にしたがおうとする、この瞬間のことなのだ――なぜなら、私の身体は私とおなじ思念を持たないから。

（ロラン・バルト『テクストのたのしみ』／鈴村和成訳）

批評家ロラン・バルトは一九八〇年三月二十六日に死んだ。六十四歳だった。彼は一九八〇年二月二十五日に交通事故に遭って入院し、およそ一ヵ月後に院内感染によって命を落とすことになった。

ここに一冊の分厚い本がある。『小説の準備』。「コレージュ・ド・フランス講義　1978―1979年度と1979―1980年度」とある。バルトは一九七七年にコレージュ・ド・フランスの教授に就任したばかりだった。結果として最晩年となった同校での一連の講義のための草稿やノートは、バルトの死後、全三巻の書物にまとめられた。『小説の準備』は、その最終巻にあたる。

ダンテは言った：「人生の道の半ばで」と。このときダンテは35歳。私はずっと年上で、人生の道の数学的な半ばをとうに過ぎている（そして私はダンテではない！　気をつけよう、偉大な作家とはそれに自分を比べる対象なのではなく、多かれ少なかれ部分的にはそれに自分を同一化できる、またそうしたいと望む対象なのだ）。——しかしダンテのこの詩句は見事なまでに直截で、世界で最も偉大な作品のひとつを主体の宣言によって始めている。↓この宣言は以下のことを語っている：a）年齢は書く主体の構成要素である；b）半ばというのはもちろん数学的なものではない：誰がそれを前もって知りうるだろう？　半ばとは、あるできごと、ある瞬間、意味深く厳粛なものとして経験されたある変化などに関係するものである：それは一種の「全面的な」自覚であり、まさにひとつの旅を、新大陸（暗い森 *selva oscura*）への巡歴を、ひとつの通過儀礼を定義し聖別することのできる自覚である。

（『小説の準備』／石井洋二郎訳／一部略）

「小説の準備」講義第一期（「生から作品へ」と題されている）の初日にあたる一九七八年十二月二日の、まだとば口と言っていいところで、バルトはこう語り出す。「ところで私はといえば、人生の算術上の半ばを遥かに過ぎてしまったとはいえ、今日、自分は道の半ばを生きているのだ、水が二つに分かれる一種の分水嶺にいるのだ、というあの感覚・確信を抱いている。それは二つの「意識」（明白な事実）とひとつのできごとの影響から生まれた」。

　このときバルトは六十三歳、まさかわずか一年三ヵ月後に自分がこの世を去ることになるとは思っていなかっただろうが、しかし続く部分には紛れもない予感のようなものを感じさせる。ひとつ目の「意識」は次のようなものである。

ある年齢に達すると「残された日々は限られている」：漠然とした秒読みではあるが、その不可逆性は若い時よりも強く感じられる。［**限られた残りの日々**］自分がやがて死ぬというのは「自然な」感情ではない（だからこそあれほど多くの人々が、自分が死ぬことはないと確信しながら木に激突したりするのだ）。年齢がこの明白な事実を突きつける：「私は死すべき存在だ」。年齢へのこうした関連づけはなかなか把握されず、なかなか理解されない――そこには「そんなばかな！」という強がり、ないし強迫観念が見られる。それでも為すべき仕事を狭い限られた枠に納めなければならないという必要性は差し迫ってくる：最後の枠に。あるいはむしろ、枠はもう描かれており、もはや枠の外は存在しないので↓そこに納めようとする仕事＝一種の厳粛な儀式＝死の前における時間の用法を正視することになる。

（同）

とうとうもうじきわたしは完全に死ぬだろう（サミュエル・ベケット）。余命の自覚。たとえ病いを宣告されていなくとも、たとえ今のところは病んでいなくとも、余命とは要するに自分の現実の死の瞬間までの時間のことに他ならないのだから、要するに「私は死すべき存在だ」という自己規定はこの世界に生まれてきたものすべてがあらかじめひとしなみに負っている絶対的な条件なのであり、それは若かろうが老いていようが変わりはない。それが今のところまだやってきてはいないという時制において、生きているがゆえにまだ死んではいないという論理において、誰もがひとしく変わらない。

だからここで言われていることは結局、バルトそのひとが、この年齢になって「私は死すべき存在だ」を強く自覚するようになったという事実でしかない。「自分がやがて死ぬというのは

「自然な」感情ではない」というのはつまり彼の感情なのだ。確かにバルトの思考、バルトの批評、バルトの言葉には、常に一種の若さ、瑞々しさ、青臭さが、加齢とは無関係に宿っていた。彼は実際に若い頃から老成とは無縁だったし、年を経てからも成熟とはほとんど無縁だった。バルトの記述は、老いさらばえた自分を若い男たちは相手にしないだろうと嘆くときでさえ、いまだ香しい青春の匂いを放っていた。

しかし翻ると、バルトのようではない者にとっては「私は死すべき存在だ」は年齢とは無関係ないわば「生の条件」であり、自分がやがて死ぬというのは「自然な」感情なのだ。ふたつ目の「意識」は、次のようなものである。

これまでに為してきたこと、書いてきたこと（過去の仕事や行動）がひとつの同じ題材の繰り返しであり、繰り返しを免れず、繰り返しの退屈さを免れないように思える時が来たのだということ。［**単調な日々の連続**］「何だって？　私は死ぬまでずっとさまざまな主題について論文を書いたり、講義や講演を行なったり——最善な場合でも書物を著したり——するのだろうか、主題だけはそのつど（それもほんのわずか！）変わるにしても？」↓〈新たなもの〉いっさいの排除？　冒険の排除？　終身反復刑？　自分の未来を、死に至るまで、単調な日常の連続として見るのか？　何だって？　この文章を、この講義を終えたら、また別の文章や講義を始めるしかないのか？　——いや、シジフォスは幸福ではない：彼は疎外されているからだ、自分の仕事のむなしさにではなく、その仕事の繰り返しへと。

（同／一部略）

多少ともバルトの仕事を知っている者ならば、この述懐はかなり意外に思えることだろう。およそロラン・バルトほど「繰り返し」とは無縁の書き手はいない。理論的にも実践的にも、批評対象や活動領域の選択においても、彼は終世一貫して「終身反復刑」の求刑から逃れ続けたように傍からは見えるからである。なにしろ彼は、一九七五年には自伝的なエクリチュールと批評装置を連結させた『彼自身によるロラン・バルト』を、一九七七年にはよりロマネスクへの傾斜を強めた『恋愛のディスクール・断章』を発表していたのだし、二期開講された「小説の準備」講義のあいだには、あの独創的で美しい写真論『明るい部屋』を執筆してもいるのだ。

専門も専攻も持たない、文字通りの「アマチュア（＝愛するもの）」の批評家であるがゆえの変幻自在さ、自由気儘さ、反＝反復性こそ、バルトの真骨頂だった。そんな彼でさえ、このような心境に至っていたのかと思うと、驚きを禁じ得ない。そして彼はこう続ける。

最後に、運命に由来するひとつのできごとが不意に訪れ、苦痛を伴う劇的な形ではあっても、徐々に砂が堆積するようなこの過程に印をつけ、傷を刻み、切り込みを入れ、分節化を施し、私が「人生の道の半ば」と呼んだ、あの馴染み深くなりすぎた光景の反転をもたらすことがありうる：それは悲しいかな、もっぱら苦痛の所業なのだ。（同）

これは「喪」のことである。バルトはシャトーブリアンが描いたアルマン・ランセ、本講義において決定的に重要な役割を演じることになるマルセル・プルースト、シャンソン歌手ジャック・ブレルを例に挙げているが、もちろんそれは彼自身の体験でもあるだろう。バルトは約一年前の一九七七年十月二十五日に最愛の母アンリエットを喪っていたのだから。「そんなわけで、突然、次のような明白な事実が浮上する：一方で、私には複数の生を試みるだけの時間がもはや残されていない：私は自分の最後の生を、新しい生を、*Vita Nova*（ダンテ）あるいは*Vita Nuova*（ミシュレ）を選ばなければならない」。

『Vita Nova（新生）』はダンテ・アリギエーリが最初に著した詩集であり、夭折した恋人ベアトリーチェを歌った詩を含む。そしてこれはバルト自身が構想する小説の題名でもある。五十一歳で二十歳の女性と結婚したジュール・ミシュレは、新しい博物誌を書こうと決意した。Novaはラテン語で、Nuovaはイタリア語である。「そして他方では、繰り返される仕事による消耗と喪のせいで自分が追いやられている、この闇のような状態から脱出しなければならない↓こうした砂の堆積、流砂（＝実際には動いていない！）の中への身動きできない埋没、その場に立ったままの緩慢な死、「生きたままで死の中に入る」ことができなくなってしまうこの宿命は、こう診断される：「興ざめ」の全般化と意気消沈、新たに熱中することの不能」。では、どうしたらいいのか？

したがって、変えること、すなわち人生の半ばの「震撼《スクース》」に内容を与えてやること——つまり、ある意味では人生の（新生《ヴィタ・ノーヴァ》の）「プログラム」を与えてやることが必要である。ところで物を書く人間、書くことを選んだ、すなわち（ほとんど「第一の快楽」として）書くことの悦楽と幸福を感じた者にとって、新生《ヴィタ・ノーヴァ》とはエクリチュールの新たな実践を発見すること以外にありえない（と私には思える）。確かに、内容、教義、理論、哲学、方法、信条などを変えるということは、思い描くことができる（実際にそうする人々もいる：あるできごとやトラウマに動かされて大規模な教義上の変更を行なう人々が）。けれどもこれはありふれたことだ。考えを変えることなど、呼吸するのと同じくらい当たり前に行なわれている：熱中する／興ざめする／再び熱中する、それは何かを欲する限りにおいて、知性の衝動そのものなのだから（……）　（同）

「それゆえ、物を書いてきた人間にとって新生《ヴィタ・ヌオヴァ》の領域はエクリチュールのそれでしかありえない」とバルトは言う。そしてこう断言する。「期待される〈新たなもの〉、それはただ以下のことだけである：エクリチュールの実践が、それまでのさまざまな知的実践と断絶すること：エクリチュールが過去の運動の管理から離脱すること：書く主体は、自ら自己を管理せよ、作品を反復することで作品を管理せよと仕向けてくる（追い詰めてくる）社会的圧力を受けている：断ち切らなければならないのは、この単調さなのだ」。

　エクリチュールの、書くことそれ自体の新生を期待すること、欲望すること。ここでふと、バルトは「個人的な逸話を少し」と断わって、彼にこのような「変化」を決意させた「１９７８年４月15日」について話し始める。

　カサブランカ。午後のけだるさ。空は曇り、少し涼しい。私たちはグループで、二台の車に分乗して滝に向かって行く。悲しみ、ある種の倦怠、いつもと同じ、（最近の喪以来）絶えることのない、そして為すこと、考えることのすべてを覆い尽くす、あの倦怠（熱中の欠如）。パリへの帰還、空っぽのアパルトマン：あのつらい瞬間：午後。ひとりきりで、悲しみに包まれて↓塩漬け状態：私はかなり必死に思考する。ある考えの開花：「文学的」回心のようなもの――私の頭に浮かんだのはこれら二つの古めかしい単語だった：文学の道に入ること、エクリチュールの道に入ること：書くのだ、まるでこれまで一度も書いたことがなかったかのように：もはやそれしか為さぬこと（……）

（同）

そこでバルトはまずコレージュを辞めることを考えたと語る。次いで「講義と仕事を同じ（文学的）企図の中に投入しよう」と思いつく。「もはや為すべき仕事（講義、依頼、注文、義務）を終えて息切れすることもなく、そんな唯一の使命をみずからに与えるのだと思えば、これはまさに歓喜のイマージュである」。もちろんバルトはこの講義の成り立ちについて語っているのだ。「要するに一種の悟り、プルーストの話者が「見出された時」の最後で感じた啓示と同じような眩惑状態である」。こうして「小説の準備」が準備されることになったわけである。

だが、バルトのバルトたるゆえんは、一足飛びに「小説」を書こうとするのではなく、その「準備」を吟味検討し、思考することから入るところだ。「この「決意」を構成するいくつかの要素を、もう少し距離を置いて、より理論的に、より批判的な姿勢で、あらためて取り上げなければならない」。そこで彼が提示する概念が「書く意志（*Vouloir Écrire*）」である。バルトは、それは「姿勢か、欲動か、欲望か、私にはわからない：きちんと研究も、定義も、位置づけもされていないからだ」と言う。それを表す単語はフランス語には存在していない。だが「味わい深い例外」として後期ラテン語の「*scripturire*」という単語をバルトは書きつける。この語を彼自身、書物の中で一度しか目にしたことがない。「しかしたった一度ではあれ、ある言語の中に単語が見られるのであってみれば、他のあらゆる言語にはこの単語が欠けているということではないか」。このことは「書く意志」という概念が「きわめて稀」であることを示しているのだが、それとともに「もっと手のこんだ仕方で、欲動と活動がここでは自己指示的《オートミニック》な関係にあるからだろう」。

> ［**書く意志**］書きたいと口に出して言うこと、それがまさにエクリチュールの題材なのだ：だから文学作品だけが〈書く意志〉を証明する――科学的言説はそうではない。それがおそらく、科学に対立する（文学の）エクリチュールの核心をついた定義なのだ：生産物が生産行為と、すなわち欲動の実践と区別できない知の境位（この点において、それはエロティックなものに属する）――あるいはこう言ってもよかろう：書くことは、メタ言語の放棄なくしては完全に書くことにはならない、と：したがって、〈書く意志〉は〈書くこと《エクリール》〉の言語によってしか言うことができない：それが先に述べた自己指示性である。　（同）

この「自己指示」的なscripturireの例としてバルトが挙げているのは、まずはリルケの『若き詩人への手紙』、そしてそれ以上にプルーストの『失われた時を求めて』である。「この作品では

Scripturire がその集大成、記念碑をなしているからだ。プルーストは〈書く意志〉の武勲詩《ジエスト》を——そして身振り《ジエスト》を書いた」。「書く意志」自体の現勢化であるところの scripturire は、まさに純粋なる「書くこと」という運動であるのだが、それゆえにこそ、メタとは異なる仕方で己自身を指し示すことになる。このことをバルトは、いかにも彼らしい卓抜な理路によって説明してみせる。

> 『失われた時を求めて』が〈書く意志〉の説話であることの証拠は、この書物が次の逆説、つまりすでにそれが書き終えられた最後の時点から始まっているとみなされるという逆説の内にあるということを——これは〈書く意志〉と〈書くこと〉を定義する自己指示性の、見事な証明である。プルーストにとって、書くことは救済すること、死を克服することに役立っている：自分の死ではなく、愛する者たちの死を克服するのだ、彼らのために証言をもたらし、彼らを永遠化し、彼らを記憶の不在の外側に打ち立てることによって。
>
> （同／一部略）

だからこそ、とバルトは続ける。「『失われた時を求めて』には多数の「登場人物」が出てくるのだが（説話のレベル）、そこにあるのはただひとつのフィギュールなのである（それは登場人物ではない）：つまり母親－祖母であり、彼女たちはエクリチュールによって正当化されるがゆえに、エクリチュールを正当化する」。言うまでもないだろうが、これはバルト本人の話でもある。バルトはプルーストを「文学の世界ではまったく特異な存在」だと言う。「彼は一種の英雄的ならざる英雄なのであり、その内には書くことを欲する者の姿が認められるのだ」。

書くことを欲していたのはロラン・バルト自身であり、しかし彼はあくまでも、その欲求を批評家として分析することによって、それに漸近していこうとしている。この引き伸ばし、この遅延、この禁欲が、かえって欲求の強さを感じさせる。

私は長いあいだ、〈書く意志〉それ自体というものがあると信じてきた。書くというのは自動詞だと——今ではその確信が薄れている。おそらく、書く意志＝何かを書く意志なのだ↓〈書く意志〉＋〈対象〉。とすれば、エクリチュールのファンタスムというものがあることになる。
（同）

講義は二回目、一九七八年十二月九日に入っている。偶然にも今日のちょうど四十一年前だ（今日は二〇一九年十二月九日だ）。〈書く意志〉＋〈対象〉。ファンタスムの投射物であり起動因となる対象なくしては「書く意志」は空回りするばかりだ。そしてバルトはあっさりと認める。「〈書く意志〉とは、ここでは小説を書く意志のことであり、ファンタスム化された形式とは小説のことである」。だが、彼はこう釘を差すことも忘れない。「私がもう小説を書いているという人々さえいるが（噂というのはいつもそんな伝わり方をするものだ）、それは本当ではない」。

「**小説を書く**」もしそうだったら、当然、小説の準備についての講義などできるはずがあるまい：書くというのは、秘密でなければできないことだ。そう、私は小説のファンタスムを抱く段階までは達しているが、このファンタスム自体をできる限り遠くまで、次のような二者択一の地点まで押し進めてみようと決意したのである：欲望が萎えてしまうか、あるいは欲望が現実と出会って、これから書かれることがファンタスム化された小説ではなくなるか。
（同）

「私が小説と呼ぶもの、それはしたがって——さしあたり——メタ言語（科学的、歴史的、社会学的）によって引き受けられることを望まないファンタスム的対象である↓だからそこには「小説一般」についての注釈を乱暴に、かつ盲目的に括弧に入れること、すなわちエポケー（判断停止）がある」とバルトは言う。彼は「それゆえ、メタ小説というものはない」とまで断言してみせるのだが、これはむしろ、彼自身がすでに書いてしまった『彼自身によるロラン・バルト』や『恋愛のディスクール・断章』を一種の「小説」として捉えようとする見方に対して、いや、それはやはり違うのだ、と言っているように思われる。そうではない。私はまだ小説を書いてはいない、あれらはまだ小説ではない、私の小説はこれから書かれるのであり、今はその「準備」の最中、もしくは「準備」の準備段階なのだ、と。

では、バルトの言う「小説」とは如何なるものなのか。彼はトルストイの『戦争と平和』、そしてもちろん『失われた時を求めて』について述べるが、しかし「いずれにせよ私は、自分には記憶力がなく、そのせいで想起記述的な小説は書けないという確信をもっている」と言う。

「**私の記憶の欠如**」↓記憶の「障害」は多様であることに注意：純粋で、単純で、文字通りの記憶などありえないのであって、すべての記憶はすでにして意味なのだ。じっさい、（小説を）創造するのは記憶ではなく、その変形なのである。ところで、記憶の変形には生産的なタイプもあれば、そうでないものもある。↓プルーストの記憶。生き生きとした断続的な閃きによって甦る、時間に繋がれていない記憶（時間的前後関係の転覆）∴転覆されるもの、それは回想の鮮烈さではなく、順序である∴しかし回想が浮かぶとき、それは鋭く、急流のようにやってくる。そう、まさに記憶の氾濫だ。ところが、私の記憶の弱さはまた別のものである∴それは本当の弱さ＝不能性なのだ∴

（同／一部略）

「私は憶えている」という文と「私は思い出す」という文は微妙に意味が違う（場合がある）。あることを憶えているということはそれを忘れていないということだが、あることを思い出すためには何らかの空白の状態がなければならない。思い出すこと、想起、回想は、秩序を成している必要はない。それらはまさしく「断続的な閃き」であっても構わない。だから記憶の「障害」は創造的な「意味」、すなわち「小説」を生産し得る。

　ところが「私は自分の人生の日付をほとんど覚えていない∴自伝や日付入りの履歴書を書こうとしてもできないだろう。おそらくいくつかの閃光のような回想、記憶のフラッシュはあるのだが、それらは増殖しないし、連想で繋がってもいかない」。つまり彼の記憶のありようは「小説」の役に立たない。少なくともバルト自身はそう思っている。しかし、これはむしろ彼が自らに「増殖」や「連想」を（無意識に？）禁じているということだろう。

　従って問題は、彼が彼の「過去」を小説化しようとするとき、事実の記録（日付）に基づく歴史性と、記憶の氾濫を無数の「私は思い出す」がランダムに連結されたメモワールへと変換することの、どちらにも行けないということなのだ。断章形式（周知のようにそれはバルトとは切っても切れないものだった）で書かれた『彼自身によるロラン・バルト』は後者に近い試みだった筈だが、しかし「そこからありうる「ロマネスク」の印象が出てはくるのだが、同時にそれを小説から隔てるものもまさに出てくるのである」。ならば、どうしたらいいのだろうか？

この最初の二日間の講義は、バルトが二ヵ月ほど前の一九七八年十月十九日にやはりコレージュ・ド・フランスで行なった講演の内容を、ほぼなぞっている。他ならぬ『失われた時を求めて』の最初の一文「長いあいだ、わたしは早くから寝た」をタイトルに冠したその講演では、前半でプルーストについて、後半ではバルト自身の「新生」が語られている。『ロラン・バルト　言語を愛し恐れつづけた批評家』の石川美子は「長いあいだ、わたしは早くから寝た」の要旨を簡潔に纏めたあと、こう述べる。

> 講演の最後でバルトは、これからは何か「について」語る者ではなく、何かを「作る」者になりたい、と断言する。このような内心の思いを講演という場所で率直に語ったのは、驚くべきことであった。おおやけに語ることで自分にも言い聞かせようとしていたのだろうか。それからのバルトはひたすら「小説」を書くことだけを考えるようになる。
>
> （『ロラン・バルト　言語を愛し恐れつづけた批評家』）

ひたすら「小説」を書くことだけを……その思考の、格闘の過程を辿ったものが「小説の準備」と題された講義であるわけだが、三回目の一九七八年十二月十六日、バルトは「したがって、私の考えの目下の状態においては、ファンタスム化された小説というのは私に関する限り、想起記述的なものではありえないような気がする」と語り出す。「自分の過去が好きではないというわけではなく、むしろ過去というものが好きではないのだ（たぶん引き裂くような苦痛をもたらすからだろう）」。とすれば、検討すべきは「現在」ということになる。

　しかし当然ながら「現在」ほど厄介なものはない。「私の問題は、自分の過去の生に到達できないと思っていることだ。それは、靄に包まれている。すなわち、強度（それなしにエクリチュールはありえない）の乏しさに包まれている。強烈なのは現在の生であり、それは構造的に、それを書きたいという欲望と入り混じっている。小説の「準備」はしたがって、この並行するテクスト、「同時的」で同時生起的な生というテクストをどう把握するかということに関わることになる」（一部略）。現在形において「現在」を書くこと。そこでバルトが持ち出すのが「メモ書き(Notation)」である。起きてしまったこと、起こしてしまったこと、起こってしまったことを書くのではなく、現にいま起こっていること、起こりつつあることを書くこと。そのようなことが可能なのだろうか。現在形の物語というのは語義矛盾なのではないか。

> ところで、最初のうちは現在の生を題材にして小説を書くことが困難に思われたとしても、現在を題材にして物を書くことはできないとまで言ってしまうと誤りになろう。現在を書くことはできる、それがあなたの上に、あるいはあなたの下に（あなたの視覚に、聴覚に）「落ちて」くるのに従ってメモすることによって。

メモ書きという発想はきわめてバルト的と言ってよいだろうが、問題はもちろん、どうやって「メモから小説へ、不連続なものから連続的な流れへ（広がりへ）移行するか」である。バルトの思考は、ここから独特な屈曲を見せる。「これは私にとっては心理構造的な問題である、というのもそれは断片から非断片へと移行することであり、それゆえエクリチュールにたいする、すなわち発話行為にたいする私の関係を変えることであり、したがって私が今あるような主体を変えることを意味するからだ」。もっと端的に、それは「短い形式と長い形式との闘い」と言える。メモを、断片を書くためには、利用可能なメモ書きが出来るためには、断片的な主体にならなくてはならない、「短い形式」としての存在にならねばならない。こうして「断片による小説、断片小説なるものを思い描くこと」が可能になる。

そこでバルトは、アントワーヌ・コンパニョンの言う「ペリグラフィー」の実践としてのフローベールの「潜在的に断片的な側面（空白）」やピエール・ロチの『アジャデ』を例に挙げつつ、しかし、この講義においては、もっぱら「自分の好み」によって「メモ書きのエッセンスとでも言うべき短い形式」である「俳句」を取り上げるつもりだと宣言する。そして実際、四回目以降の「小説の準備」講義で論じられていくのは、日本の俳句（の仏訳）なのである（バルトは以前にも日本滞在を経て書かれた『記号の国（表徴の帝国）』で俳句を取り上げていた）。

だが私は、もっぱら「自分の好み」によって、俳句にかんする議論に立ち入るつもりはない。「小説の準備」としては奇策とも言える（がゆえにいかにもバルト的と言ってよい）まわり道が冗長に思えるのでも、そこでの議論がつまらないわけでもないのだが、やはりこの趣向は、この時期、小説を準備しつつあったバルトが俳句にも関心を抱いていたということなのであって、またそれなりの回数をこなさなくてはならない大学の講義として、新奇さの点でも論じ甲斐においても、「俳句」は格好の題材だった、ということなのだろうと考えるからだ。

私にとって興味深いのはむしろ、まわり道それ自体、自らの「小説の準備」を語ることに対するバルトの奇妙なまでの逡巡である。俳句の話に入る前の「補足説明」あるいは「打ち明け話」のひとつとして彼はこう述べる。「私は実際に小説を書くのだろうか？　以下のことを、ただ以下のことだけを答えておく。私はあたかも一篇の小説を書こうとしているかのようにするだろう↓私はこの、あたかも……かのように、の中に身を置くつもりだ」。そしてとんでもなく率直に本音を言い出す。

> そんなこと〔小説を書くということ〕を予告するのは大変なリスクだ、「信じがたい」リスクだと言われるだろう――じっさい言われたこともある。前もって言うこと、それはぶち壊しにすることだ：早く名指ししすぎること、それは不運を引き寄せることである（とらぬ狸の皮算用）。通常、私はこのリスクを大真面目に考え、自分が書こうとしている書物について語ることはいつも控えている。それなのに今回はなぜこのリスクを引き受け、いわば神々を挑発するようなことをするのか？　このリスクが、前に話した変化（人生の道の半ば）の一部をなしているからだ：この変化はじっさい、いわばもう何も失うものはないという考えを必然的にもたらす。これはけっして「自暴自棄《デスペラド》」の言葉なのではなく、むしろ「面目を失

う」というきわめてフランス的な（フランス人の振舞いにつきまとう）表現に、熟慮の上で対立することをめざす言葉である。小説を書くか書かないか、そのことに失敗するかしないか、それは「成果」ではなく「道」なのだ。恋をすること、それは面目を失ってなおかつその事態を受け入れることであり、それゆえ失うべきいかなる面目もないのである。

（同／一部略）

この発言が倒錯的なのは、小説を書くこと以前に小説を書くことを予告することの是非が大真面目に語られているからである。だがバルトはあくまでも真剣である。私はこんなことを学生の前で言ってのけられる（あるいは言おうと考える）バルトを心の底から――こんな言い方が許されるならば――チャーミングだと思う。

ところで先にバルトは自らの記憶のあり方がおよそ小説的ではないと告白していたが、本人の弁によれば彼にはもうひとつ小説向きではない性向がある。嘘がつけないのだ。「小説の準備」第一期最終日にあたる一九七九年三月十日の講義ノートで彼は、小説は「その大きく長い鋳型の中で（瞬間の）真実を支えることはできない：それは小説の役割ではない」と言っている。「私はそれを、織物（＝テクスト）のようなものだと思っている。さまざまな錯覚、幻想、作りごと、こう言ってよければ「偽りの」もの、そうした要素でできた広大で長い壁掛布だ」。つまりそれは虚偽、虚構、フィクションである。ところが「私がメモ書きを生み出すとき、それらはみんな「本当」である：私はけっして嘘をつかない（作りごとをしない）のだが、まさにだからこそ、私は小説に近づけないのだ：小説は偽りから始まるのではなく、本当のことと偽りとを予知せぬままに混ぜ合わせるとき始まるのだろう：明白な、絶対的な本当のことと、欲望と想像界のレベルからやって来た、彩色された、艶のある偽り」。

バルトが「私はけっして嘘をつかない」というのは本当だろうか？　それはあの「クレタ人は嘘つきだ」とクレタ人が言った」の、身も蓋もない――パラドックスでさえない――裏返しではないのか。すなわち「私はけっして嘘をつかない」という嘘。「私は嘘をつきたくない」ならわかるのだが。だが、どうやらそうではないようだ。

したがっておそらく、小説を書くに至ることは、根本的に嘘をつくことを受け入れること、嘘をつくに至ることなのだ（とてもむずかしいことかもしれない、嘘をつくというのは）――つまり本当のことと偽りとを混合させるという、この二次的な倒錯した嘘をつくことなのである→となると結局のところ、小説にたいする抵抗、小説の（それを実際に書くことの）不能性とは、道徳的な抵抗なのだろう。

（同／一部略）

この「道徳的な」抵抗によって嘘がつけない（ので小説が書けない）という問題は「小説の準備」講義の中で何度も持ち出される。バルトにとって俳句とは、その短さゆえに「嘘」には至らずに済む格好の形式だったと言えるのかもしれない。また、彼の好んだ断章／断片形式を「小説」にアップデートするために有意義な示唆を与えてくれる文学ジャンルとして俳句が召喚されたと考えてもいいだろう。だから、延々と俳句を論じていても、バルトはやはり「小説」を準備していたのである。
こうして「小説の準備」講義第一期は終わる。ところで、毎回の講義にはゲストを招いた、より少人数の「セミナー」が付随しており、第一期のそれは「迷路の隠喩」と名付けられていた。『小説の準備』収録の同セミナーにかんする記述は非常に短いものであり、なぜか初回と最終回しかない。その最終日においてバルトは「「結論」はないことにしよう」と語り始める。

「結論」はないことにしよう。結論するというのは、一連の発言を操作してひとつの「総括」を遡及的に行なうことを意味するであろうから：それは色々な人々の「同時存在」を、有機的で合理的なひとつの全体を構成する要素へと変容させてしまうことになる。要するに、それは迷路をメタ言語の言説に委ねてしまうことになる→私としては、数年前からメタ言語的な問題処理には一貫して反対している――繰り返すことはしないがそれは「哲学的」な理由からで、主体をけっして抑圧しないという必要性に由来するものだ→さらにここでは、迷路がとりわけメタ言語的な総括の対象となることを拒むものであるということもある：
(同)

バルトの言う「迷路」とは次のようなものである。「迷路：余りにもよくできているために、それについて言えることが容易にその形式それ自体の手前に現れてくる形式：特定的なものは一般的なものより豊かであり、明示的なものは暗示的なものより、文字は象徴より豊かである」。つまり私たちの言葉でいえば、このこれ、である。

迷路の定義としてはいささか特殊かもしれないが、これには前段があって、『小説の準備』編者の原注によると、前回のセミナー（一九七九年三月三日）のゲストに招かれた精神分析学者のオクターヴ・マノーニは、「「いかなる可能な変形も受け入れない」文学性を、「テクストがそれと同じことを言っているような別のテクストによって置き換えられうるという可能性もしくは幻想」として定義される「理解」に対立させて」いた。この主張を踏まえてバルトは次のように言う。「「迷路＝何も理解すべきことはない（要約できない）」。そして「マノーニの発表は迷路にではなく（引用者註：マノーニの発表は『小説の準備』には採録されていない）、迷路に関する新たな問いへと私を導いた。その問いについて述べて終わりにしよう——問いは開いたままにして」と述べる。

> マノーニによれば、文学性（可能な変形を受け入れないもの→「難解さ」、詩）≠理解（変形しうるもの、散文）である。すなわち、オクターヴ・マノーニは読みやすさ《リジビリテ》と読みにくさ《イリジビリテ》の弁証法的関係について語ったのだ——さらに言えば、読みやすさの消失（遠近法で言う意味において）について。ある発話が読みやすいか否かは、どうやって決定できるのか？　そしてこんな問いが出てくる：読みやすさはどこから始まるのか？　このことが私にとって、迷路の問いを明らかにしてくれるのだ：それは「迷路とは何か？」でもなければ「それはいくつあるのか？」でもない。「そこからどうやって出るのか？」でさえない。そうではなく、「迷路はどこから始まるのか？」という問いである。
>
> （同／一部略）

迷路はどこから始まるのか。それは「読みやすさ」が消失したところから始まる。迷路としての小説、それは無数の枝分かれや迂回路によって読者を煙にまくことではない。そうではなく、それは或る直截さと明晰さの極限において現れる、真っ直ぐ進むことと迷うことが同義になるような空間のことだ。アリアドネの糸はほつれてはいない。

「意志としての作品」という副題が附された「小説の準備」講義第二期は、前期の続きというよりも反復の様相が色濃い。最終日は一九八〇年二月二十三日だが、前述のようにバルトはその二日後の二月二十五日に事故に遭ってしまうので、もしもそのようなことが起こらなかったならば、三年目の「小説の準備」も開講されていたのかもしれない。だが後述するように、すでにバルトは一九七九年の内に小説『新生（Vita Nova）』の構想を書いていた。それは結局、書き出されることはなく、草稿さえ残されず幻の作品となってしまうのだが、バルトは講義とは別に「小説の準備」を進めていたのである。だがそれが表立って口にされることはなかった。

ともあれ第二期の講義も粛々と進められていく。一九七九年十二月八日の講義でバルトは「〈欲動としての書くこと〉の小説」について語っている。「ある時点で、書くことはもはや「普通の」活動ではなくなった、あるいはそれだけではなくなったのだ：つまり目標＋対象という形で行われる活動、対象に合わせ、対象をただひとつの動きの中に組み込んだ目標という形で行われる活動であるだけでなく、書くことはあちらでもこちらでもひとつの欲動となったのであり、その対象よりも、何かに向かうことそのものの豊かさ、自らの作用点を官能的かつドラマチックに求める〈力〉の豊かさのほうが重要性をもつようになったのである」。そして、こう述べる。

（書くという動詞の志向性に起きたこのちょっとした革命の）こうした出現を示すかもしれない形跡、文法的形跡：書く＋目的補語→目的補語なしの「絶対用法」と呼ばれる形への移行→「それで、今日は何を書いているのですか？――ただ書いているだけです」。あるいは「お仕事は何ですか？――書くことです」、等々。→こう言ってもいいだろう：書く、それは自動詞だと。（同）

バルトはすでに一九六六年に「書くは自動詞か？」という論文を書いており（『言語のざわめき』所収）、ここでの話にはその繰り返しの感もあるのだが、このあとバルトが持ち出すのは彼が愛した言語学者エミール・バンヴェニストが『一般言語学の諸問題』で提起した「中動態」の議論である。日本では國分功一郎の『中動態の世界――意志と責任の考古学』によって一躍有名になったタームだが、まずはバルトの講義を追ってみよう。「態」はフランス語で「Voix」だが、それは「diathèses」とも言われる。「ディアテーズ＝過程を通して（dia-）主体が動詞に占める基本的な位置どり」。動詞が示すプロセスのどこにいるのか？

私たちは現用の諸言語に二つの基本的な態があることを知っており、これを自然なことだと信じている：能動態／受動態である。ところが古代ギリシア語には第三の態があって、ギリシアの文法学者たち（ただし後世の）はこれを中動態（中動、能動と受動のあいだ）と呼んだ。じつのところ、比較言語学者たちは受動態が中動態の一様態にすぎないことを知っている。印欧語には、二つの基本的な態がある：能動態／中動態である。両者の区別にアプローチするには、印欧語の動詞の特徴が目的語にではなく主語に関連するところにあるということを知らなければならない：印欧語では、すべてが主語との関係において提示され秩序づけられる→私たちが「主体的」であるのは、わが国の哲学者たちが主体から出発したり主体について議論したりするのは、そして私たちがこんなにもしばしばそこに立ち戻っていくのは、おそらくそのことが言語の（私たちの言語の）資産のうちに書き込まれているからであろう→したがって、能動態／中動態という図式は過程における主体の二つの異なる位置取りに対応している：他人の立場に立って、他人のために何かをすること≠同じことを自分自身のために、私自身の立場ですること、という区別である。

（同／一部略）

バンヴェニストを踏まえ、バルトは「能動態」と「中動態」の比較表を作成している。それによると、能動態においては「過程は主体から発し、主体の外で達成される」が、中動態では「過程は主体の内部で達成され、主体はその拠点である」。また、能動態の「主体は実行する」のに対し、中動態の「主体は自らその作用を受けつつ実行する」。こう考えると「能動態においては主体の参加が要求されていないことが非常によくわかる」とバルトは言う。「それゆえ、どれほど逆説的に見えようとも、印欧語にとって主体は在るべく参加すること、在ることで自らその作用を受けることを要求されてはいない：在るとは（行く、流れるなどと同様）能動態であるのにたいし、中動態においては、主体は過程の中心であり行為者なのである」、バルトはここでいきなり、議論を自らの関心に引き付けてみせる。

この分析が書くことについても該当することがおわかりだろう、それは絶対的な意味においては当然ながら、ひとつの中動態であるからだ：私は自らその作用を受けつつ書く、つまり自分を行為の中心かつ実行者にしながら書く：私は行為の中に身を置くのだ、司祭のように外部に向かってではなく、主体と行為が同じひとつの塊をなすような、内部のある位置に：（同）

バルトの「中動態＝書くこと」論は、ここから一気に白熱する。かつて「何かを書く」とは「総称的な誰か、あるいは虚構的な誰かの代わりにおこなわれてきたのであり、作家はその単なる代理人でしかなかった：私は生贄を屠るナイフを、剣を、ペンを取ってきたのだ」。それは宗教の教化に代表される、何らかの「ひとつの大義」のために行われるものだった。ならば「写実的な小説を作ること、それは大衆のために自分を代理人に、司祭にすることである≠「書くこと」、それは司祭の手からナイフをもぎ取り、自分自身のために生贄を捧げることだ。確かに目的補語（何を）はありうるし、不可避でさえあるのだが、それは常に、主体的人格として書く主体によってではなく、書くことがその主体に作用する限りにおいて書く主体によって、包含され含み込まれているのである。作用を受けたこの行為の主体性に対応する実践的な計画、それは現在では発話行為と呼ばれているものだ」。

古典時代には「何かを書く」者は大義＝外的な目的のために書いていた。それは能動態である。だがあるとき「書くこと」、いや「自ら（のために）書くこと」の作家が登場した、それが中動態である。バルトはギュスターヴ・フローベールがルイーズ・コレ宛の書簡に記した言葉「ぼくはペンの人間です。ペンによって、ペンゆえに、ペンとの関係において感じとります、いやそれ以上に、ペンとともに、感じとるのです」を引用する。続く以下の一節は、ほとんど狂おしいとさえ言ってよい熱を帯びた印象を与える。「絶対的な〈書くこと〉はひとつの本質となるのだ、いかなる目的性によっても腐敗させられることのない、書くことの純粋さという一種の絶対的信念の中で、作家がそれに身を焦がし、それに同一化する本質に」。

もっともバルトは、このような「中動態としての書くこと」に新しさを見出しているのではない。むしろそれは「ある歴史的時期」、彼の言う「ロマン主義」の時代、すなわちシャトーブリアン（あるいは晩年のルソー）からプルーストまでを含めた時代に限定されるものであり、それゆえに「中動態そのものとしての書くことは乗り越え可能」だとバルトは述べる。実際に現代文学は、さまざまな試み（たとえばバルトが擁護したヌーヴォーロマン）によって、それを乗り越えようとしてきた（あるいはそのことに挫折してきた）のである。だがしかし「あいにく私は「ロマン主義的」な仕方で書く決意を語るひとりの人間にすぎない」のだとバルトは言う。感動的な宣言だ。

書くことは非常に強い中動態である：書くことによる主体への作用だけが、本当の意味で重要性をもつ：内的という以上の＝内臓的な態：このとき対象は、分類不能に、標定不能になり、最善の場合も最悪の場合もいわば命名不能になる：それはテクストであり、活動の痕跡、「落書き」であって、一般に読みやすさの規範の外にある：叙述的でもなく、論述的でもなく、さらには「詩的」ですらない：それは（読者の目からすれば）一種の「何でもいいもの」であって、そこから「出版可能性」の水準での緊張が生じる。（同）

このあとでバルトは「別の道」も検討しているが、それらは講義として成り立たせるためのいわばサービスに過ぎず、ここで提示されているもっとも重要な問題は「中動態の動詞としての〈書く〉の問題」すなわち「私は書くという過程そのものの中で自らその作用を受けつつ書く」ということである。

このように「小説の準備」講義第二期は進んでゆく。そうして最終日の一九八〇年二月二十三日が来る。講義ノートの最後、まさしく「最後の言葉（ただし最終のではない）」というパートは、こんな問いから始まる。「それでは、この作品を、私はどうして作らないのか――どうして今すぐには、まだ作らないのか？」。それはそうだ。私もそう思う。どうしてこんな講義に二年もの時間を費やすのではなく、それを、小説を、すぐにも書き出さないのか？

バルトは「たぶんある種の「道徳的」な困惑があるのだ」と言う。彼は自分が「ロマン主義」、今よりもずっと過去の作家ばかりに言及してきたことをよくわかっている。そして「今の時代の現代性をそなえた作品については括弧に入れてきた。これは一種の固着であり、ある種の過去に向かう欲望への退行である」。ここでバルトの記述は俄に悲痛さを帯びる。「晩年」の彼、とりわけ母を亡くしてからの彼の文章のあちこちに滲出する、あの肌を刺すように痛々しい自己憐憫。「今の時代にたいして盲目であること、数知れない現在の仕事を無視した諸形式へと欲望を振り向けること：何か引き受けることのむずかしいもの、あるいはそれを引き受けなければならないと常に確信している何かがある：頑固さの孤独と惨めさだ」。

だがもちろん、このままでは終わらない。「したがって、待たれているのは起動装置であり、ひとつの機会であり、ある変化である」。そして突然、ほんとうにまったく唐突に、音楽の話が始まる。周知のように、フリードリッヒ・ニーチェは『ツァラトゥストラ』の構想を、一八八一年八月に電撃的に得た。「だが（この点が興味を引くのだが）、すでに前兆があったのだ：音楽に関する趣味の突然の根本的な変化である」。

「聞く力の再生」↓おそらく新しい作品は（新しいというのは自分自身との関係においてである：それが作るべき作品の要請なのだ）、古い趣味が変化して新しい趣味が現れるのでなければ可能にならないだろうし、現実に出発することもできないだろう↓だから私は、たぶん、聞き方の変化を待っているのだ——そしておそらく、それは比喩でなく、私の愛してやまない音楽を通してやってくるだろう↓そのとき私はおそらく、真の弁証法的な生成を実現することだろう：「あるがままの私になる」ことを：ニーチェの言葉：「あるがままの君になれ」、そしてカフカの言葉：「おまえを破壊せよ……あるがままのおまえに変われるように」↓このとき、新しいものと古いものの区別もまったく自然に廃棄され、螺旋状の道が描き出され、現代音楽の創始者であり古い音楽の継承者でもあるシェーンベルクの言葉が深く讃えられるのだ：今なおハ長調の音楽を書くことは可能である、という言葉が。そう、最後に言おう、これこそが私の欲望の対象である：〈ハ長調〉の作品を書くこと。

（同／一部略）

これが「小説の準備」第二期の講義ノートの幕切れである（『小説の準備』ではこのあとに第二期のセミナー「プルーストと写真」のノートが続く）。ところで、右の記述の末尾には「1979年11月2日」と日付がある。つまりバルトは実際の講義の三ヵ月以上前にそれを書いていたのである。この点について、石川美子はこう述べている。

最終日の一九八〇年二月二三日は、講義ノートによると、自分はまだ小説を書くための試練を乗り越えておらず、待機している状態である、と語って講義を終えたことになっている。しかしこれはバルトが一一月二日までに書いた講義ノートである。二月二三日に録音された実際の講義と聞きくらべてみると、すこし異なっていることに気づく。自分は待機の状態にあると述べたあとに、講義ノートでは「おそらく、『道徳的な』困惑のようなものがあるのでしょう」と書かれている。ところが実際の講義では、この文を削除して、そのかわりに次のように語っている。

欲望している本があります。でもその本は、今は欲望でしかありません。

（『ロラン・バルト　言語を愛し恐れつづけた批評家』）

「このような文に変更したことは、本のかたちがぼんやりと見えてきたことを暗示しているのかもしれない」と石川は書いている。ということはつまり、あの「「道徳的な」困惑、すなわち嘘をつけないという問題は解消しつつあったということだろうか」と。だが残念ながら、それが証明されることはなかった。バルトは嘘を書くことはなかった。彼は結局、嘘をつかずに済んだのだ。

バルトが書くことのなかった小説『新生（Vita Nova）』にかんするメモは、現在は十巻から成る「ロラン・バルト著作集」の最終巻『新たな生のほうへ』の最後に、その複写が収められている。それはA4サイズの八枚の紙に記されており、「赤い紙ばさみにきちんと収められて、表紙には大文字でVITA NOVAと書かれていた。草稿はインクで書かれており、黒鉛筆か赤ペンで加筆がなされている」。最初の一枚には一九七九年八月二十一日の日付が、最後の一枚には一九七九年十二月十二日の日付がある。最初の七枚が夏の終わりから秋の初めに断続的に書かれており、あと一枚だけが冬になってから追加されている。それは草稿とは到底呼べない、箇条書きの構想メモに過ぎず、しかも八枚は連続しているのではなく、それぞれが独立したメモ、すなわち八通りの小説の構想が記されている。だが、書かれることのなかったロラン・バルトの初の小説（になる筈だったもの）が、彼がまさに小説を書くに至るまでを物語る小説として考えられていたことはわかる。石川美子は、八枚のメモを繋ぎ合わせて、次のようなあらすじを記している。

――母の死後、わたしはあてどのない生活をおくっている。愛する青年との関係も破局に終わり、夜ごとの外出も空《むな》しいだけだ。ジゴロを相手にしたり、友人との会話で時間をつぶしたり、人の言葉にいらだったりして、日々をすごしている。絵画や音楽などいろいろな趣味に手をだしてみるが、快楽は何の救いにもならないことをさとる。一九七八年四月一五日に、あるできごとをきっかけとして、わたしは文学にすべてをささげる新たな生をはじめることを決意する。母への愛や、死の悲しみをじゅうぶんに表現できる小説を書きたいと思い、プルーストやトルストイの作品を師とあおぐ。生活そのものも改めて、夜の生活からも身をひく。新しいエクリチュールを模索して、エッセーや日記などをこころみるが、どうしても断章を物語に織りあげる技法が見つからない。自分はまだ文学の通過儀礼の段階にいるのだと苦しむ。とりあえずは何もせずに、老子《ろうし》的な無為のなかで静かなときをすごすことにする。いつかは、花がひらくように作品が生まれてくるだろうと思う。そんなとき突然に、奇跡的な出会いを体験して、わたしは啓示をえる。そしてついに小説『新たな生』を書きはじめたのである。——

（同）

誰もがすぐに気づくように、これは小説というより事実そのままである。しかも一種のメタフィクションになっていて、作中で最後に書かれることになる『VITA NOVA』は、おのれの尾を嚙もうとするウロボロスになってしまっている。しかし最後に劇的な転回を齎す「奇跡的な出会い」は現実には起こっていないので、それが誰とのどのような出会いであるのかは空白のままなのだ。これでは「小説」が始動することは不可能だっただろう。石川もそこに「小説に必要なはずの虚構性がみられない」と指摘し、それが「嘘をつけない」というバルト固有の問題に直結しているのだと論じている。また、バルトがこれらのメモと並行して日記論や日記形式の文章を書いていたことから、「もしかしたら『新たな生』は、一貫した物語形式で構成される小説ではなく、日記体やエッセーや喜劇などのさまざまな形式が絡みあって、めくるめく調べを奏でてゆくような複合的な作品として構想されていたのではないだろうか」と推察している。

結局、それはわからぬままになってしまったわけだが、私はバルトはごく普通の形式の小説を書きたいと思っていたのではないかと思う。「小説の準備」講義で語られていたことからすると、そのように考えたくなってくる。「新たな生」を始めるために『新たな生』という小説が書かれるのではなく、『新たな生』という小説を書き始めることが「新たな生」を始めるということだったのだ。このウロボロス＝自己言及、しかもそれが果たされることがなかったという事実の、途方もないやりきれなさと、かなしみ。

石川はもうひとつ重要な指摘をしている。最後のメモ、ひとつだけ他と離れた一九七九年十二月に書かれたメモには、それ以前の七枚とは異なる部分がある。「物語られるできごとの順序が、である」と石川は言う。

夏の構想では、「母の喪」→「あてどのない生活」→「四月一五日の決意」→「作品の模索」→「無為」→「奇跡的な出会い」というように、バルトが実際に経験した順序に即したものになっていた。最後の「奇跡的な出会い」は現実にはおとずれておらず、待っている状態だったのであるが。

ところが一二月の構想をみると、順序は「母の喪」→「あてどのない生活」→「作品の模索」→「無為」→「四月一五日の決意」となっており、「四月一五日の決意」が最後におかれている。しかも、冒頭の「母の喪」の横に、「または終わりに」と書きこまれて、「喪」を物語の最後におく可能性さえしるされている。すなわちバルトは、できごとの順序を変えて、自分の体験とは異なる物語をつくろうとしていたのである。嘘をつくことを試みようとしていたのであろう。（同）

私としては八枚の構想メモの後半になると「奇跡的な出会い」が何故か消えてしまうことのほうが気になっている。バルトは、そのようなことがなくても小説は書けると考えたのだろうか、それともただ単に、そのようなことはもはやけっして起こることはない、と諦めたのだろうか。同じことだが。

「小説の準備」講義第二期が終了した一九八〇年二月二十三日、バルトはひと月後の学会で発表する予定だったスタンダール論を書き進めていた。バルト自身の声によって読まれることのなかったその原稿は「人はつねに愛するものについて語りそこなう」と題されている（邦訳は『テクストの出口』所収）。そこでバルトは、スタンダールが如何にして「小説」を書いたのか、を論じているのだが、今となっては、それはほとんどバルト自身のことのようにも読める。

スタンダールは、祖国フランスよりもイタリアを愛していたが、『イタリア旅日記』のなかではイタリアへの愛を表現することに失敗しつづけた、とバルトは言う。だが最後の長編小説『パルムの僧院』において、スタンダールはついに愛を語ることに成功したのである。それは、感動を断片的にしるす旅日記をあきらめて、すべてを物語にゆだねたからであった。旅日記から小説へ、断章から物語へ、である。

では、いかにして「旅日記」から「小説」へ移行しえたのか。それは、個人的で不毛な愛に象徴的な普遍性をあたえる虚構の力によってである、とバルトは言う。

『イタリア旅日記』を書いたころ、若かったスタンダールは、「嘘をつくと［……］うんざりする」と書くこともできました。彼はまだ知らなかったのです。真実にとっては回り道でありながら、彼のイタリアへの情熱にとってはついに勝ちえた表現でもあるような——まさに奇跡です——虚構が、小説の虚構が存在するということを。

（同）

この文章によって、「人はつねに愛するものを語りそこなう」の原稿は終えられている。バルトは、スタンダールの姿にみずからを重ねていたにちがいない。確信をもって語るバルトの口調には、彼自身の決意もまた感じられる。

私もそう思う。だがバルトはこのひと月後に死んでしまった。彼は今度こそ、愛するものについて語りそこなうまい、と思っていたのかもしれない。愛するものについて、常に必ず語りそこなうことから脱するためには、虚構の、小説の力が必要だった。もしも彼の小説が書かれていたら、書き始められ、書き進められ、書き終えられていたとしたら——むろんこんな仮定は無意味なだけでなく不遜でさえあるが——おそらくそれは、いわゆる傑作にはならなかったのではないか。それはたぶん、派手さを欠いた、無駄な粉飾やこれ見よがしな意匠などまったくない、落ち着いていて淡々とした、とても普通の、だがこの上なく切実な「小説」になったのではないか。私はそれを読みたかったような気も、読めなくてよかったような気もしている。

　ロラン・バルトの後半生の若き友人で（二人の年齢差は三十五歳である）、『小説の準備』にもたびたび名前の登場するアントワーヌ・コンパニョンは、バルトからの手紙を基にした『書簡の時代——ロラン・バルト晩年の肖像』や、最終章がバルトにかんする記述にあてられた大著『アンチモダン—反近代の精神史』の著者でもあるが、バルトが亡くなってから二十年以上が経った二〇〇一年の夏にスリジー＝ラ＝サルで行われたシンポジウム（その二十四年前に同じ場所でバルトをめぐるシンポが行われており、コンパニョンはそれにも参加していた）で「ロラン・バルトの〈小説〉」と題された発表を行った。この時点でバルトのコレージュ・ド・フランス講義ノートは未出版だった。「ロラン・バルトは書物の著者ではなかった。いやむしろ、彼が書物の著者になったのは壮年期を迎えてからだと言うべきか。あたかもそこにいたるまで彼を突き動かしていた幻想《ファンタズム》とは、書物——想像上の、つねに遠くへ逃れ去る幻影としての書物——であるよりは、ひそかに、作家であったかのようだ。作者なき〈テクスト〉をあのように擁護したにもかかわらずである」とコンパニョンは論を開始する。

　はじめから一冊の書物として構想され、準備され、執筆され、出版され、そして読まれる作品を、バルトはその結果としての晩年になるまで著すことがなかった。コンパニョンは、バルトがそのような「書物」への第一歩を印したのは『彼自身によるロラン・バルト』であったと指摘する。

想像上の書物に向かう転換はしたがって、『彼自身によるロラン・バルト』のなか、その巻頭と巻末に複製された二つの直筆の文句の間で起こったのだろう。一方には、「ここに読まれるいっさいは、小説の一人物が語っているものとみなされなければならない」とある。他方には、「それでこのあとは？」という題のもとに「これから何を書く？　まだ何か書けるのか？」——「人は欲望によって書く、そしてわたしは欲望することをやめない」という問答がある。

（「ロラン・バルトの〈小説〉」／中地義和訳）

『彼自身によるロラン・バルト』の本文中の「ここに読まれるいっさいは、小説の一人物が語っているものとみなされなければならない」を含む断章は、コンパニョンも引いているが、こうである。「ここに読まれるいっさいは、小説の一人物が——あるいはむしろ複数の人物が——語っているものとみなされなければならない。［……］この本の内実は結局、完全に小説的ということになる。エッセイの言説のなかに三人称が侵入し、これがしかしいかなる虚構的存在も指さないのであるから、諸ジャンルの再編成の必要性が強調される。つまりエッセイが、みずからがほとんど小説であると、固有名を含まない小説であると認めていることが強調されるのだ」。

だが、それはやはりまだ「小説」ではなかったのである。コンパニョンは、「小説の準備」講義にも当然ながら言及している。彼は「聴衆で溢れ、騒がしく落ち着きのないこれらの講義は、バルトには不快であった」と記している。「居心地が悪く、講義に出かけるのは苦役に向かうようなものであった」。そして小説「VITA NOVA」についてはこのように述べられる。

他方、現に執筆中か、さもなければ途中まで書いて挫折したと想定される小説の風説が流れたが、その風説を育んでいたのは『新たな生《ヴィタ・ノーヴァ》』と題されたテクストの計画である。作品の挫折はまた人生の挫折でもあって、友人ないし偽の友人のなかには、彼の死が納得ずくの、いや希求すらされたものであり、喪とメランコリーの果てに一種の自殺に行き着いたのだ、という噂を広めるためにこの挫折を格好の口実にする者たちがいた。ところで、『全集』第三巻に転写された『新たな生』は、全部で八枚の紙葉の束であるが、それらに書かれたプランはこのうえなく図式的で、『知られざる傑作』に劣らず謎めいている。ちなみにバルト自身がこのバルザックの作品に言及している。この小説はありえたのか、ありえなかったのか。書かれたかもしれないのか、そうではないのか。ありえたと答えた者も、ありえなかったと答えた者もいた。思うに、何かが書かれたことだろう、〈小説〉ではなくても、とにかく〈小説〉をめぐる〈小説〉が。（同）

コンパニョンは『彼自身によるロラン・バルト』『恋愛のディスクール・断章』、そして『明るい部屋』が、バルトが書かずに終わった「小説」の前段階だったと述べている。「何かを、少なくとも〈小説〉の挫折をめぐる〈小説〉を書くことは可能だった」。コンパニョンは出版前のバルトの講義ノートの手稿を読んだ上でこの原稿を書いている。従って彼の発表はすでに講義ノートの内容を知っている者からすると単なる事実の開陳に思える部分も多い。

だが、次のような指摘は非常に明快である。『新たな生』の野心は、メモや日記を昇華するような形式のもとに、現在の記述を文学的たらしめることであった」「日記は非本質的、非必然的である。作品に到達するための解決法はしたがって、「必死に練り上げる」ことだろう。こうして、バルトの〈小説〉とは、現在の記述（メモ取り、日記、時評、小事件、俳句）を、必死の練り上げによって必然的なものにする幻想であった。状況的なものを一個の絶対と化すこと、それがその目的であった」。そしてコンパニョンは、自らが列挙した「メモ取り、日記、時評、小事件、俳句」のひとつひとつを取り上げて検討を加えていく。そうして亡き年長の友人バルトの「想像上の書物」としての「小説」のありうべき可能性、ありえたかもしれない可能態を論じていく。そして論文としてはそれほど長くはないものの、口頭での読み上げは二時間半もかかったという発表の最後のパート、結論部に当たるパートにたどり着く。

バルトには晩年の二年間、たしかに想像上の書物があった。それは〈想像界〉または〈理想自我〉をめぐる小説で、彼はそこで言語への愛を表現することを夢みた。しかしバルトは、コレージュ・ド・フランスの講義における模擬を越えて、この小説を実現しえただろうか。彼には小説が要請する嘘を実践する用意があっただろうか。彼はたえず楽観と悲観の間で揺れた。それに、おそらく彼自身にもわからなかったのだろう。「わたしはエッセイストです。［……］虚構の人物を作り出したことはありません［……］今では、何か小説に近接するようなものを書く誘惑に駆られていることを告白します。」この言葉で彼は、願望と障害を同時に語っている。あるいはまた、もっと屈託のない調子でこうも言う――「ときどき、息の長いものを書きたい、自分の流儀を変えたいという誘惑に駆られることがあります。しかし人を退屈させるのがこわいのです。それに自分が退屈するのがこわくもあります。」

（同／括弧内はバルトの文章からの引用）

「小説の準備」講義に対するコンパニョンの評価は、かなり辛辣なものである。「長いトンネル」「水増し」「逸脱的で冗漫」などと彼はバルトの講義を評している。コンパニョンは「小説の準備」講義を、ほとんどバルトが「小説」に本気で立ち向かうことを回避するための逃げ道として捉えている。私が少なからず感動してしまった「ありのままの私になる」や「〈ハ長調〉の作品を書くこと」についても彼は「修辞的なはぐらかし以外のものを意味していただろうか」と問うてみせる。

しかし、にもかかわらず、この発表の最後の最後で、コンパニョンの論調は肯定的な響きを帯びる。最晩年に書かれた「すべての著作に明白な憂愁のきざしにもかかわらず、想像上の書物の探求はバルトを挫折へと導きはしなかった」とコンパニョンは言う。「まず、「小説の準備」をめぐる二つの講義は、ジャンルの視点からすればしだいに大胆になっていく最後の三著作、『彼自身によるロラン・バルト』、『恋愛のディスクール・断章』、『明るい部屋』の理論づけを試みていた。〈小説〉は結局のところ、すでに実現していたのだ。そして事後にやってきた〈準備〉は、すでによその方角を指していた」。そしてコンパニョンは、真に感動的な次のめざましい指摘によって「ロラン・バルトの〈小説〉」を締めくくる。

最後に、バルトは書くべき小説を想像しながら、次のような突飛な、少なくとも時期尚早の問いを提起していた――「ひとつのテクストが完成したことを、人はいつ知るのだろう?」けっして知りえないのかもしれない――「かりにプルーストが、作品がぎりぎり仕上がったところで死んでしまっていなければ、はたして何を書いただろうか、書きえただろうか?」――プルーストは彼の小説を膨らませつづけたことだろう、バルトが彼の小説についてそうしたであろうように。

(同)

ここでコンパニョンは二つの、ある意味では相矛盾することを述べている。ロラン・バルトはすでに小説を書いていた。ロラン・バルトは(生き存《なが》えていたとしても)けっして小説を書き終わりはしなかっただろう。つまり、そういうことだ。小説の準備とは、それ自体が小説であり得るし、だがその準備に終わりはなく、それは或る種の書き手にとって小説を書くことに終わりがないことと同義である。もっと単純に言えば、小説とは常に小説の準備なのだ。

小説の準備。バルトは自分がこれから書こうとする小説の準備のためにプランを計八つも作成した。それは彼にはどうしても必要なことだった。だがこれもアントワーヌ・コンパニョンが言うように、バルト自身が、ある段階で、彼がモデルとして仰いでいた過去の何人かの偉大な作家たちに「奇妙なことに、書くべき〈作品のプラン〉作成の作業の実例がほとんどない」ことに気づいていた。「あたかも、プランの幻想《ファンタスム》はよくない幻想であって、少なくともバルトが念頭に置いているような〈絶対小説〉に向かうには、むしろ一種の陥穽、阻害の徴候であるようだった」。先達たちは、いわばプラン（も「プランの幻想」も）抜きに、いきなり書いたのである。「こうして、それまでバルトがその小説探求の拠り所としていたプランそのものが、結局のところ、その価値を貶められてしまう。バルトによると、プルーストにはプランはなく、それゆえに彼の作品には終わりがなく、内容が詰まりすぎている。それまでプランが作品の原理をなすと信じてきた彼は、モダンなものをまだ十分に捨て切れていなかったのかもしれない」とコンパニョンは述べている。

だから実のところ「プラン」も「準備」も、バルトが小説を書くためには、書き始めるためには、紛れもない障害として、果てしなき迂回路への誘惑として機能していたのだという見方も取れるかもしれない。彼はただ最初の一語を書けばよかったのである。しかしバルトはそうしなかったし、そう出来なかった。彼は実際に小説を書き出すことを意識的無意識的に先延ばしにしようとして、それに成功した。しかしそのことによって、ロラン・バルトその人にとっての「小説」ということのみならず、もっと一般的かつ普遍的な意味での「小説」にかんして、つまり「小説とは何（であり、何でないの）か？」という、かなり厄介な設問にかんして、幾つかのことが考えられるようになったのも事実である。

まず第一は「断片性からの離陸」の問題である。バルトは本質的に断片・断章型の書き手であり、そのことを本人もよくよくわかっていたがゆえに、あの「メモ書き」というアイデアが出てきたのだった。断片の群れは、如何にして強固な全体性を獲得するのか。断片達は、どこから連続性を、統一性を帯びるのか。「断片」は長さの問題ではない。非常に長い断片だってあり得る。「断片」と「部分」は似て非なるものである。いやむしろ「断片」を「部分」に変容させることが必要なのだろうか。バルトが苦闘の果てに見出した（見出しつつあった）のは、そのもの「断片から成る小説」、断片小説というものであったのかもしれない。しかしそれならば、（最終的にアントワーヌ・コンパニョンが言ったように）バルトはとっくの昔に小説を何冊も書いていたことになるだろう。そうではないということをバルト自身がよくわかっていた。これはとても難しい問題である。

だがしかし視点を裏返せば、次のことは言える。あの長大なプルーストの『失われた時を求めて』は、無数の断片の連結から成るとも考えられるし、あるいはまた、ただ一個の断片なのだと考えることも出来る。つまり断片性とは、何らかの意味で想定もしくは仮構される全体の一部分ということではなく、反＝全体性のことなのだ。そして反＝全体性だけが、全体性へと至る道なのだ。そうでなければ、小説は長ければ長いほど、全体に近づくことになってしまう。だが実際には、ごく短い小説が世界を丸ごと包含する、ということが起こり得る（それはボルヘス的な無限の内包というより、或る種の絵画がしていることに近い）。

従って、断片性から無理に離陸しようとする必要はまったくない。そうではなく、内的には緊張し充実し切った、また外に向けてはどこまでも開放されていくような断片を書けばいいのである。たとえば、カフカが書き残した断片＝小説は、長編もわずか数行の掌編も同等の強度を持っている。それらは断片であり全体である。

次に「記憶（力）の問題」。昔のことを覚えていない、思い出せない、という問題。バルトが構想していたような、書き手（現実の作者ではなく小説という虚構の内部で「作者」として振舞う存在）が、当のその「小説」を書き始めることになるまでを物語る、ウロボロス型の小説の場合、記憶力は一見、最重要な能力であるかに思われる。そうでなくとも、ほとんどすべての小説は、すでに起こったことを物語るものであり（たとえ現在形／現在進行形で書かれている場合であっても、それが読まれるときにはすでに過去であるという点は留意されている）、つまり記憶とは過去の事実性にかかわっている。広義の回想形式、メモワールの困難は、そこにある。ジョルジュ・ペレックの「ぼくは思い出す（Je me souviens）」、それに先立つジョー・ブレイナードの「ぼくは覚えている（I Remember）」（これらは断片性の問題でもある）。

　だが、ぼくは覚えていない、ぼくは思い出せない、という回想の形もあり得るのではないだろうか。記憶喪失の、健忘症のメモワール。ウィリアム・バロウズの「おぼえていないときもある（They Do Not Always Remember）」、あるいは岡崎京子の「ぼくたちは何だかすべて忘れてしまうね」。そしてもちろん小島信夫……私はそれを思い出すことが出来ない、という言表も、思い出す行為、思い出そうとする行為、思い出したいという欲望と願いの一種である。あることは覚えているのに、あることは忘れてしまった、忘れていることさえ忘れてしまった、だから、そのことに触れることさえない、という語られざる告白。顔は思い出せるのに名前が出て来ない、ふと名前が甦ってきたのに誰のことだかわからない、あれはいつのことで、あそこはどこだったのか、どうしても思い出せない……失念や忘却を脳や心のメカニズムで説明するのではなく（それは可能だが）、ただ単に、ぼくは思い出せない、何だかすべて忘れてしまう、と述べること。忘れてしまった、ということについて書くこと。

　三つ目は「嘘の問題」である。すでに述べたように「私は嘘しかつかない」と「私は嘘をつかない／つけない」は一種の共犯関係を結んでいる。そもそもフィクションとは嘘のことではない。しかしそれでも、私はこれから嘘を書く、と書いてから何かが書かれることはあるし、そう書かれてあるからには、嘘として読まれる、ということもある。あるいはまた、これから嘘を書く、という言表が嘘なのだと読む者に読まれることだってあるし、ほんとうに嘘であることもある。私はこれから嘘を書く、とわざわざ書かれていなくとも、多くの小説は、この言表を曖昧な仕方で潜在させている、少なくともそう思われていることが多い。その一段下に、しかしそれは、単なる嘘とは違う、という言表を潜在させていることもある。

だとすれば、真の問題はむしろ「私は本当しか言わない」「私は本当しか言えない」といった言表のほうなのではないか。言うまでもなく、これは「私小説」の問題である。ロラン・バルトの書かれなかった小説は、もしも書かれていたら、ひとつの私小説的試みとして読まれただろうか。フランスだから「私小説」ではなく「オートフィクション」だろうか。嘘をつけないということが、本当しか言えないということと、必ずしもイコールではない、という問題。まったく素朴な話、嘘をつこうとして、つい本当のことを言ってしまう、とか、本当のことを言っているつもりなのに気づかぬうちに嘘をついてしまっている、などなどがあるわけで、現実がそうであるように小説だってそうだ。嘘しか書かれていない真実の小説というものはある。嘘をつくしかないということが逆説的に真実を晒け出すことになるような小説が。

断片、記憶、そして嘘は、ロラン・バルトに小説を書き始めさせることを阻みながら、それと同時に、彼にとって「小説」とは何であったか、いや、われわれにとって「小説」とは何なのか、を考えさせてくれる。バルトが否定的に考えた三つの問題は、ほぼそのまま、原理的な「小説」の可能性を示している。小説と呼ばれているものが、人生に対して、世界に対して、いったい何が出来るのか、という、すこぶる方法的で、方法的であることによってすこぶる倫理的でもあるような問い。

そして、ここで突然、すでに問われていた二つの問いが回帰する。「ひとつのテクストが完成したことを、人はいつ知るのだろう？」それから「迷路はどこから始まるか？」。これらをひとつの問いに変換してみよう。すなわち「迷路＝小説」は、どこから（どのように）始まって、どこで（どのように）終わるのか？

あのころはいつもお祭りだった。家を出て通りを横切れば、もう夢中になれたし、何もかも美しくて、とくに夜にはそうだったから、死ぬほど疲れて帰ってきてもまだ何か起こらないかしら、火事にでもならないかしら、家に赤ん坊でも生まれないかしらと願っていた、あるいはいっそのこといきなり夜が明けて人びとがみな通りに出てくればよいのに、そしてそのまま歩きに歩きつづけて牧場まで、丘の向こうにまで、行ければよいのに。「あなたたちは元気だから、若いから」と人には言われた。「まだ結婚していないから、苦労がないから、むりもないわ」でも娘たちのひとりの、片足を引きずって病院から出てきて、家にはろくに食べ物もなかったあのティーナ、彼女でさえわけもなく笑った、そしてある晩などは、小走りにみなのあとをついてきたのが、急に立ち止まって泣き出してしまった、だって眠るのはつまらないし楽しい時間を奪われてしまうから。

（チェーザレ・パヴェーゼ『美しい夏』／河島英昭訳）

「きみをここに置いていく。これからさき、きみはひとりでいかにゃならん。きみの知らないこの町を、じっくり探ってみるがいい」それまでうつ向いていたマチウは目をあげた。気がつくと、夜であった――まっくらな空には星ひとつなかった――家が並んでいた、舗石をしいた道路――かれは町かどに立っていた、二つの道路の舗石がかれの足のしたでかち合っていた――高いところにつるされた街燈の黄いろい、ぎらつくひかりが、この光景を照らしていた、このみなれぬ光景、一本の広々とした大通り、かれにはその大通りの両がわをみおろすことができた。きらきら光る市街電車のレールが舗石にはまって、遠くのほうからつづいていたが、ずっとさきでみえなくなっていた、かぞえきれぬほどつるされた街燈の律義な黄いろい光のしたを、レールはどこまでもまっすぐに走っている、とマチウにはおもえた。

（ハンス・ヘニー・ヤーン『鉛の夜』／佐久間穆訳）

一七九六年五月十五日ボナパルト将軍は、ロジ橋を突破した若い軍隊を率いてミラノにはいった。彼らはかくも長い世紀を経た後、カエサルとアレクサンドロスがようやくその後継者を得たことを、世界に知らせたばかりであった。

以来数ヵ月にわたってイタリアが目撃した勇気と天才の奇蹟は、眠っていた人民を呼びさました。フランス軍が着く一週間前まで、ミラノ人は彼らを王皇帝陛下の軍隊のいたるところ、つねに遁走を続ける盗賊の一団だと信じこんでいた。少なくともそれはきたない紙に印刷した掌大の小新聞が、週に三回繰返し説いたところであった。

（スタンダール『パルムの僧院』／大岡昇平訳）

これらの書き出しが持つ明澄さ。では終わりはどうか?

「あなたの好きなところへ行くわ」とジーニアが言った、「あたしをつれて行って」
（『美しい夏』）

壁にかこまれた墓穴の蓋が、がちがち鳴って落ちるのを、かれははっきりしすぎるほどはっきりと耳にした。
（『鉛の夜』）

パルムの監獄は空《から》であった。伯爵は大富豪になっていた。エルネスト五世は臣民から慕われ、その政府はトスカナ大公のそれにも負けないといわれていた。
（『パルムの僧院』）

これらの結末は閉鎖ではない。だが開放でもない。ある意味で途絶であり、であるがゆえに確と終わっている。或る種の小説にかんしては、いや「小説」にかんしては、すべての中断、中絶、未完は、そのまま「終わり」なのであり、そして／しかし、あらゆる終わりは「終わり」ではない。このことに抗うためには、それをけっして書かない、書き出さない、という手段を選ぶしかない。ロラン・バルトがそうしたように。あるいは、そうしなかったように。

いま始まったばかりなのだから、これから何がどうしてどうなるのかなんてわからない、というのは大間違いで、いや間違いではないのかもしれないが、それでも時として、まだ始まったばかりだというのに、これから何がどうなっていくのかを、自分は知っている、確かによく知っている、全部わかっている、と思えることがあり、しかもそれは心地良い迷子の感覚や新鮮な驚きと共存している、そんなことがある。

デジャヴュとかではなく、記憶の作用ではなく、むろん事実として知っているということでもなく、ただ始まりが始まりでありながら、つまりそれは端緒であり入口であって、だからまだほんのごく僅かで微かな部分でしかないのだが、しかしそこにはすでに全体が、何もかもが、在る、潜在している、潜在どころかあからさまに姿を晒している、とりあえずのお終いまで、とりあえずではなく最後の最後の最後まで、もうとっくに全部ここに在り、それを自分はよくわかっているという、これは思い込みや錯覚ではなく、ほんとうにそうで、誰にとってもそうである筈だという確信が俄に立ち上がる、そんなことがある。

いちばんはじめにこう書いたのは私だ、私だった。それは確か現実のことだった筈なのだが、今こうしてみると、これはまるで小説のことみたいな気がする。このようにして、もうすぐ終わる。これは「小説」の話だった。それだけではないのだが、しかし「小説」の話をしてきた。来るべき「小説」のためのプログラム？　こんなものがそうなのか？

「こんなものがそうなのか？」と書いてから十二分が過ぎた。ここは渋谷の行きつけの喫茶店で、私は四時間半も居座っている。ひと息入れて伸びをして、メールのチェックをして、Twitterを覗き、ネットの記事を二、三読んで、紅茶を追加で注文した。これであと二時間は粘れる、と書いてから、また五分が過ぎた。トイレに行ってきたのだ。このように「十二分が過ぎた」とか「五分が過ぎた」と書くだけで、十二分が過ぎて、五分が過ぎたことになる。では「一年が過ぎた」と書けば、一年が過ぎるのだろうか。

十年が過ぎた。

と書けば十年が過ぎるのだろうか。十年が過ぎたことに出来るのだろうか。小説ならそれが出来るし、そうなる。

百年が過ぎた。

と書けば、あれから、今から百年が過ぎたことになるのだろうか？　では千年なら？　一万年なら？　今これを書いている私が小説の登場人物なら、それは許されるのか、可能なのか。ではなぜ、そのようなことが可能なのか？　これを書いている私が登場人物である可能性は、どのくらいあるのだろうか。これを書いている私が登場人物になる可能性は、どのくらいあるのだろうか。すでにそうなのか。それとも相変わらず何ひとつ変わっていないのか。「ここに読まれるいっさいは、小説の一人物が語っているものとみなされなければならない」。では私と言わず彼と書けばいいのか。今これを書いている彼は登場人物である。彼は積み上がった本の塔から一冊を引き出し頁を開く。

映画はもはや物語的ではなくなる。しかしゴダールとともにそれは「小説的」になるのだ。『気狂いピエロ』のいうように、「次の章、絶望。次の章、自由。悲嘆」。バフチンは、小説を、叙事詩とも悲劇とも対立させて、集団的あるいは配分的な統一性をもはやもたないものとして定義した。人物たちはまだこのような統一性によって唯一の同じ言語を話していたわけである。反対に小説は必然的に、匿名の日常言語を、ある階級、ある集団、ある職業の言語を、またある人物の固有の言語を借用するのである。したがって、人物、階級、ジャンルは、作者の自由間接話法を形成し、同時に作者はそれらの自由間接的ヴィジョンを形成する（彼らが見るもの、彼らが知っていること、知らないこと）。あるいはむしろ人物たちは作者の言説－ヴィジョンにおいて自由に自己を表現し、作者は人物たちの言説－ヴィジョンにおいて、間接的に自己を表現する。要するに匿名の、あるいは人称化されたジャンルにおける反映が小説を構成し、その「多言語主義」、その話法、そのヴィジョンを構成するのである。ゴダールは、小説に固有の力能を映画にもたらす。彼は自分自身に、仲介者としての様々な反映のタイプを与えるが、そうした仲介者たちを通じて、〈私〉はたえず他者になるのだ。それは折れ線であり、ジグザグの線であり、作者と彼の人物たちと、彼らの間を通過する世界とを結合するのだ。

（ジル・ドゥルーズ『シネマ２＊時間イメージ』／宇野邦一訳）

彼は本を閉じ、目を閉じて、そして考えた。ここがターミナルだ。あるいは、出発だ。何も見えない。いやそうではなく、瞼の裏に明るく輝く何かがある。彼は首を二、三度振ってから目を開き、そして立ち上がった。足元に水溜まりが広がっている。それは小さな湖だった。両の踝《かかと》から下が蒼い水に包まれていた。生暖かいのは陽が照っているせいだ。彼は歩き出した。湖の奥へ。彼は一歩一歩、水を撥ね上げながら歩んでいく。不器用な歩行だ。だが笑っているみたいだ。彼はゆっくりと遠ざかっていった。湖はいつのまにか川のようになっていた。橋が見える。橋の欄干に陽光が眩しく反射していた。逆光で顔は見えないが誰かが立っている。私が彼を見ていた。いや、彼が私を見ていたのか。それから百年が過ぎた。何かが終わって、別の何かが始まった。遠くで音が聞こえた。歌声のようだった。

私が生まれ、生きて、そして死んだ。私が死んで、生まれ、そして生きた。私が生きて、死んで、そして生まれた。何かよくわからないものが旋回していた。あまりに速くて止まっているように見える。だが止まってはいない。触れれば身を切れるほどの敏捷さで駆動している。彼は約束を思い出した。あのとき、私がこう言った。「終わるために始めなければならない。また終わるために」。会いに行こう。渡すものがあるのだ。こうして旅が始まった。

絵は今も静止したままだ。剝げた緑色の鞦韆《ぶらんこ》が宙空に斜めに架かっており、黄色い服の少女も静止している。しかめ面で、だが不機嫌には見えない。突っ張った両足の真ん中に位置する膝小僧は、案の定、擦りむけている。この絵が描かれたのはいつのことだったか。私はそれを知っているが言うつもりはない。代わりにひとつ、よいことを教えよう。明日も、明後日も、その次の日も、雨は降らない。

「初めに無があった。次に万物があった」。こんな書き出しで始まる小説に、それから何百ページも続きがあるだなんて、あなたは信じられるだろうか？　だがそうなのだ。

木が言う。太陽と水は永遠に問いを投げ掛けている、それはこちらが答えるに値する問いだ、と。

木が言う。いい答えは何度も、ゼロから再発明されなければならない。

木が言う。大地の土は常に、新しいものに把持されることを必要としている。ヒマラヤスギの細い枝には、分岐の仕方が無限にある。ものはただじっとしているだけで、あらゆる場所へ旅することができる。

（リチャード・パワーズ『オーバーストーリー』／木原善彦訳）

この小説にはたくさんの人間が出てくるが、主役は読まれるとおり、木だ。先日、私は新聞家という演劇ユニットの『フードコート』という芝居を観に行った。こぢんまりとしたアトリエでの上演で、出演者は女性がたったひとりだった。人間はたったひとりだったが、そこでは植物たちが慎ましくも賑やかに点在していた。イタドリ、ゴシキトウガラシ、コンシンネ、ガザニア、ニチニチソウ、シソ、ポリシャス・スターシャ、フウセンカズラ、ナイトジャスミン、シェフレラ・コンパクタ。彼らは、彼女らは、ただひたすらじっとしていたが、そこにいながらいないようでもあった。彼らの数、彼女らの数だけの時間が同時に流れているみたいだった。ひとりの女優が覚えた台詞を口にしている間、彼らは、彼女らは、じっと耳を澄ましているようだった。あるいは気にも留めていない風でもあった。

「文学」の問題というものはない。あるのは「小説」の問題、もしくは「小説」という問題だ。小説とは何か、という問いは間違っている。ただしくは、何を小説と呼ぶか、である。小説には何が出来るのか、という問いも間違っている。ただしくは、小説がまだしていないことは何か、である。たかだか一編の小説が、ひとりの人間の生や、この世界それ自体と、精確に釣り合いが取れたものに、あるいはそれ以上にさえなるという明らかな錯覚。小説を読むということ、ひとつの小説を読むということ、ひとつの小説と遭遇するということがもたらす、このこれ、の創世。ひとつの小説が書かれ、そして読まれるという、ささやかな、だが途方もない奇跡。

別の言い方をしよう。このうえもなく不可思議な何かが、どこかの誰かによって書かれ、どこかの誰かによって読まれる。それはまた別の誰かによって読まれ、その誰かがまた別の何かを書き始めたりもする。それには始まりと終わりがあり、その中間がある。そうであるがゆえに、それは常に必ず有限である。だが時としてそれは、それを書いたものも、それを読むものも、そこに書かれてあるものさえも超えた、また別の何かになることがある。それは無限ではないが、ひとつの全体だ。この何もかも、としての断片。それを小説と呼ぶ。

あとがき

愛する人といっしょにいて、ほかのことを考える。そんなふうにして私はもっとも良き思考を手に入れ、仕事に必要なもっとも良きものを考え出す。テクストについても同様だ。間接的に自分を聴きとらせるようになると、テクストは最良の楽しみを私のなかにつくり出す。テクストを読みながら、しばしば顔をあげ、ほかのことを聴くようになる。かならずしも楽しみのテクストに捕獲されるわけではない。それは軽やかで複雑な、手入れされて、ほとんど軽率なおこないであればいい。頭の突然の動きとか、私たちが聴いているものをなにも聞いていない、私たちが聞いていないものを聴いている、一羽の小鳥の動きのような。

（『テクストのたのしみ』ロラン・バルト／鈴村和成訳）

本書は「群像」に連載された長編論考「全体論と有限―ひとつの「小説」論―」を纏めたものである。単行本にするにあたって題名を『それを小説と呼ぶ』にあらためた。

私はこれを、先だって新潮社より刊行した『これは小説ではない』と対になる本として書いた。今からちょうど三年前の二〇一七年十月に出した『新しい小説のために』の「あとがき」で、私は同書を「文芸批評」における自分の一冊目の「主著」と位置づけたうえで、そこでは論じ切れなかった、あるいは新たに生じた幾つかの課題に向けて「漸進」を開始する、と予告し、その後、きわめて意識的に二誌の文芸誌で相前後して連載を行なった。非常に単純化して言えば、『これは小説ではない』では「小説」の「方法」を、『それを小説と呼ぶ』では「小説」の「主題」を、それぞれ扱う心算で取り組んだ。『これは小説ではない』は「小説ではない」複数の芸術表現の、それもかなり突端的な実験と呼び得るような種々の「方法」の分析を「小説」に逆向きに適用する試みだった。そして本書では、読まれる通り、幾つかの巨きな、或る意味では「人間」の手に余るような、だがまた別の或る意味では、やはり「人間」が創り出したものと言うしかない「主題」について考えることが、「小説」の何たるかを、その根底から再考する作業になるという、予感というか直観というか確信というか、今なお明確には言語化出来ない、自分でもいささか不可思議な欲望、そう、欲望に衝き動かされるようにして、ささやかな、だがやった本人としては渾身の、と敢て言っておきたい探求を行なった。月刊の連載だったとはいえ、諸般の事情で第一章と第五章はそれぞれ約百枚の一挙掲載だったこともあり、率直に言って大変だった。しかも同時にもう一つの連載も並行して執筆し、更にははじめての小説「半睡」(「新潮」二〇二〇年四月号)も書き進めていたのだ。すっかり暇になった現時点の感覚からすると、よくあんな異常な離れ業がやれたものだと自分でも思う。あれからまだ一年も経っていないのだが。

自分自身であらためて通読してみて、本書の隠しようもない奇態さは、私がこれまで書いてきた数十冊の書物のなかでも、際立ったものになっていると思う。私は少なくとも過去十年以上の間、自分が「批評」と定義づけてきた営みと試みに強いこだわりを抱いて色々なことをしてきたが、実のところこれはもうすでに「批評」ではなくなっていたのかもしれない。むしろもっと端的に、幾つかの(やたらと壮大な)テーマに沿った、その時々の私の現在形の「思考」の足跡が、ここに刻まれている、とでも述べたほうが実感に近い。いやまあ、それだって「批評」と呼んでいいのだが、私にとっての「批評」は常に必ず「(批評)対象」ありきであって、何であれ「対象＝それ」について考える、ということが「私の批評」の意味であり意義でもあったのだが、今後は「それ」抜きでも「思考」することをありにしようと思っているのだ。具体的に言えば、創作である。もちろん「創作」の定義も一通りではないのだが。結果として本書は、かなり明瞭に、この私の人生における最後の大がかりな変化に向けた、長い長い助走のごときものになっている、なってしまった、と思う。これは「小説」の到来をめぐる書物である。それは個人的な体験であると同時に、非人称的な現象でもある。「小説」は誰かに(私に?)よって書かれるのではなく、誰かのところに、私のところに、或る時、とつぜんにやってくるのだ。私はそう思っている。

本書は私の「文芸批評」における一冊目の「主著」である『新しい小説のために』、二冊目の「主著」に当たる『これは小説ではない』に続く、第三の「主著」である。より精確に言えば、『これは小説ではない』と『それを小説と呼ぶ』は、どちらも「第二の主著」なのだが。出来れば前二著も併せてお読みいただければ幸いである。

連載時は「群像」編集部の森川晃輔氏、単行本編集は講談社文芸第一出版部の斎藤梓氏のお世話になった。ありがとうございました。装幀の宮口瑚氏にも感謝致します。

さて、これから自分がどこに向かうのか、それは私にもよくわからない。とりあえず今は、この奇妙な書物が、届くべき読者に向けて届けられることを祈るばかりだ。

二〇二〇年十月二十一日

佐々木 敦

引用と参照

「物語」松浦寿輝
「無人島の原因と理由」ジル・ドゥルーズ／前田英樹訳
「話をしながらだんだんに考えを仕上げてゆくこと」ハインリヒ・フォン・クライスト／種村季弘訳

第一章　方法序説

『舞台らしき舞台されど舞台』スペースノットブランク
「永遠の歴史」ホルヘ・ルイス・ボルヘス／土岐恒二訳
『アルゼンチン人の言語』ホルヘ・ルイス・ボルヘス、ホセ・エドムンド・クレメンテ／土岐恒二訳
「オブジェクタム」高山羽根子
『文明の恐怖に直面したら読む本』栗原康・白石嘉治
「ペナント」磯崎憲一郎
「太陽の側の島」高山羽根子
「形而上学と科学外世界のフィクション」カンタン・メイヤスー／神保夏子訳
『人間知性研究　付・人間本性論摘要』デイヴィッド・ヒューム／斎藤繁雄、一ノ瀬正樹訳）
『Self-Reference ENGINE』円城塔
『文字渦』円城塔
『ウィトゲンシュタインの講義　ケンブリッジ　1932-1935年　アリス・アンブローズとマーガレット・マクドナルドのノートより』野矢茂樹訳
「ハレルヤ」保坂和志
「十三夜のコインランドリー」保坂和志
『銀河の死なない子供たちへ』施川ユウキ

第二章　世界を数える

『両方になる』アリ・スミス／木原善彦訳
『時のかたち　事物の歴史をめぐって』ジョージ・クブラー／中谷礼仁、田中伸幸訳、加藤哲弘翻訳協力
『建設現場』坂口恭平
『実在とは何か——マヨラナの失踪』ジョルジョ・アガンベン／上村忠男訳
『マヨラナの失踪——消えた若き天才物理学者の謎』レオナルド・シャーシャ
「物理学と社会科学における統計的法則の価値」エット

レ・マヨナラ／上村忠男訳
『科学について』シモーヌ・ヴェイユ／福居純、中田光雄訳
「実在とは何か」ジョルジョ・アガンベン／上村忠男訳
「DL2号機事件」泡坂妻夫
『なぜ世界は存在しないのか』マルクス・ガブリエル／清水一浩訳
「『意味の場』刊行記念インタビュー」飯盛元章訳
「アメリカ大陸先住民のパースペクティヴィズムと多自然主義」エドゥアルド・ヴィヴェイロス・デ・カストロ／近藤宏訳
「実在論化する相対主義――マルクス・ガブリエルと思弁的実在論をめぐって（後）」千葉雅也、東浩紀
『世界の複数性について』デイヴィッド・ルイス／出口康夫監訳
『反事実的条件法』デイヴィッド・ルイス
『世界の複数性について』解説／八木沢敬
『ポイント・オメガ』ドン・デリーロ／都甲幸治訳
『有限性の後で』カンタン・メイヤスー／千葉雅也、大橋完太郎、星野太訳
『凍《いて》』トーマス・ベルンハルト／池田信雄訳

第三章　神を超えるもの

『誰かが手を、握っているような気がしてならない』前田司郎
『モナドの領域』筒井康隆
『神は死んだ』ロン・カリー・ジュニア／藤井光訳
『幸福はなぜ哲学の問題になるのか』青山拓央
『運命論を哲学する』入不二基義、森岡正博
『あるようにあり、なるようになる』入不二基義
『未知との遭遇』佐々木敦
「あなたの人生の物語」テッド・チャン／公手成幸訳

第四章　全体論と有限

「現代都市における空間の性格」磯崎新
「プロセス・プランニング論」磯崎新
「媒体の発見――続プロセス・プランニング論」磯崎新
「E・サイードに導かれて」ジャン＝リュック・ゴダール／久保宏樹訳
『イメージの本』ジャン＝リュック・ゴダール
『宇宙のランドスケープ』レオナルド・サスキンド／林

田陽子訳
『隠れていた宇宙』ブライアン・グリーン／竹内薫監修、大田直子訳
『モレルの発明』アドルフォ・ビオイ＝カサーレス／清水徹、牛島信明訳
「月の客」山下澄人
『セザンヌの地質学』持田季未子
『セザンヌ』ジョワシャン・ガスケ
『プルーストの記憶、セザンヌの眼』ジョナ・レーラー
『壁抜けの谷』山下澄人
『思考の諸様態』アルフレッド・ノース・ホワイトヘッド（中村昇著『ホワイトヘッドの哲学』の訳文）
『科学と近代世界』ホワイトヘッド（『ホワイトヘッドの哲学』より）
『過程と実在』ホワイトヘッド（『ホワイトヘッドの哲学』より）
『かたちは思考する』平倉圭

第五章　小説の準備

『テクストのたのしみ』ロラン・バルト／鈴村和成訳
『小説の準備』ロラン・バルト／石井洋二郎訳
『ロラン・バルト　言語を愛し恐れつづけた批評家』石川美子
「ロラン・バルトの〈小説〉」アントワーヌ・コンパニョン／中地義和訳
『美しい夏』チェーザレ・パヴェーゼ／河島英昭訳
『鉛の夜』ハンス・ヘニー・ヤーン／佐久間穆訳
『パルムの僧院』スタンダール／大岡昇平訳
『シネマ2＊時間イメージ』ジル・ドゥルーズ／宇野邦一訳
『オーバーストーリー』リチャード・パワーズ／木原善彦訳

佐々木　敦（ささき・あつし）
一九六四年、愛知県生まれ。批評家。音楽レーベル HEADZ 主宰。広範な範囲で批評活動を行う。
著書に、『ニッポンの思想』『ニッポンの音楽』『ニッポンの文学』（講談社現代新書）、『あなたは今、この文章を読んでいる。』（慶應義塾大学出版会）、『シチュエーションズ』（文藝春秋）、『未知との遭遇』（筑摩書房）、『これは小説ではない』（新潮社）、『批評王——終わりなき思考のレッスン』（工作舎）、『絶体絶命文芸時評』（書肆侃侃房）など多数。
二〇二〇年、「批評家卒業」を宣言。同年三月、初の小説「半睡」を発表した。

それを小《しょう》説《せつ》と呼《よ》ぶ

二〇二〇年一一月二四日　第一刷発行

著者　佐《さ》々《さ》木《き》　敦《あつし》
発行者　渡瀬昌彦
発行所　株式会社 講談社
東京都文京区音羽二-一二-二一　〒一一二-八〇〇一
電話　出版　〇三-五三九五-三五〇四
　　　販売　〇三-五三九五-五八一七
　　　業務　〇三-五三九五-三六一五
印刷所　凸版印刷株式会社
製本所　大口製本印刷株式会社

定価はカバーに表示してあります。
落丁本・乱丁本は購入書店名を明記のうえ、小社業務宛にお送りください。送料小社負担にてお取り替えいたします。尚、この本についてのお問い合わせは、文芸第一出版部宛にお願いいたします。

ISBN978-4-06-521531-9 N.D.C.914 351p 20cm